POESÍAS COMPLETAS

POESÍA

ANTONIO MACHADO

POESÍAS COMPLETAS

SOLEDADES / GALERÍAS /
CAMPOS DE CASTILLA...

Edición
Manuel Alvar

Apéndice
M.ª Pilar Celma

COLECCIÓN AUSTRAL

Primera edición: 25-XI-1975
Trigésima octava edición: 18-XI-2004

© *Herederos de Antonio Machado, 1940*

© *De esta edición: Espasa Calpe, S. A., 1978, 1988, 1997*

Diseño de cubierta: Tasmanias

Depósito legal: M. 45.014—2004
ISBN 84—239—9590—9

Espasa, en su deseo de mejorar sus publicaciones, agradecerá cualquier sugerencia que los lectores hagan al departamento editorial por correo electrónico: sugerencias@espasa.es

Impreso en España/Printed in Spain
Impresión: UNIGRAF, S. L.

ESPASA

Editorial Espasa Calpe, S. A.
Vía de las Dos Castillas, 33. Complejo Ática - Edificio 4
28224 Pozuelo de Alarcón (Madrid)

ÍNDICE

INTRODUCCIÓN

LA LUZ DE SUS PENSAMIENTOS

«Por mucho que un hombre valga, nunca tendrá valor más alto que el de ser hombre.» Así hablaba Juan de Mairena, formulando en palabras lo que su creador Antonio Machado practicaba en el dulce y doloroso ejercicio de vivir. Pocas veces al tener un libro entre las manos se cumplirán mejor los deseos de Walt Whitman: en nuestros dedos no descansan unas hojas, sino que tiembla un hombre. Estos poemas a los que intento acercarme son los poemas de un hombre. Para serlo no necesitó gritos ni charangas, le bastó el caminar, como lo vio Rubén, en silencio y con la mirada profunda, convirtiendo en luz la propia bondad íntima. Y es que aquel hombre que caminaba en sueños, iba «siempre buscando a Dios entre la niebla». Un día, calle del Cisne abajo, en Madrid, se cruzó con él Rafael Alberti; lo encontró desprendido, desnuda el alma, como una tristeza que caminara.

> (Tristeza de árbol alto y escueto, con voz de aire pasado por la sombra. Y con la naturalidad, con la llaneza propia de lo verdadero, de lo que no ha brotado en la tierra para el engaño, hizo sonar sus hojas melancólicas en sus poemas [1].)

Y este hombre pasó doloridamente por la vida dejándonos unas cuantas palabras verdaderas. Son sus versos, desasidos y desnudos, como una tristeza que caminara. Pero,

---

[1] *Imagen primera de...* pág. 46. Buenos Aires, 1945.

también, nos dejó en ellos fe y esperanza. No serían si no palabras de un hombre bueno. Su retórica es muy pobre. Los recursos de que se vale apenas si nos permiten un mínimo asidero. Y, sin embargo, rara vez en nuestra poesía se habrá encontrado un testimonio más sincero y auténtico. Porque rara vez las palabras han significado más directamente aquello que querían significar. Las palabras en carne viva, sin lienzos que la puedan ocultar.

> (Y no es verdad, dolor, yo te conozco,
> tú eres nostalgia de la vida buena
> y soledad de corazón sombrío,
> de barco sin naufragio y sin estrella [2].)

SOLEDADES. GALERÍAS

La publicación de *Soledades* presenta un pequeño problema bibliográfico: salidas en 1902, llevan pie de imprenta de 1903. En 1904, se reimprimen, y en 1907 adquieren su forma plena: *Soledades. Galerías. Otros poemas,* título que se cambiará ligeramente en la edición de 1919: *Soledades, galerías y otros poemas.* Cierto que estas menudencias no tienen mayor valor y me refiero a ellas para conocer la trayectoria externa de la obra que inicia el quehacer de uno de nuestros más grandes poetas. Los sesenta primeros poemas constituyen el núcleo original; poesías escritas —casi todas— entre 1898 y 1900, que se ampliaron en la edición de 1907 con otros 31 textos que constituyen las *Galerías* y aún quedan esos *otros poemas,* con los que se alcanza el nú-

---

[2]   Cfr. las siguientes obras de conjunto: S. Serrano Poncela, *Antonio Machado, su mundo y su obra.* Buenos Aires, 1954; Ramón de Zubiría. *La poesía de Antonio Machado.* Madrid, 1959; Alberto Gil Novales. *Antonio Machado.* Barcelona, 1966; Manuel Tuñón de Lara, *Antonio Machado, poeta del pueblo.* Barcelona, 1967; A. Sánchez Barbudo. *Los poemas de Antonio Machado. Los temas, el sentimiento y la expresión.* Barcelona, 1967. Giovanni Caravaggi, *I paessagi «emotivi» di Antonio Machado. Appunti sulla genesi dell'intimismo.* Bolonia, 1969; Roberto Paoli, *Machado.* Florencia, 1971; Marta Rodríguez, *El intimismo en Antonio Machado. Estudio de la evolución de la obra poética del autor.* Madrid, 1971. Añádase como imprescindible, Oreste Macrì, *Poesie di Antonio Machado.* Milán, 3.ª ed., 1969. Hay otras buenas ediciones, como las *Obras. Poesía y prosa,* por Aurora de Albornoz y Guillermo de Torre. Buenos Aires, 2.ª ed., 1973.

mero 96 de las *Obras completas*. Pero todo no acaba aquí:
hubo poemas que se olvidaron en estas primeras ediciones y
otros no recogidos en libro, que han sido encontrados por
Dámaso Alonso [3]. Es ésta una historia para que todo quede
puntualmente en orden. El conjunto nos enfrenta con una
sorprendente realidad.

Esa sorprendente realidad es el sentido que el libro tiene
en el panorama poético en el que se incrusta. Rubén Darío
había publicado *Azul...* en 1888 y 1890, las *Prosas profanas*
en 1896 y 1901, los *Cantos de vida y esperanza* en 1905. Pre-
ludiándolo o a su zaga iban unos cuantos nombres españoles: Manuel Reina [4], Salvador Rueda [5], Villaespesa [6],
Marquina [7]. Esta era la veta innovadora con la que Machado se encuentra. La otra, la que iba repitiendo mejor o
peor las enseñanzas de Campoamor o Núñez de Arce, poco
podía contar. Machado fue atraído por los halagos del modernismo [8], aunque pronto supo liberarse de tutelas. Ahí
quedaba su hermano Manuel con libros capitales en el quehacer del modernismo español: *Alma* (1900), *Caprichos* (1905),
La fiesta nacional (1906), *Alma, museo. Los cantares* (1907).

Decir que Antonio no es poeta modernista no es decir
gran cosa, pues también podría defenderse lo contrario.
A mi modo de ver, hay algo diferente de escribir poemas en

---

[3] *Poesías olvidadas de Antonio Machado*, apud *Poetas españoles contemporáneos*, págs. 103-159. Madrid, 1952. Véase también, del mismo crítico,
Cuatro poetas españoles, págs. 139-143. Madrid, 1962; Rafael Ferreres, *Prólogo* a su edición del libro. Madrid, 1967.
[4] *Andantes y alegros* (1877), *Cromos y acuarelas* (1878), *La canción de las
estrellas* (1895), *Poemas paganos* (1896), *Rayo de sol* (1897) y, póstumos ya,
los *Robles de la selva sagrada* (1906). Rubén, el Rubén juvenil (1884), había
dedicado un amplio poema al escritor de Puente Genil.
[5] *Noventa estrofas* (1883), *Poema nacional* (1885), *Sinfonía del año* (1888).
La corrida de toros (1889), *Estrellas errantes* (1889), *Himno a la carne* (1890),
Aires españoles (1890), *Cantos a la vendimia* (1891), *En tropel* (1892), *Fornos*
(1896), *Camafeos* (1897), etc.
[6] *Intimidades y Flores de almendro* (1898), *Luchas y confidencias* (1899),
La copa del rey de Thule (1900), *La musa enferma* (1901), *El alto de los bo-
hemios* (1902), *Rapsodias* (1905).
[7] Sus *Odas* son de 1900. *Las vendimias* de 1901, *Églogas* de 1902, *Elegías*
de 1905.
[8] Cfr. Hans Jeschke, *La generación del noventa y ocho*, págs. 106-137.
Madrid, 1954; Ricardo Gullón, *Simbolismo en la poesía de Antonio Machado*
(«Clavileño», núm. 22, págs. 44-50, 1953); Ramón de Zubiría, *La poesía de
Antonio Machado*, págs. 10-16. Madrid, 1959.

un sentido u otro: es el talante de la inclinación, la voluntad de ser. Y Antonio Machado no quiso ser modernista por más que se puedan rastrear, y encontrar, en él influencias de la escuela. Seleccionó sus poemas y, en lo que acertamos a saber, eliminó los que denunciaban más claramente tal filiación: *Desde la boca de un dragón caía, Me dijo el agua clara que reía, Caminé hacia la tarde de verano, Era una tarde de un jardín umbrío*, etcétera. Después, el repudio sería explícito:

> «Adoro la hermosura, y en la moderna estética
> corté las viejas rosas del huerto de Ronsard;
> mas no amo los afeites de la actual cosmética,
> ni soy un ave de esas del nuevo gay-trinar» [9].

Las *Soledades*, ampliadas con las *Galerías*, eran unos poemas a contrapelo. Rompían con una tradición vieja, pero no se acompasaban con lo que la moderna poesía postulaba. Si acaso eran un salto atrás, la búsqueda, el descubrimiento de lo que Bécquer significaba. Tal vez haya que explicar esto fuera de lo que habitualmente solemos entender; al menos no quisiera ni simplificar, ni repetir. El libro de Machado es un libro teñido de melancolía; con ello estamos descubriendo esa veta de romanticismo que nunca habrá de abandonar. No es necesario sacar a luz su biografía posterior.

Antes de la muerte de Leonor sus versos manaban transidos de tristeza y melancolía. Muerta la esposa, un velo

---

[9]   En el prólogo a *Soledades* (1917), dice:

> «Por aquellos años [1899-1903], Rubén Darío, combatido hasta el escarnio por la crítica al uso, era el ídolo de una selecta minoría. Yo también admiraba al autor de *Prosas profanas*, el maestro incomparable de la forma y de la sensación, que más tarde nos reveló la hondura de su alma en *Cantos de vida y esperanza*. Pero yo pretendí [...] seguir camino bien distinto. Pensaba yo que el elemento poético no era la palabra por su valor fónico, ni el color, ni la línea, ni un complejo de sensaciones, sino una honda palpitación del espíritu; lo que pone el alma, si es que algo pone; o lo que dice, si es que algo dice, con voz propia, al contacto del mundo. Y aun pensaba que el hombre puede sorprender algunas palabras de un íntimo monólogo, distinguiendo la voz viva de los ecos inertes; que puede también, mirando hacia dentro, vislumbrar las ideas cordiales, los universales del sentimiento.»

sutil cubre la circunstancia personal para dejar traslucir —tan sólo— ese talante de su espíritu. Las palabras siempre empañan una voz que se manifiesta ensordinada y el episodio humano, por desgarrador que en sí sea, no rebasa la vibración del susurro o del rezo musitado. En los apuntes de *Los complementarios* dejó unas notas que bien valen en este momento:

> «Lo anecdótico, lo documental humano, no es poético por sí mismo. Tal era exactamente mi parecer de hace veinte años [10]. En mi composición *Los cantos de los niños*, escrita el año 98 (publicada en 1909 = *Soledades)*, se proclama el derecho de la lírica a contar la pura emoción, borrando la totalidad de la historia humana. El libro *Soledades* fue el primer libro español del cual estaba íntegramente proscrito lo anecdótico» [11].

Esta voz ensordinada afecta a los sentimientos y a la expresión. Es una continuidad de aquel desgarro sin estridencias al que llamamos Bécquer, que tanto había de condicionar el quehacer, y la visión, de Antonio Machado [12]. Es, sí, un «arrastre romántico» que purificado de anécdotas llega a nuestro poeta, como otros arrastres románticos llegaron a los modernistas [13], o recalaron en Verlaine [14]. Y he aquí que el rastreo ha venido a mostrar la convergencia de varios

---

[10] Por la cronología de otras notas fechadas, ésta debe ser de 1920. Hace, pues, referencia a los comienzos del siglo XX.

[11] *Los complementarios*, pág. 137, ed. Manuel Alvar. Madrid, 1980. Cfr. Ricardo Gullón, *Las galerías secretas de Antonio Machado.* Madrid, 1958.

[12] Vid., por ejemplo, Rafael Lapesa, *Bécquer, Rosalía y Machado* («Ínsula», págs. 100-101, 1954); Carlos Bousoño, *Teoría de la expresión poética,* págs. 146-153, Madrid, 1956; Marta Rodríguez, *El intimismo en Antonio Machado,* págs. 47-57, Madrid, 1971, y el prólogo de mi edición de *Los complementarios.*

[13] Pedro Salinas, *El problema del modernismo en España o un conflicto entre dos espíritus,* pág. 273. Homenaje a Martinenche, París [1940]. En torno a la cuestión es imprescindible el juicio de Juan Ramón Jiménez en su libro *El modernismo. Notas de un curso (1953),* edición, prólogo y notas de Ricardo Gullón y Eugenio Fernández Méndez. Madrid, 1962. Cfr. Manuel Alvar, *Simbolismo e impresionismo en el primer Juan Ramón,* recogido ahora en el libro *Juan Ramón Jiménez y la palabra poética.* Universidad de Puerto Rico, 1986.

[14] Geoffrey Ribbans, *La poesía de Antonio Machado antes de llegar a Soria,* págs. 13-14. Soria, 1962.

de esos caminos, pero Machado no quiso ser confundido —lo hemos visto— con los corifeos de Rubén, no quiso
que lo contaran verleniano (si es que para él no eran dos
cosas bastante parecidas) y, por el contrario, Bécquer estaba
vivo en las glosas de Juan de Mairena, como vivo seguía en
la creación de don Antonio:

> «La poesía de Bécquer [...], tan clara y transpa-
> rente, donde todo parece escrito para ser entendido,
> tiene su encanto, sin embargo, al margen de la lógica.
> Es palabra en el tiempo, el tiempo psíquico irreversi-
> ble, en el cual nada se infiere ni se deduce [...]. Re-
> cordemos hoy a Gustavo Adolfo, el de las rimas po-
> bres, la asonancia indefinida y los cuatro verbos por
> cada adjetivo definidor. Alguien ha dicho, con indu-
> dable acierto: "Bécquer, un acordeón tocado por un
> ángel". Conforme: el ángel de la verdadera poe-
> sía» [15].

Estos presupuestos: claridad, pero no sencillez, poesía en
un tiempo irreversible, pobreza retórica, sí, y, añadimos, intimismo más allá de las anécdotas, es lo que Antonio Machado nos entrega en su primer libro, lo que seguía vivo
cuando se desdobla en otros poetas y en sofistas retóricos. Es
el nacimiento de su poesía de siempre [16] con unción becque-

---

[15] *Juan de Mairena*, pág. 204, Colección Austral, núm. 1530. Espasa
Calpe, Madrid, 1973. He aquí un bello testimonio de devoción:

> «Conocí en Soria (1908) a un señor Noya, que fue el segundo marido
> de la madre de la mujer de Bécquer. Este señor Noya me regaló, como
> presente de bodas, dos autógrafos de Bécquer, dos composiciones iné-
> ditas que seguramente Bécquer no hubiera publicado. Yo las quemé en
> memoria y en honor del divino Gustavo Adolfo.» (*Los complementa-
> rios*, pág. 149.)

[16] Juan de Mairena reproduce palabras de Abel Martín:

> «El alma de cada hombre [...] pudiera ser una pura intimidad, una
> mónada sin puertas ni ventanas, dicho líricamente: una melodía que se
> canta y escucha a sí misma, sorda e indiferente a otras posibles melo-
> días —¿iguales?, ¿distintas?— que produzcan las otras almas.» (*Juan de
> Mairena*, pág. 10, Colección Austral, núm. 1530. Espasa Calpe, Ma-
> drid, 1973.)

Esa pura intimidad, en acuerdo consigo misma y no con las demás, acerca
en el plano de la realidad poética al quehacer creador de los dos líricos.

riana, en el espíritu y en la forma. De momento pensemos en aquél. Va resultando trivial hablar del romanticismo del poeta; no reincidamos. Quiero, sin embargo, encontrar una palabra-clave para entender de una vez lo que de otro modo nos llevaría demasiados comentarios. Esa palabra sobre la que gira el mundo lírico del primer Machado es *tarde*. Alguna vez se había entrevisto cuánto puede significar [17], pero no lo que significa. De los 96 poemas de que consta el libro, 36 de ellos [18] hacen referencia a *tarde* y a sus sinónimos —totales o parciales— *ocaso* [19], *sol que muere* [20], *crepúsculo* [21], *muere el día* [22]. Ahora bien, *tarde* puede ser un simple enunciado cronológico ('tiempo que hay desde mediodía hasta anochecer', 'últimas horas del día') o cargarse de una serie de contenidos que modifican su valor neutro. Si a ese valor neutro lo llamamos denominativo, denotaciones hay en versos como:

> Deshójanse las copas otoñales
> del parque mustio y viejo.
> La *tarde*, tras los húmedos cristales
> se pinta... [23].

---

[17] Dámaso Alonso había aludido a ello muy de pasada (*op. cit.*, pág. 149) y más explícitamente Marta Rodríguez (*op. cit.*, págs. 43-46), aunque el análisis más demorado lo debemos a Giovanni Caravaggi, *I paesaggi «emotivi» di Antonio Machado*, págs. 52-75 (Bolonia, 1969). Vid. *La experiencia del tiempo en la poesía de Antonio Machado* (Sevilla, 1975), donde se incluye el trabajo de A. Aranda *La tarde en las Soledades*; creo que en poco coincidimos. Véase también Antonio Lara, *Espacio, lugar y tiempo en la lírica de Antonio Machado*, en el «Homenaje a Machado» (Málaga, 1980, págs. 17-41).

[18] Son los que llevan los números I, IV, V, VII, XI, XIII, XV (vid. las dos notas siguientes), XVII, XIX, XXIV, XXV, XXVII, XXX, XXXII (vid. nota 6), XXXVIII, XLI, XLV, XLVI, XLVIII, XLIX, LI, LIV, LV, LXVI, LXX, LXXIII, LXXIV, LXXVI, LXXVII, LXXIX (vid. nota 4), LXXX, LXXXI, XC, XCI, XCIV. Por otro camino, y con otro ejemplo, Alessandro Finzi había buscado acercamientos semejantes a los que ahora intento (*El análisis numérico como instrumento crítico en el estudio de la poesía de Antonio Machado*, «Prohemio», págs. 203-224, I, 1970).

[19] «Se extinguen lentamente los ecos del *ocaso*» (XV), «¿Qué buscas, / poeta, en el *ocaso*?» (LXXIX), «el sol en el *ocaso* esplende» (XCI).

[20] «Ocultan los altos caserones / el *sol que muere*» (XV).

[21] «Las ascuas de un *crepúsculo* morado» (XXXII).

[22] «Está la plaza sombría; / *muere el día*» (LIV).

[23] *Soledades*, I. De ahora en adelante, un número romano indicará el número del poema en las *Poesías completas*. En todo este apartado sólo aduciré textos de *Soledades, galerías y otros poemas*.

> Yo voy soñando caminos
> de la tarde... (XI).

> La *tarde* se ha dormido
> y las campanas sueñan (XXV).

Pero no es esto lo que interesa señalar [24], sino, justamente, todos aquellos casos en que la palabra está dotada
de una serie de cargas afectivas motivadas por unos modifi-
cantes. Sólo así podremos comprender una poesía, sencilla
en su apariencia, pero cuyo significado está más allá de una
lengua trivializada. En definitiva, entender el texto o, si se
prefiere, pasar a un lenguaje neutro todo aquello que el
poeta nos da cargado de afectividad. Claro que esto nos
plantea el delicado problema de qué es el lenguaje poético o
cómo se expresa, pero frente a los versos de Machado —o a
los de cualquier poeta— nuestra postura no puede ser la de
la máquina de traducir, pues el signo poético trasciende la
simple soldadura de significante y significado y está enriquecido con una carga de valores emocionales. La expresión se-
leccionada por Antonio Machado no es ajena a aquello que
quiere comunicarnos; por eso no se muestra extraña al contenido, sino que está fundida con él. La *tarde* es sí 'la tarde'
en unos cuantos testimonios —los menos—, pero es muchas
otras cosas en los numerosos textos en que aparece. Sólo
habremos comprendido el poema si somos capaces de entender correctamente aquello que el poeta nos quiere transmi-
tir, pero la descodificación en la poesía lírica no se reduce a
dar una serie de equivalencias funcionales, sino —además—
a encontrar el sentido que hay bajo ellas: el poeta quiere ser
entendido de algún modo que no es precisamente el funcional, pues para ello emplea la lengua de una determinada
manera, que no es la del coloquio o la del consumo, y ese
modo de comprensión hemos de buscarlo más allá de los

---

[24] Simples denotaciones hay en XXVII, LV, LXVI, XC y XCIV. Y aun
en no pocos de ellos el contexto hace que la *tarde* quede envuelta en una denotación que afecta a todo el verso o a la frase en que está inserta la palabra:
«Brilla la tarde en el resol bermejo» (XXX), «Me dijo una tarde / de la primavera» (XLI), «Pregunté a la tarde de abril que moría» (XLIII), «La tarde
es polvo y sol» (XLV) y así en LI, LIV, LV, XC.

enunciados triviales, en un metalenguaje del que —también— tenemos unos indicios para su comprensión.

Machado no emplea la palabra *tarde* como un determinado período de tiempo, sino que la carga de nuevos contenidos: es *horrible* (IV), *clara, triste y soñolienta* (VI), *lenta* (VI), *clara* (XVII, XLVIII), *roja* (XLV), si se trata de las tardes estivales. Pero cada una de esas posibles adjetivaciones modifica el talante de la palabra. Cierto que alguno de estos valores está implícito en la circunstancia: *clara, soñolienta* y aun *roja* son adjetivos consabidos en las tardes de verano. Su valor apenas si modifica el sentido de la denotación, porque es inherente a la propia condición de las tardes veraniegas su claridad, su duración, el fuego de sus soles, la somnolencia que producen [25]. En algún caso, Antonio Machado había escrito: «No pretendamos ser más originales de lo que somos» [26]. Y no cabe originalidad en el uso de algo que es trivial, pero, entonces, sobra el adjetivo. Sí y no. Pues el adjetivo sirve en estos casos como delimitador entre una serie de posibilidades de definición: la tarde veraniega podría no ser *clara* o la claridad es lo que de ella nos interesa, o la lentitud con que camina hacia la sombra o el brillo refulgente del sol. En la denotación pudieran sobrar los adjetivos; en la connotación, no. En las anotaciones que aparecen en *Los complementarios* hay una que nos interesa en este momento:

> «Cuando Homero dice la *nave hueca,* no describe nave alguna sino que, sencillamente, nos da una definición de la nave, una idea de la nave, que es una visión de la nave y un punto de vista al par, para ver naves, ya se muevan éstas por remo, por vapor o rayos ultravioletas. ¿Está la nave homérica fuera del tiempo y del espacio? Como queráis. Sólo importa a mi propósito hacer constar que todo navegante la reconocerá por suya. Fenicios, griegos, normandos, venecianos, portugueses o españoles han navegado en

---

[25] Lógicamente, en el mismo plano habrá que situar *la tarde parda y fría / de invierno* (V) o la *clara* (VII, XXXVIII), *tibia* (VII), *plácida* (XXXVIII), *luminosa* (LXXVI), *risueña* (LXXVI) de la primavera, o la *luminosa* y *polvorienta* (XIII) del verano.

[26] *Los complementarios*, pág. 153.

esa nave hueca a que alude Homero y en ella seguirán navegando todos los pueblos del planeta» (página 152).

Pero, ¿por qué *horrible* una tarde veraniega? ¿O *triste*?
Aquí los problemas son de índole distinta: sobre el mundo
circundante, el poeta proyecta su propio estado anímico —la
muerte de un amigo, la pena renovada— y no lo desde-
ñemos; Machado, cuando no define, busca unas connotaciones de carácter negativo, las mismas que entran en valoraciones del tipo *amplia como el hastío* (XVII) o *triste y polvorienta* (XLVI) [27]. Sin embargo, lo que me interesa señalar
es la transposición del mundo espiritual del poeta a una determinada formulación lingüística, sólo así la connotación
adquiere su propio valor [28]. En cualquiera de los casos anteriores —definición, motivación externa— difícilmente podríamos hablar de connotación pura; sí cuando nos enfren-
temos con un tipo de expresión lírica en que no quedan
identificaciones ni metáforas. Cuando Machado habla de
una clara tarde de melancolía (XLIII), *una tarde de soledad
y hastío, / ¡oh tarde como tantas!, el alma mía era* (XLIX),
tarde tranquila, casi / con placidez de alma (LXXIV). *Es una
tarde cenicienta y mustia, / destartalada, como el alma mía*
(LXXVII) nos ha llevado a un plano totalmente distinto: la
connotación ha modificado por completo la semántica de
esos textos. Un contenido neutro se ha transformado: *tarde*
ya no es la referencia cronológica que definen los dicciona-
rios, sino esa especial dependencia que se establece entre el
hombre y el cosmos, el misterio que está más allá del
mundo sensible y que, sin embargo, nos atrae y nos condi-
ciona. Estamos acercándonos a la esencia de los mitos: de
una parte, la explicación en la naturaleza de nuestro propio
destino; de otra, la expresión del misterio por un lenguaje
simbólico, cuando nos resulta insuficiente el lenguaje de la
lógica. Si el mito, se ha dicho, nos explica el significado de
la vida, la poesía se convierte en mito tan pronto como nos
ayude a entender la metahistoria de nuestra propia existen-

---

[27]   Habla de una noria: naturalmente, camina en la sequedad del estío.
[28]   Para estos temas, vid. María Jesús Fernández Leborans, *Campos se-
mántico y connotación*. Málaga, 1977; Beatriz Garza, *La connotación: problemas de significado*. México, 1978.

cia. Estos poemas de Antonio Machado intentan bucear en
el misterio del hombre; lingüísticamente no pueden alcanzar
sino lo que la lengua permite descubrir, esa parcela comunicable con unas pocas palabras sencillas; más allá hay que re-
currir a las acepciones simbólicas, y esto es lo que ha hecho
el poeta: dotar a las palabras de unos valores que las enri-
quecen y las limitan, buscar tras ellos el sentido de la propia
vida y transmitirnos el mensaje. Entonces todos estos
signos, al tener una determinada intencionalidad poética, se
convierten en señales estéticas. Pero el último significado
del misterio siempre queda inasequible; poseemos atisbos,
intuiciones, adivinaciones, pero nada más. Los místicos lle-
garían a escuchar la soledad sonora o el no sé qué que
queda balbuciendo; quien no está ungido, revira hacia su interior y escucha su propia voz en la soledad, Machado lo
cuenta con un nervioso temblor, camino de su nueva meta-
morfosis:

> Me dijo *una tarde*
> de la primavera:
> Si buscas caminos
> en flor en la tierra,
> mata tus palabras
> y oye tu alma vieja.
> [...]
> Ama tu alegría
> y ama tu tristeza,
> si buscas caminos
> en flor en la tierra.
> Respondí a *la tarde*
> de la primavera:
> Tú has dicho el secreto
> que en mi alma reza:
> [...]
> Mas antes que pise
> tu florida senda,
> quisiera traerte
> muerta mi alma vieja.

(XLI)

En función de símbolos y mitos, Machado va disponiendo de un léxico que incide sobre el sentido que en él tiene la palabra-clave: el tañido de las campanas (XXXVIII, LIV) y el valor de las lágrimas (XXXVIII), las secretas galerías que llevan hacia la muerte (LXX), las hojas mustias arrancadas por el viento (I, LXXXI), los cipreses negros (XXXII), la iglesia sombría (LXXIII), la alegría que no vuelve (XLIII)... La *tarde* cobra en todos estos casos el sentido de tristeza, pena, despedida, soledad. La tarde y el alma del poeta, en unos versos de emocionada identificación:

> La tarde está muriendo
> como un hogar humilde que se apaga
> [...].
> ¿Lloras?... Entre los álamos de oro,
> lejos, la sombra del amor te aguarda.

> (LXXX)

Identificada el alma con los significados simbólicos que puede tener la palabra *tarde* y con todas las cargas que sobre ella proyectan mil connotaciones de tipo emotivo, ya no extraña que otras palabras completen un cuadro de intimismo romántico. Viene a crearse así una semántica del texto en la que un léxico heterogéneo, en su hondura significativa, está condicionado por una clara intencionalidad unificadora. Se ha hablado de *fuentes y jardines* [29] en esta primera poesía de Machado, pero quisiera ver cómo constituyen un sistema significativo con los valores que acaba de descubrir en la palabra *tarde*.

Rara vez el *agua* y la *fuente* son elementos decorativos. Más allá de la escenografía, trascienden un mundo cargado de significaciones. Machado podrá tomar la nota impresionista y dejarla sin mayor alcance:

---

[29] Dámaso Alonso, *art. cit.*, págs. 146-155; Marta Rodríguez, *op. cit.*, pág. 36; Giovanni Caravaggi, *op. cit.*, pág. 43. Véanse, también Bartolomé Mostaza, *El paisaje en la poesía de Antonio Machado* («Cuadernos Hispanoamericanos», *11-12*, pág. 626, 1949) y Cesare Segre, *Sistema y estructuras en las «Soledades» de Antonio Machado*, apud *Crítica bajo control*, págs. 111-112. Barcelona, 1970. Añádase la correspondencia del tema en *Juan Ramón Jiménez y la palabra poética*, págs. 93-105.

> sobre la fuente, negro abejorro
> pasa volando, zumba al volar.
>
> (LXVI)

> El agua de la fuente,
> sobre la piedra tosca
> y de verdín cubierta,
> resbala silenciosa.
>
> (XC)

Pero esto apenas si ocurre. Fuente y agua son elementos
de una realidad en la que están incrustados. Por eso no pueden retirarse de un mundo al que pertenecen inesquivable-
mente y al que conforman con sola su presencia. El agua o
la fuente rara vez son agua y fuente: hacen tener sentido a
las palabras con las que aparecen en el texto [30], se identifi-
can con el mundo que el poeta canta (si bello, intensificador
de belleza; si hostil, motivo de pena) [31] o son en sí mismos
elementos de vida o muerte en la naturaleza que las
cerca [32]. Ya no es difícil entender por qué el poeta, un paso
adelante, los convierte en elementos con vida propia, autó-

---

[30]   *Agua rizada* bajo el puente, *agua* que corre para que los arcos de piedra cobren cabal sentido (XIII).

[31]   Véanse unos poquísimos testimonios, seleccionados entre otros muchos:

> Tú miras al aire
> de la tarde bella,
> mientras de agua clara
> el cántaro llenas.
>
> (XIX)

> ¡El jardín y la tarde tranquila!...
> suena el agua en la fuente de mármol.
>
> (XXIV)

> Sonaban los cangilones de la noria soñolienta.
> Bajo las ramas oscuras caer el agua se oía.
>
> (XIII)

[32]   Cfr.: «En todo el aire en sombra no más que el agua suena» (XCIV), o
el sol «yerto y humilde» que «tiembla roto / sobre una fuente helada»
(XXXIII).

noma en su realidad material [33]. Pero todo esto quedaría
ajeno al poeta. Machado se ha identificado con las connotaciones que dio a la palabra *tarde;* ahora se identifica con
esta teoría menor que viene a coincidir con los contenidos
íntimos con que la tarde quedó dotada. El borbotar monótono [34] se hace melancolía («el agua en sombra pasaba tan
melancólicamente», XIII) o es trasunto de intimidades:

> Adiós para siempre; tu monotonía,
> fuente, es más amarga que la pena mía.
>
> (VI)

No insisto con más testimonios: queden ahí las plazuelas y
las campanas viejas, los paredones sombríos y las iglesias
arruinadas, los patios con cipreses y el jardín encantado, el
rechinar de la llave y el plañido de la copla, los pasos que se
extinguen y las ciudades viejas...[35]. Una palabra-clave ha
servido para plantear una teoría del comportamiento psíquico del poeta, como otras se disponen en su sistema com-
pletándolo y moviéndose según unos principios de coherencia. Machado ha dispuesto un mundo al que vemos con un
pleno sentido. Detrás de esos símbolos estaba su alma caminando por las sendas que se describen en la psicología india:
la conciencia vigilante *(jagrata)* le hace descubrir un mundo;

---

[33] Así, por ejemplo, el agua que sueña en la fuente verdinosa (XIX), el
agua muerta en la taza de mármol (XXXI), el agua de la fuente que sueña lamiendo la piedra con musgo (XCVI).
[34] La idea se repite «[...] La fuente vertía / sobre el blanco mármol su
monotonía», «[...] vertía / como hoy sobre el mármol su monotonía» (VI).
[35] Cfr. Bousoño, *op. cit.*, págs. 142-146. Aducir textos sería interminable;
me conformo con dar uno, que no deja de ser buen espécimen:

> A la desierta plaza
> conduce un laberinto de callejas.
> A un lado, el viejo paredón sombrío
> de una ruinosa iglesia;
> a otro lado, la tapia blanquecina
> de un huerto de cipreses y palmeras,
> y, frente a mí, la casa,
> y en la casa la reja
> ante el cristal que levemente empaña
> su figurilla plácida y risueña.
>
> (X)

el subconsciente *(svapna)* actúa en estado de ensueño creando símbolos y mitos; la conciencia de sueño sin ensueño *(suschupti)* conduce al arrobo y al misticismo. Descendemos a nuestras posibilidades: Machado parte de un mundo significativo, lo transforma y se identifica con él. Es el caminar de tantos y tantos espíritus por unas sendas a las que suele llamarse misticismo, pero no induzcamos a error y apartemos cualquier idea religiosa. Bástenos lo que la lengua denuncia: triple ambular de la denotación a la connotación, de la connotación a la identificación ontológica de realidad y palabra y, luego, de vida con poesía [36]. Esta es la lección. Más allá estaría la interpretación esotérica, agua y fuente como símbolos en los que se descubren el origen de la vida y la regeneración corporal y espiritual. Merece la pena recordarlo: entre las leyendas árabes sobre Alejandro hay una que cuenta su peregrinación hacia la Fuente de la Vida. Cuando llegó a ella, su cocinero lavó un pescado en salazón, que, en contacto con el agua, aleteó: esta fuente está en el País de las Tinieblas, que los mitólogos actuales sitúan como símbolo del inconsciente. Y aquí volvemos a las voces de los poetas: Novalis [37] diría que el agua es «el elemento del amor y de la unión [...]. El propio sueño no es otra cosa que el flujo de este invisible mar universal y el ensueño, el comienzo de su reflujo». El agua se convierte en fuente fecundadora del alma, curso de la existencia y espejo de deseos y sentimientos. En una tablilla de oro del Museo Británico hay consignada esta tradición órfica [38]:

> «Cuando desciendas a la morada de Hades, verás a la izquierda de la puerta, cerca de un ciprés blanco, una fuente. Es la fuente del olvido. No bebas su agua. Ve más lejos. Entonces encontrarás un agua clara y fresca que mana del lado de la memoria:

---

[36] Sobre el significado que el poeta da al simbolismo, y a la creación de los símbolos, vid. *Los complementarios*, págs. 108-109.

[37] *Die Lehrlinge zu Sais*, apud *Schriften*, edit. Paul Kluckhohn, t. 1, Leipzig. [s. a., 1928?], pág. 36.

[38] Cito por Marcel Brion. *Un enfant de la terre et du ciel*, págs. 130-131. París, 1943. Trato más ampliamente de estas cuestiones en *Los cuatro elementos en la obra de García Lorca* («Cuadernos Hispanoamericanos», números 433-436, 1986, págs. 69-88).

aproxímate a los guardianes del atrio y diles: "Soy
hijo de la tierra y del cielo, pero mi raza es del cielo."
Entonces te darán a beber de esa agua y tú vivirás
eternamente entre los héroes.»

Machado también llegó a esos umbrales donde el agua
confiere inmortalidad. La logró con sus poemas, por más
que él no encontrara sino a los niños que, en la primera
fuente, estaban cantando voces de olvido:

> y vierten en coro
> sus almas que sueñan,
> cual vierten sus aguas
> las fuentes de piedra.
> [...].
> Cantaban los niños
> canciones ingenuas,
> de un algo que pasa
> y que nunca llega;
> la historia confusa
> y clara la pena.
>   Seguía su cuento
> la fuente serena;
> borrada la historia,
> con toda la pena.

(VIII) [39]

CAMPOS DE CASTILLA

La conversión de Machado al noventayochismo tiene lugar cuando las convulsiones de la catástrofe se apagan.
Díaz-Plaja ha señalado el año 1907 como inicio de una reacción antimodernista: se busca la «sencillez lírica» y el aflorar
de cierto tipo de patriotismo [40]. Machado se incorpora tarde

---

[39]   Un análisis distinto del mío en el libro de Segre, ya citado, págs. 127-128.
En cuanto a los problemas de modernismo y noventayocho, vid. el imprescindible
trabajo de Rafael Ferreres *Los límites del modernismo*. Madrid, 1964.
[40]   *Modernismo frente a noventa y ocho. Una introducción a la literatura española del siglo XX,* págs. 124-126. Madrid, 1941.

a eso que venimos llamando 98: cuando publica, en 1912, sus *Campos de Castilla* y los amplía en 1917 [41]; pero su visión figurará siempre entre las más caracterizadoras y más hondas de la generación. Ahora bien, ¿qué caminos le han llevado? Apenas sí podemos conocer los pasos; no el fervor que los movió.

Ideológicamente, no fue ajena a todo ello la Institución Libre de Enseñanza. La familia Machado había estado en relación con Federico de Castro [42], introductor del krausismo en Sevilla: un abuelo del poeta —don Antonio Machado Núñez— fue colaborador suyo y, al trasladarse a Madrid como catedrático, arrastró a la familia. En la capital, *Demófilo*, padre del escritor, estuvo en íntimo contacto con la Institución (que le ofreció una cátedra de Folklore) a través de Giner y de Salmerón [43], y en la Institución estudiaron Manuel y Antonio [44]. El marco encuadra toda una postura espiritual. Así se ha visto una y mil veces y otras tantas se ha repetido. Pero yo quisiera añadir algo: el descubrimiento del paisaje, que tanto debe a los institucionistas, contó entre ellos con teóricos que bien pueden y deben aducirse al hablar de Machado. Giner de los Ríos escribió unas *Consideraciones sobre el desarrollo de la literatura moderna* (1862), a las que pertenecen estas líneas:

> «Doble, por consiguiente, ha de ser el objeto de la creación artística que aspire a vivir eternamente en la memoria de los pueblos; debe, por un lado, referirse a las leyes necesarias de lo bello; por otro, al carácter de la civilización en que nace: lo inmutable y lo

---

[41] Cfr. Macrí, *op. cit.*, págs. 74-79. Vid. Rafael Ferreres. *Prólogo* a su edición del libro (Madrid, 1970).

[42] (1834-1903). Fue catedrático de Metafísica en la Universidad de Sevilla y se mantuvo fidelísimo a las doctrinas de Krause, cuando el positivismo ganó a muchos de sus antiguos compañeros. Es muy escasa la bibliografía sobre este autor, pero puede consultarse una buena exposición: Antonio del Toro, «La concepción de la filosofía española en Federico de Castro» (*Archivo Hispalense*, LVI, 1973, págs. 445-464). En cuanto a datos bibliográficos, vid. Guillermo Fraile, *Historia de la filosofía española*. Madrid, 1976, págs. 142-143.

[43] Vid. María Dolores Gómez Molleda, *Los reformadores de la España contemporánea*, pág. 290. Madrid, 1966.

[44] Cfr. Joaquín Casalduero, *Machado, poeta, institucionista y masón*, en el «Homenaje a A. M.» de la revista *La Torre*, págs. 99-110, XII (1964).

temporal, lo accidental y lo absoluto han de tener en ella representación. Allí donde el espíritu encuentra fundidos ambos términos se une con la obra contemplada y siente el puro goce de lo bello; allí donde uno de ellos falta, el arte no puede pretender más que una existencia efímera, que se borrará con los últimos vestigios de las tendencias que ha halagado» [45].

Como si la presencia viva de estas palabras le hubiera conmovido, Machado cambia su orientación: la «independencia personal» propia de la lírica es abandonada como *leit motiv* y deja paso a algo que sería la interpretación de un paisaje real, muy concreto y nada literario; el intento de convertirse en colectividad y no encerrarse en la torre de marfil individual; en huir de lo que, directa o indirectamente, pudiera significar Francia. Entonces su poesía cobra un sesgo épico, se hace portavoz de la sociedad a la que pertenece e intenta convertirse en memoria colectiva [46]. (Esto, todo esto es evidente, por más que la muerte de Leonor haga temblar la intimidad más recoleta de Machado.) Estamos ante un nuevo texto de Giner y ante unas palabras harto significativas:

> «El sentimentalismo, el realismo y el individualismo han sido, pues, los tres principales extravíos de la literatura moderna; mas si estas malhadadas adulteraciones de los principios románticos han manchado en los últimos tiempos la historia literaria de casi todos los pueblos europeos, el país donde han predominado, donde han alcanzado más popularidad y bri-

---

[45]   Reproducido por Juan López Morillas en *Krausismo: estética y literatura*, pág. 159. Barcelona, 1973.

[46]   Muchos años después, guerra civil declarada, aún pudo escribir:

> «Existe un hombre del pueblo que es, en España al menos, el hombre elemental y fundamental, y el que está más cerca del hombre universal y eterno. El hombre masa no existe; las masas humanas son una invención de la burguesía, una degradación de las muchedumbres de hombres basada en una descalificación del hombre, que pretende dejarle reducido a aquello que el hombre tiene de común con los objetos del mundo físico: la propiedad de poder ser medido con relación a unidad volumen.» (*Abel Martín, Cancionero de Juan de Mairena. Prosas varias*, pág. 114. Buenos Aires, 1943.)

llante aceptación, y donde se han propagado funesta-
mente, ha sido Francia.» (Giner, *op. cit.*, pág. 140.)

Limitemos los textos a su valor y no caigamos en anacro-
nismos. Pero, evidentemente, el primer Machado no era institucionista. Sí, el de *Campos de Castilla*. Y sobre su concepción, como sobre la de todos los hombres del 98, pesó, y
no poco, lo que habían soñado, y querido hacer, aquellos
españoles que se agruparon en torno a Giner de los Ríos [47].
El 21 de febrero de 1915, Machado signa en Baeza su
poema CXXXIX, Giner había muerto tres días antes; el 23
de febrero publica en *Idea Nueva* un comentario necroló-
gico, en el que hay muchos elementos del poema [48]. El
texto poético bien vale como teoría ética:

> [...]. Hacedme
> un duelo de labores y esperanzas.
> Sed buenos y no más, sed lo que he sido
> entre vosotros: alma.
> Vivid, la vida sigue,
> los muertos mueren y las sombras pasan;
> lleva quien deja y vive el que ha vivido.
> ¡Yunques, sonad; enmudeced, campanas!

Y el texto vale también como teoría estética. En él, bellí-
simos versos para interpretar nuestro paisaje y, algo más
profundo, un palpitar de honda esperanza (¿hasta cuándo
soñará el hombre español con la esperanza?):

> ... Oh, sí, llevad, amigos,
> su cuerpo a la montaña,
> a los azules montes

---

[47] Sobre esta cuestión, Alfredo Carballo ha recogido unos textos muy importantes de Manuel Machado *(Alma. Apolo,* págs. 14-15. Madrid, 1967).
Bien explícito es el trabajo de Jorge Campos *Antonio Machado* y *Giner de
los Ríos* («Homenaje a A. M.», en *La Torre,* págs. 59-64, XII, 1964). Véase,
también, el artículo de G. Marañón *Dos poetas de la España liberal,* prólogo
a la biografía de los Machado escrita por Pérez Ferrero (apud *Ensayos liberales,* págs. 143-152, Colección Austral, núm. 600).

[48] El documento puede leerse en las *Poesie* de Macrì, págs. 1206-1207.
Cfr.: Fernando González Ollé, *Antonio Machado: versión en prosa de la elegía a Giner* («Nuestro Tiempo», núm. 102, págs. 696-714. 1962).

del ancho Guadarrama.
Allí hay barrancos hondos
de pinos verdes donde el viento canta.
Su corazón repose
bajo una encina casta,
en tierras de tomillos, donde juegan
mariposas doradas...
Allí el maestro un día
soñaba un nuevo florecer de España.

Antonio Machado había aprendido la lección y la puso en práctica. ¿No valdrían esos versos como elegía de sí mismo? Ahí estaba la herencia que él recibía de la Institución, lo que ésta había aprendido del krausismo; un «estilo de vida» en el que metafísica y ética trascendieron [49] y pudieron elaborar, también, una estética. Machado fue «en el buen sentido de la palabra, bueno», y su obra, como criatura artística, está aquí, en nuestras manos [50], con un valor perdurable porque ha sabido fundir «lo inmutable y lo temporal, lo accidental y lo absoluto». Pero de esto tendremos que hablar más.

Si en la Institución aprendió el estar en contacto con la naturaleza [51], la sacudida emocional que produjo una visión distinta de las cosas fue su descubrimiento de Castilla. En 1907 ha obtenido la cátedra de Francés en el instituto de Soria, ha tomado posesión en mayo y el paisaje ante el que sus ojos se prenden lo ha deslumbrado. De esta primera visita [52]

---

[49]   Cfr. las conclusiones del libro de López Morillas *El krausismo español*, ya citado.

[50]   «A la ética por la estética, decía Juan de Mairena, adelantándose a un ilustre paisano suyo.» *(Juan de Mairena,* Colección Austral núm. 1530, página 33. Espasa Calpe, Madrid, 1973.) Cfr. José Luis L. Aranguren, *Esperanza y desesperanza de Dios en la experiencia de la vida de Antonio Machado* («Cuadernos Hispanoamericanos», 11-12, pág. 385, 1949). El paisano ilustre es Juan Ramón Jiménez (Macrì, *op. cit.*, pág. 1267).

[51]   Y bastaría recordar un texto que vale por muchos ejemplos:

«No necesitamos, ciertamente, recordar entonces los servicios que la naturaleza presta a nuestro cuerpo, como tampoco los que ofrece al espíritu, que halla en su comercio paz y consuelo a la opresión del ánimo.» (F. Giner de los Ríos. *El arte y las artes,* apud *Krausismo: estética y literatura,* de J. López Morillas, págs. 102-103.)

[52]   Así, sostiene Macrì (*Poesie,* pág. 1139) y confirma Pilar Palomo con

procede un poema definitivo: *Orillas del Duero*. La llegada
a las tierras altas fue una violenta sacudida; si el hombre no
sabía aún del sesgo de su vida, el poeta bien pronto se sintió
zarandeando por unas nuevas e inéditas sensaciones. En
mayo escribe el poema [53] y a finales de 1907 ya estaba in-
cluido en *Soledades*. Es en este momento cuando vira en redondo: todos los cambios que descubríamos en sus versos se
iniciaron —y arraigaron para siempre— en una fecha definitiva: 1 de mayo de 1907. A la poesía española le nacían
nuevos temas y nuevos modos. Sin pensar, el recuerdo vuela
hacia un día de 1525, cuando por el Generalife granadino
paseaban Boscán y Navagero. También entonces se mudó el
destino de nuestra poesía.

Este primer poema noventayochista [54] es un añadido
—¿hace falta decir que bellísimo?— en un libro romántico.
Cierto que otros arrastres románticos aparecerán, ten con
ten, en un libro de pasión española. Sin salir de algo analizado, pienso en la *tarde* con su declinar sobre los alcores
(XCIX) o la huida del sol orillas del Duero (CII), con su ti-
bieza (CXVIII) y con su tristeza otoñales (CVI) o su ador-
mecimiento dorado (CVII), con sus arreboles (CXIII, III) o
sus sombras agigantadas (*ibíd.*, IV), con su oscurecer
(CXVII) o su silencio (CXVIII). Apenas nada más [55], y todo
esto es bien poco. Comparando los testimonios con cuanto

---

buenas razones en su excelente *Prólogo* a la *Poesía* de A. Machado (pág. 22,
nota 33, Madrid, 1971).
   [53] Es evidente: habla de cigüeñas y del invierno ya pasado, de la primavera en los chopos, del campo adolescente, de las humildes flores que han nacido, etc. Nada de ello conviene al otoño. Si hiciera falta, recordaría un
poema con muchos de estos elementos y en el que la primavera está explícitamente aducida:

> [...] Primavera, como un escalofrío
> irá a cruzar el alto solar del romancero,
> ya verdearán de chopos las márgenes del río.
> ¿Dará sus verdes hojas el olmo aquel del Duero?
> Tendrán los campanarios de Soria sus cigüeñas,
> y la roqueda parda más de un zarzal en flor.
>
>   (CXVI)

   [54] Lo ha estudiado con sagacidad Gregorio Salvador, *«Orillas del Duero»,
de Antonio Machado*, apud *El comentario de textos*, págs. 271-284. Madrid,
2.ª ed., 1973.
   [55] Una referencia escasamente caracterizadora: *tardes de Soria* (CXIII,
VII).

hemos leído en *Soledades. Galerías*, hemos de reconocer
que la *tarde* no pasa de ser en este momento un elemento
que necesita definiciones, pero que por sí mismo no alcanza
ninguna complejidad simbólica. Conste la situación de un
léxico —y habría que repetir la cala con más elementos—
que se arrastra desde el primer libro, pero que ahora se reduce mucho en sus contenidos, espejo fiel de lo que se ha
modificado también el alma del poeta.

Orillas del Duero —y será título más tarde repetido— es
un poema de intensión y no de extensión. O dicho con otras
palabras: la retórica no tiene mucha cabida en él. No quiero
sino apoyarme en lo que al analizar éste y otros poemas han
dicho los críticos: «sencillez expresiva», «penuria de imágenes», «ingredientes tan sencillos y hasta vulgares» [56]. Aña-
diría, por mi parte, el repudio de Machado hacia la metáfora o su hostilidad hacia el barroco [57], porque «la metáfora
está contra la poesía directa y sencilla, desnuda y humana
de la que Machado gustó». Y en ello está la clave del quehacer machadiano:

> «Lo clásico —habla Mairena a sus alumos— es el
> empleo del sustantivo, acompañado de un adjetivo
> definidor [...]. Lo barroco no añade nada a lo clásico,
> pero perturba su equilibrio, exaltando la importancia
> del adjetivo definidor hasta hacerle asumir la propia
> función del sustantivo» [58].

Cierto que si nos atuviéramos a esto sólo, podríamos caer
fácilmente en la vulgaridad. El escollo fue visto por el propio Juan de Mairena, que supo franquearlo y aun reducirlo
a sistema. El adjetivo vale más que la metáfora, porque
mientras ésta se queda en una «forma breve de la comparación», según quería Quintiliano, el adjetivo tal como lo usa
Machado es una auténtica definición; no una similitud,
como en aquélla, sino la identificación absoluta con la cosa.

---

[56] Al trabajo recién aducido de Gregorio Salvador, añádase lo que en el
mismo sentido dice Luis Felipe Vivanco, *Comentario a unos pocos poemas de
Antonio Machado* («Cuadernos Hispanoamericanos», 11-12, pág. 563, por
ejemplo; 1949).

[57] Vid. págs. 27-35 de mi prólogo a *Los complementarios*.

[58] *Juan de Mairena*, Colección Austral, núm. 1530, pág. 28. Espasa Calpe,
Madrid, 1973. Vid. *Los complementarios*, págs. 152 y 158.

La metáfora es ornato que cae sin mucho esfuerzo en el conceptismo, en la ruina de la poesía para Machado [59], mientras que el adjetivo es la esencia misma de la cosa en cada momento determinado. Una *tarde,* y vuelvo a lo que he comentado desde otras perspectivas, se repite en cada ocaso, aunque cada tarde es distinta de las demás e idéntica a sí misma: la lengua no posee sino una palabra para designar a todas y cada una de ellas, pero el adjetivo da la identidad inalienable de cada singularización: la *tarde clara* no es lo mismo que la *tarde triste,* ni que la *tarde soñolienta,* ni que la *tarde roja,* por más que todas se refieran a distintas posibilidades del estío [60]. Entonces, cada uno de esos adjetivos potencia al término neutro que asomaba en el sustantivo, pero no es ni una elipsis ni una comparación, es un estado físico de la realidad e incluso un estado espiritual del poeta, que se identifica con el mundo que le rodea. Los retóricos han hablado, y no poco, de los puntos de contacto que hay entre semejanza y metáfora: ambas hacen intervenir en su formulación una representación mental extraña al objeto que motiva el enunciado [61], pero esto queda muy lejos del quehacer de nuestro autor. Cuando había alcanzado (1931) la incondicional admiración de todos, decía que el poeta debe enfrentarse con «dos imperativos, en cierto modo contradictorios: esencialidad y temporalidad» [62]. Contra la esencialidad pugna la metáfora que impone una ruptura con la lógica habitual, no es informativa, sino de-formativa; elemento —entre tanto otros— del lenguaje poético considerado como desvío del lenguaje funcional [63].

Campos de Castilla no son una descripción, sino una interpretación. Interpretar significa seleccionar y elegir lo signifi-

---

[59] *Los complementarios,* págs. 69-78. Cfr. Pablo de A. Cobos, *El pensamiento de Antonio Machado en Juan de Mairena,* pág. 171 (Madrid, 1971), y comentarios al pasaje; del mismo autor, *Humor y pensamiento de Antonio Machado en sus Apócrifos* 2.ª ed., Madrid, 1972.

[60] Véase el análisis que hace de un texto de Moreno Villa en *Los complementarios,* págs. 100-114, y mis consideraciones en las 33-35 del prólogo.

[61] Michel Le Guern, *Semantique de la métaphore et de la métonymie,* página 53. París, 1973.

[62] Palabras que se leen en la *Poética,* con que encabeza la selección de sus versos en la *Poesía española. (Contemporáneos),* de Gerardo Diego (pág. 152. Madrid, 2.ª ed., 1934). Cfr. *Los complementarios,* pág. 159.

[63] Por eso, creo muy dudoso todo lo que dice Le Guern en la página 76 de su obra recién aducida.

cativo y no lo mostrenco. La maestría de Machado está en
haber sabido poner ante nuestros ojos una realidad a la que
él ha convertido en fuente de belleza. Y esto es inobjetable:
el paisaje de Soria estaba ahí, pero quienes nos lo han hecho criatura de arte han sido esos hombres (Bécquer, Antonio Machado, Gerardo Diego, Dionisio Ridruejo) que han
sabido superar la circunstancia fotográfica. Son ellos quienes
han dado virtualidad a la afirmación de Malraux: «Le style
est un sentiment du monde, tout vrai style est la réduction à
une perspective humaine du monde éternel» [64]. Junto a Antonio Machado sentimos vibrar ese «sentimiento del mundo»
que se ha convertido en su propia voz, en los signos desco-
dificados con que nos transmite su mensaje, poético, personal, español. Todo reducido a esa perspectiva humana que
es el hombre que habla consigo mismo en la esperanza de
«hablar a Dios un día». Así se entiende que los críticos se
detengan atónitos ante una obra desnuda, de tan simple e
incomparable en la lírica española, acaso, de todos los
tiempos. Y es que las cosas han sido quintaesenciadas, ex-
traído el nódulo que pueda caracterizarlas, transmitidas con
«unas pocas palabras verdaderas». Permítaseme aducir un
solo testimonio: por su brevedad, fácilmente abarcable; por
su intensión, buena muestra de cuanto he dicho; por la esca-
sez de verbos, camino hacia una nominalización absoluta.
Poema en el que las cosas no sólo son, sino que están, re-
cortadas en sus límites inesquivables; palabras que no son
símbolos o fantasmas de las cosas, sino esencias intransferi-
bles (¿haría falta pensar en San Juan de la Cruz?, ¿ten-
dríamos que recordar a Jorge Guillén o a Vicente Aleixan-
dre?):

> ¡Colinas plateadas,
> grises alcores, cárdenas roquedas
> por donde traza el Duero
> su curva de ballesta
> en torno a Soria, oscuros encinares,
> ariscos pedregales, calvas sierras,
> caminos blancos y álamos del río,

---

[64] *Les voix du silence*. París, 1968, pág. 424.

> tardes de Soria, mística y guerrera,
> hoy siento por vosotros, en el fondo
> del corazón, tristeza,
> tristeza que es amor! ¡Campos de Soria
> donde parece que las rocas sueñan,
> conmigo vais! ¡Colinas plateadas,
> grises alcores, cárdenas roquedas!...
>
> (CXIII, VII)

Si el adjetivo individualizaba al sustantivo en lo que tiene de intransferible ocasional (y ocasional podría ser vívido o vital), este arte es un arte impresionista. Porque igual que los pintores impresionistas, Machado ve a la naturaleza en su realidad, no en las elaboraciones de taller: si unos pintan al aire libre, él, en contacto con la naturaleza, saca esos matices *plateados, grises, cárdenos, oscuros, blancos* que aparecen en el poema. Como si Manet le hubiera prestado una paleta en la que dominaran unos tonos claros y fuera el temblar de la luz, cambiante, a cada hora del día (*tarde clara, cenicienta, mustia, polvorienta...*) y las sombras azules, violetas, malvas [65]. Los poemas de *Campos de Castilla* suelen ser breves; si alguno se alarga es porque en él (*A orillas del Duero,* XCVIII, por ejemplo) entran elementos que ya no son estrictamente líricos, sino que pertenecen a un relato que no dudo en llamar épico. Pero cuando Machado se enfrenta con la realidad que sus ojos contemplan (*Por tierras de España, El hospicio, ¿Eres tú, Guadarrama, viejo amigo, En abril, las aguas mil,* etc.) sus poemas no se alargan. Pienso en la técnica de los maestros impresionistas: al pintar ante la naturaleza, sus obras tomaban un aire muy simple, copiaban lo que veían en un momento determinado y no podían ni componer ni elegir, lo momentáneo pasaba a ser obra definitiva. La validez estética de la obra no estaba en

---

[65] Permítaseme ejemplificar con una cancioncilla posterior:

> ¡Oh montes lejanos
> de malva y violeta!
> En el aire en sombra
> sólo el río suena.
>
> (CLVIII, IV)

una «belleza» elaborada, sino en la sensación —y valga la redundancia si la refiero a estética— que era capaz de herir en un momento. Esto en pintura fue una revolución: se había roto con las formas canónicas para representar lo que estaba imprevisto y presentarlo con pincelada autónoma y contornos fugaces [66]. ¿No es éste el arte de Machado? [67]. Ante un paisaje cualquiera, y si hablo de *Campos de Castilla* es porque en este libro todo cobra una concreción mayor, nos enseña todo lo que ve, no lo que pudiera ser una selección embellecedora: el roquedal abierto, la vuelta umbría, el sudor del caminante, el hierbajo humilde... No podremos decir que en el cuadro hay composición; sin embargo, sí, la impresión de un momento y al aducirla pienso en Claude Manet: a la exposición del boulevard de los Capuchinos (1874) había enviado una tela, *Impresión, sálida del sol*. Precisamente, *impresión;* precisamente, *sol*. Como en el poema de Machado, aunque uno fuera un lienzo con mar al fondo y otro un canto a la montaña:

> Mediaba el mes de julio. Era un hermoso día.
> Yo, solo, por las quiebras del pedregal subía,
> buscando los recodos de sombra, lentamente.
> A trechos me paraba para enjugar mi frente
> y dar algún respiro al pecho jadeante;
> o bien, ahincado el paso, el cuerpo hacia adelante
> y hacia la mano diestra vencido y apoyado
> en un bastón, o guisa de pastoril cayado,
> trepaba por los cerros que habitan las rapaces
> aves de altura, hollando las hierbas montaraces
> de fuerte olor —romero, tomillo, salvia, espliego—.
> Sobre los agrios campos caía un sol de fuego.

(XCVIII)

---

[66] Vid. Theodore Duret, *Historia de los pintores impresionistas*. Buenos Aires, 1943.

[67] Pienso en el *Art poétique* (1874, apud *Jadis et naguére)* que Verlaine dedica al poeta simbolista Charles Morice. Allí se dice:

> Car nous voulons la Nuance encor,
> Pas la couleur, rien que la nuance!
> Oh! la nuance seule fiance
> Le rêve au rêve et la flûte au cor!

Cuando Machado canta, cada elemento es en su verso una pincelada autónoma, independiente de cuanto la rodea. Pero el conjunto de esos elementos aislados hace una criatura superior inconfundible e inolvidable. De ahí también el predominio del nombre sobre cualquier otro componente del discurso: no se trata de descubrir acciones sino de presentar realidades; de hacernos ver el desarrollo de procesos, sino de mostrarnos criaturas existentes; de narrar, sino de nombrar [68]. Por eso, una y otra vez repetirá idéntica realidad, porque idénticas son las presencias con que se tropieza: álamos verdes, márgenes del río, zarzales florecidos, humildes violetas, ciruelos blanqueados o cigüeñas [69]. Todo ello alcanzará una vibración de calofrío cuando evoca a Leo-

---

[68] Bástenos el testimonio de *A orillas del Duero* (XCVIII):

> [...] ¡Oh tierra triste y noble
> la de los altos llanos y yermos y roquedas,
> de campos sin arados, regatos ni arboledas;
> decrépitas ciudades, caminos sin mesones,
> y atónitos palurdos sin danzas ni canciones,
> que aún van, abandonando el mortecino hogar,
> como tus largos ríos, Castilla, hacia la mar!

O de otro poema cuasi homónimo *(Orillas del Duero)*:

> ¡Castilla varonil, adusta tierra,
> Castilla del desdén contra la suerte,
> Castilla del dolor y de la guerra,
> tierra inmortal, Castilla de la muerte!
>
> (CII)

Cfr., Heliodoro Carpintero, *Soria en la vida y en la obra de Antonio Machado* («Escorial», VII, págs. 111-127, 1943).

[69] Son bien próximos en la forma de su expresión algún fragmento de *La tierra de Alvargonzález (Otros días,* § 1) y otros de *Al borrarse la nieve, se alejaron* (CXXIV), de *A José María Palacio* (CXXVI) o de *Campos de Soria* (CXIII). Me parece oportuno traer a colación un texto, en el que puede justificarse la selección que hace Machado para convertir en bellos motivos a elementos de la más insigne modestia. Un krausista, Francisco Fernández y González, escribió (1873) un estudio, *Naturaleza, fantasía y arte,* en cuyo primer artículo *(Lo bello y la Naturaleza)* se lee:

> «Procede de aquí que no sea fácil hallar lo plenamente hermoso en la naturaleza, donde el contemplador, poniendo de suyo por ilusión extraordinaria de los sentidos o de la imaginación relaciones positivas, o dejando de advertir las negativas, construye en mucha parte los elementos de la hermosura.»

nor muerta: cada elemento es una pincelada que no puede
borrarse sin que el cuadro desaparezca. Todo palabras sencillas para designar a cosas sencillas, pero el conjunto, un ma-
nojo de presencias eternizadas en su esencialidad. Luis Felipe Vivanco habla de un «poema esencial de palabras
buenas, sin una sola metáfora, sin una sola idea». No, un
brazado de voces repristinadas en una circunstancia que sólo
a ellas pertenece, que les hace ser criaturas perdurables,
porque ellas y no otras pueden definir la realidad, porque la
metáfora es un elemento perturbador de la intimidad.
¿Ideas? Gracias a esta autenticidad no es necesario expresar
ideas: es el alma del poeta que florece con la llegada de la
primavera, cuando la muerte la había ya desgarrado. Efusión de amor hacia la naturaleza («¡Oh, sí! Conmigo vais,
campos de Soria, / me habéis llegado al alma, / ¿o acaso estabais en el fondo de ella?»), efusión para confundirse con
ella y ser —de nuevo— cuerpo de Leonor en el alto Espino:

> ¿Está la primavera
> vistiendo ya las ramas de los chopos
> del río y los caminos? En la estepa
> del alto Duero, primavera tarda,
> ¡pero es tan bella y dulce cuando llega!...
> [...]
> ¿Hay zarzas florecidas
> entre las grises peñas,
> y blancas margaritas
> entre la fina hierba?
> [...]
> ¿Hay ciruelos en flor? ¿Quedan violetas?
>
>   (CXXVI)

Campos de Castilla no permiten que agotemos fácilmente
su contenido. El descubrimiento de estas tierras trajo el te-
nerse que enfrentar con la realidad de España. Aquí es
donde afloró la visión institucionista de Machado y el ha-
llazgo de unos paisajes —técnica, contenido— que estarían
para siempre entre los más bellos de la generación del 98.
El prodigio lo consiguió el poeta utilizando muy poca retórica y mucho de sinceridad. No ha embellecido según el uso,
sino que ha identificado la hermosura con la verdad, y al en-

tregarnos estas palabras sinceras le ha ido brotando —como al santo de Berceo— la belleza desde el fondo del corazón. En *La tierra de Alvargonzález* (CXIV) hizo trascender la parvedad hasta lindes evangélicas: el alma está en la pobreza y no en la opulencia («¡Tierras pobres, tierras tristes, / tan tristes que tienen alma¡»), del mismo modo que la falta de bienes hace ser desasido al hombre que es rico de espíritu;

> Tan pobre me estoy quedando
> que ya ni siquiera estoy
> conmigo, ni sé si voy
> conmigo a solas viajando.
>
> (CXXVII)

Sin embargo, el hombre, es un perturbador del paisaje, como señaló Laín Entralgo [70]. Machado, igual que sus compañeros de generación, formula contra este espíritu mezquino los más acerbos juicios [71], pero en él hasta la aspereza se convertía en criatura estética. Conoce las tierras, sabe del hombre y estudia su propia lengua. Machado, al descubrir la gramática del texto [72], se ejercita en su propia práctica; al frente de los *Campos de Castilla*, escribe:

> «Me pareció el romance la suprema expresión de la poesía y quise escribir un nuevo Romancero. A este propósito responde *La tierra de Alvargonzález*. Muy lejos estaba yo de pretender resucitar el género en su sentido tradicional [...], pero mis romances no emanan de las heroicas gestas, sino del pueblo que las compuso y de la tierra donde se contaron; mis romances miran a lo elemental humano, al campo de Castilla.»

---

[70] *La generación del noventa y ocho.* Colección Austral, núm. 784, páginas 133-148. Lo que pueda deber este motivo a Unamuno es considerado por Aurora de Albornoz, *La presencia de Miguel de Unamuno en Antonio Machado*, págs. 181-225. Madrid, 1968.

[71] Vid., por ejemplo, *Por tierras de España* (XCIX), *Un loco* (CVI), *Coplas por la muerte de don Guido* (CXXXIII), *El mañana efímero* (CXXXV).

[72] Trato de ello en mi prólogo a *Los complementarios*, págs. 56-59.

Y sobre este romance vienen a coincidir todos esos caminos que hemos ido descubriendo [73]: el impresionismo, la
consideración del paisaje, el desvío por el hombre, la realidad y, también, la historia. Cada época exige, y da, al romancero un tributo en sazón. El 98, por Machado, crea esta
historia brutal y desgarrada, de crímenes horrendos y de
maldiciones bíblicas. Machado había encontrado el venero
que alimentaba otra tradición: la vulgar y plebeya de los
pliegos de cordel. Vulgar y plebeya, pero sustento espiritual
de generaciones y generaciones. Hecho sociológico que no
puede ignorarse porque estaba ahí —aún languidece por los
mercados de España—, operaba sobre la sensibilidad de la
gente y se escuchaba. El ciego colgaba el telón toscamente
ilustrado y sobre los cuadros iba salmodiando truculencias.
Machado salvó y dignificó esta veta vulgar y plebeya.
Ahora, cuando hacemos sociología de la literatura, hemos
vuelto a lo que estos romances significaron [74] y sabemos que
Machado no estuvo solo. En *Los cuernos de don Friolera*,
Valle-Inclán los indultó: «el romance de ciego, hiperbólico,
truculento y sanguinario, es una forma popular» [75]. Después, Fernando Villalón los recrearía: *Romances del 800*
(Málaga, 1929) [76]. Eran caminos diferentes: Valle-Inclán en
el esperpento, Villalón en el cromo costumbrista, Machado
en la voz bronca y auténtica de la tierra. Tres quehaceres
bien distintos, pero, éticamente, uno solo verdadero: Machado fue fiel en todo su proceso y escribió un relato veraz.
Pero la verdad, una vez más, se había identificado con
la belleza de las cosas y había condenado a la maldad del
hombre.

---

[73]   Hubo, previamente, un relato en prosa que publicó en París en el *Mundial Magazine*, que dirigía Rubén Darío (1912). La historia de los textos
(prioridad del romance, prosificación, nueva redacción del poema) ha sido estudiada por Carlos Beceiro, *La tierra de Alvargonzález. Un poema prosificado*
(«Clavileño», núm. 41, págs. 36-46, 1956). Añadamos: H. F. Grant, *Antonio
Machado and «La tierra de Alvargonzález»* («Atlante», II, 1954); P. Darmangeat, *A propos de «La tierra de Alvargonzález»* («Bulletin des Langues Néola-
tines», XLIX, 1955), Allen W. Phillips, *La tierra de Alvargonzález: verso y
prosa* («Nueva Revista de Filología Hispánica», IX, 1955) y el *Apéndice* que,
A propósito de «La tierra de Alvargonzález», escribió Darmangeat en las páginas 79-108 de su libro.
[74]   Julio Caro Baroja, *Ensayos sobre la literatura de cordel*. Madrid, 1969.
[75]   Cito por la edición de Madrid, 1925, pág. 34.
[76]   Véase el prólogo a mi edición facsimilar *Romances en pliegos de cordel
(siglo XVIII)*. Málaga, 1974.

Sin embargo, Machado, no podía quedarse aquí. Su corazón de hombre bueno no podía estar cerrado a la esperanza. Su formación en la escuela de Giner y de Cossío le había dado fe en el porvenir de España. Tras los días amargos del desastre, la luz debía llegar. Junto a todos estos poemas, dentro de ellos mismos, el regeneracionismo estaba llamando —como en Unamuno, como en *Azorín*—. Laín Entralgo dedicó unas bellas páginas a la esperanza del poeta, casi diría yo de los poetas, como problema antropológico [77]. Yo me estoy refiriendo a una parcela de ella, la que nos hace ver a Machado con arraigo en su patria y en su tiempo: esperanza de cara al futuro de España, esperanza de la colectividad, esperanza para aquellas tierras desoladas y para aquellos hombres cainitas. Vino el vendaval y Machado fue arrastrado por él y en él murió. Ante la faz de Dios con el que pensó en hablar algún día, ¿tendría tiempo de recordar su esperanza cuando ya había encontrado la eterna Esperanza?

> ¡Qué importa un día! Está el ayer alerto
> al mañana, mañana al infinito,
> hombre de España: ni el pasado ha muerto,
> ni está el mañana —ni el ayer— escrito.
> ¿Quién ha visto la faz al Dios hispano?
> Mi corazón aguarda
> al hombre ibero de la recia mano,
> que tallará en el roble castellano
> el Dios adusto de la tierra parda.

(CI)

Su amado don Francisco Giner de los Ríos había escrito palabras que parecen resonar en todos los poemas patrióticos de Machado. También en esos últimos versos de los que dedica al dios ibero:

[77] Dice en la página 85 de su discurso académico (*La memoria y la esperanza. San Agustín, San Juan de la Cruz, Antonio Machado, Miguel de Unamuno*, Madrid, 1954): «Antonio Machado no se limita a una afirmación poética y antropológica de la esperanza. Además de afirmarla, sus versos la sitúan y ordenan en la realidad del hombre.»

«La originalidad de un pueblo determina, pues,
principalmente en virtud de dos elementos esenciales,
a saber: la continuidad de la tradición en cada momento de su historia y la firmeza para mantener la vocación que la inspira y hacerla efectiva en el orga-
nismo de la sociedad humana.» (*Op. cit.,* pág. 118).

El 1 de agosto de 1912 muere Leonor. A sus manos llegaron los *Campos de Castilla* salidos en junio, pero que Machado no recibió hasta el 24 de julio. Con Leonor muerta,
la vida del poeta cambia y cambia su quehacer poético. La
segunda edición del libro incluyó un texto fundamental (*Recuerdos*). El poema se fechó en abril de 1913 (primera edición) y abril de 1912 (la segunda). Evidentemente, no es de
1912: desde los naranjales del Guadalquivir evoca cada uno
de sus «tópicos» sorianos, mientras el tren lo lleva hacia Sevilla. Se trata de una remembranza, no de una realidad inmediata. Antonio y Leonor estuvieron en París y regresaron
a Soria con la ayuda económica de Rubén [78]; la esposa venía enferma de tuberculosis y no puede pensarse en aban-
donos con despedidas. El poema CXXVII bis (*Adiós*) [79] es,
evidentemente, otra despedida de la tierra de Soria, pero...
textual: «escrito en Baeza, 1915», y la segunda versión, de
«Córdoba, 1919. Copiado, 1924». Resuelto este minúsculo
problema, volvamos al texto:

> En la desesperanza y en la melancolía
> de tu recuerdo, Soria, mi corazón se abreva.
> Tierra del alma, toda, hacia la tierra mía,
> por los floridos valles, mi corazón te lleva.

> (CXVI)

Siete días después de dejar a Leonor en el alto Espino,
Machado marcha de Soria. Ha pensado en suicidarse; su
hermano Manuel ha pedido a Giner que les ayude: un instituto en Madrid tal vez pudiera salvar a Antonio de soledad;

---

[78] En «Arbor», LXVI (1967), Ginés de Albareda ha publicado la carta de
don Antonio.
[79] En la edición de Macrì figura en la página 1018, pues no se incluye en
Campos de Castilla.

respuesta negativa [80] y el poeta acaba en Baeza, donde vivirá hasta 1919.

Esos meses posteriores a la muerte de Leonor son, a mi ver, los que crean lo que es un *Cancionero* «in morte». La segunda edición de *Campos de Castilla* agrupa nueve poemas. Los dos últimos fechados en 1913; de 1913 son *Recuerdos* y *Al maestro «Azorín»*, textos que les preceden. Habida cuenta de la cronología datada, habida cuenta de la ordenación de estas composiciones y habida cuenta de su común talante, no será aventurado fechar los poemas entre la muerte de Leonor y finales de abril de 1913. Más aún, el 1 de noviembre de 1912 tomó posesión de su cátedra de Baeza y en el primer poema del cancionero se dice que:

> el río va corriendo,
> entre sombrías huertas
> y grises olivares,
> por los alegres campos de Baeza.
>   Tienen las vides pámpanos dorados
> sobre las rojas cepas.
> Guadalquivir, como un alfanje roto
> y disperso, reluce y espeja.
> [...]
> en esta tibia tarde de noviembre,
> tarde piadosa, cárdena y violeta.

Podría ser una fecha *ad quem*. Las canciones a Leonor muerta se escribieron entre el 1 de noviembre de 1912 y el 29 de abril de 1913. Decir que estos poemas, tan pocos, son de los más intensos de nuestra lírica es decir, sí, unas pocas palabras verdaderas, pero sólo eso. Y, sin embargo, en ellos está todo el proceso espiritual de un alma: el Machado desesperado ha dejado paso al Machado de la resignación (CXIX) y de la esperanza (CXX, CXXII, CXXIV, CXXV), el Machado de las realidades impresionistas se retira ante el Machado que se desarraigaba de cuanto no fuera Leonor (CXXV). Todo un ciclo se ha cumplido: para la vida y para

[80] Vid. Alfonso Armas Ayala, *Epistolario de Manuel Machado* («Índice de Artes y Letras», núm. 50, abril de 1952).

el arte. El recuerdo se atenaza como un garfio hiriente a un pasado que no quiere ser pasado, la amada está viva, pero el poeta ha envejecido definitivamente. La muchachita sigue hablando con voz de niña (CXXII), paseando de la mano del esposo (CXXI), que confía encontrarla en la orilla (CXXV). Todo el recuerdo de los paisajes vividos en compañía, todo el Machado soriano, «extranjero en los campos de mi tierra», con los ojos abiertos a los llanos altos de Soria por donde cruza el Duero:

> ¿No ves, Leonor, los álamos del río
> con sus ramajes yertos?
> Mira el Moncayo azul y blanco; dame
> tu mano y paseemos.
>
> (CXXI)

No sólo vital, estéticamente una etapa se ha clausurado. Aún durará el noventayochismo en unos cuantos poemas. Aún irá su pensamiento hacia esos hombres a los que elogia y en los que buscaba a la España moderna, pero ésta era una parcela —bellísima, desde luego— de literatura: no toda la literatura y, mucho menos, la poesía lírica que había empezado siendo romántica, que se hizo epopeya y que, caída de nuevo en el lirismo, había roto con la literatura por culpa de un sutil y quebradizo hilillo. El recuerdo se le iba de la realidad para evadirse el ensueño:

> ¿Por qué, decísme, hacia los altos llanos
> huye mi corazón de esta ribera,
> y en tierra labradora y marinera
> suspiro por los yermos castellanos?
>
> (*Los sueños dialogados.*)

El recuerdo acentúa, aún más, el sentido del tiempo. Y el poeta, ajeno a su propio paisaje, ajeno a su propia realidad, ajeno a toda la literatura que ha escrito, rompe con el pasado y comienza una nueva etapa de su creación: *Proverbios y cantares*. Después, también, se rompe con ella y, lo dice en un verso impresionante, «las almas huyen para dar can-

ciones» (CXXVII bis). Sí, canciones. *Las nuevas canciones*
(1917-1930), su tercer libro de versos y su nuevo quehacer
poético [81].

NUEVAS CANCIONES

Soria dio al poeta la visión de la epopeya. El ritmo de las
gestas, el paisaje de los héroes. Pero Soria es, ya, una entra-
ñada evocación, y la epopeya sobre tierras de Jaén tiene
muy otros caracteres, totalmente alejados del poeta («la
confección de nuevos romances viejos —caballerescos o moriscos— no fue nunca de mi agrado, y toda simulación del
arcaísmo me parece ridícula» [82]). Ahora Machado intenta
una nueva épica: la de enraizamiento clásico, no naciona-
lista; la acrónica, no la temporal; la de los frutos, no la de la
tierra. El poeta («Ya habrá cigüeñas al sol, / mirando la
tarde roja, / entre Moncayo y Urbión», CLVIII, II) lucha
contra los recuerdos pertinaces y quiere, bajo el amparo de
Virgilio, escribir una geórgica de su tierra. El libro se abre:
Olivo del camino, pero aunque hay un arraigo local e histórico (CLIII, I), el contrapunto suena castellano:

> Hoy, a tu sombra, quiero
> ver estos campos de mi Andalucía,
> como a la vera ayer del alto Duero
> la hermosa tierra de encinar veía [83].

Arraigo local que se trasplantará a las tierras del mito;
arraigo histórico que se vaciará de tiempo en la acronía que
el mito exige. (¿No pensaría Fernando Villalón en este Machado cuando escribe *La Toriada?*)
Machado conoce la mitología griega. Si nos acompañamos

---

[81]   En 1920, dice que ya no hace sino folklore, autofolklore que lo identifi-
que con el alma del pueblo (José María Valverde, *Introducción* a las *Nuevas
canciones.* Madrid, 1971, pág. 94).
[82]   Prólogo a la edición (1917) de *Campos de Castilla.* A poco que se
piense, se encontrará en estas palabras la repulsa a las «recreaciones arqueo-
lógicas» de Rubén o de Manuel Machado.
[83]   El poema está escrito en 1920, cuando Machado era catedrático de Segovia, pero en un viaje a Andalucía, según permite deducir la localización expresa.

de la de W. H. Roscher [84], podríamos completar lo que hace
ser al poema deliberadamente ambiguo o incompleto:
la castración de Uranos en el país de los feacios y el nacimiento de Venus de la sangre caída al mar; la falta de servicios a Ceres en el Lacio y ellos totalmente helenizados; la
cruel historia de Demofón y Masturio, victimario éste de la
hija del rey cuya sangre bebió Demofón, padre de la doncella: el himno homérico que cuenta cómo Deméter encontró
refugio en el palacio de Keleos, viejo rey de Eleusis. Y po-
díamos buscar otras informaciones, que Roscher no trae,
para poder ilustrar el poema de Machado: en el Museo Británico hay algún vaso griego, en el que unos braceros va-
rean y apañan aceitunas. No extraña: el olivo es un árbol
clásico y además rico en símbolos (paz, fecundidad, purifica-
ción, fuerza, victoria, recompensa); estaba consagrado a
Atenea, porque el primero nació de una querella que tuvo
con Poseidón y sus retoños aún creen verse en la Acrópolis.
Se sabe también —y añádase a la exactitud de nuestro
poeta— que abundaba en la llanura de Eleusis, donde se le
protegía hasta el extremo de ser entregados a la justicia
quienes le producían algún daño; no extraña, pues, que lle-
garan incluso a estar divinizados en el himno a Deméter, introductor de las iniciaciones en Eleusis. Todos los pueblos
han visto en el olivo símbolos preciosos: los chinos le dan
valor tutelar: los japoneses, de victoria en toda clase de em-
presas; cristianos y judíos, de paz; musulmanes, de hombre
universal y fuente de la luz [85]. Machado confiere vida nueva
al viejo mito y conserva toda la sabiduría —experiencia, enseñanza— que encierra, pero hace ser, al mito, un valor actual, eficaz para su pueblo y para su tiempo, como Virgilio
transmitiendo enseñanzas a las gentes del Lacio:

> Que tu ramaje luzca, árbol sagrado,
> bajo la luna llena,
> el ojo encandilado
> del búho insomne de la sabia Atena.

---

[84] *Ausführliches Lexicon der Griechischen und Römischen Mythologie* (seis
volúmenes). Leipzig, 1884-1924.
[85] Jean Chevalier-Alain Gheerbrant, *Dictionnaire des symboles*, t. III,
s. v. *olivier*. París, 1974.

> Y que la diosa de la hoz bruñida
> y de la adusta frente
> materna sed y angustia de uranida
> traiga a tu sombra, olivo de la fuente.
>   Y con tus ramas de divina hoguera
> encienda en un hogar del campo mío,
> por donde tuerce perezoso un río
> que toda la campiña hace ribera
> antes que un pueblo, hacia la mar, navío.

> (CLIII, VII)

Al final de *Campos de Castilla* había unos *Proverbios y cantares* que significan la aparición de un nuevo Machado, el que se logrará definitivamente en las *Nuevas canciones*. Pero conviene aclararlo en seguida: la continuidad no lo es en cuanto al espíritu, sino en cuanto a la forma. Los *cantares* no son lo mismo que las *canciones*. Esta es la cuestión. Por más que cantares (¿hace falta recordar a Manuel?) fueran el alma de Andalucía, en tierras de Andalucía, Antonio escribe —a la manera castellana— canciones. Y como ocurre en casi todas sus decisiones, poéticas incluidas, podríamos ahora amparar su nuevo sesgo lírico en un texto de Giner:

> «Divorcio funesto es siempre el de las literaturas popular y reflexiva; y cuando en vez de marchar unidas y alimentadas por unos mismos principios se apartan y contradicen, degenera ésta en insípida y convencional, perdiendo cuanto puede hacerla duradera e interesante en todos tiempos, y se aísla aquélla en una esfera reducida y menospreciada, tuerce el curso natural de su vida y engendra a lo sumo groseras producciones que no pueden aspirar a influir sino en las últimas clases de la sociedad.» *(Op. cit.,* pág. 124).

No aventuro que Machado conociera estos textos, pero de algún modo, incluida la transmisión oral [86], pudieron llegar

---

[86] «Me eduqué en la Institución Libre de Enseñanza. A sus maestros guardo vivo afecto y profunda gratitud», escribía en 1917.

hasta él. Aunque llovía sobre mojado. Don Antonio Machado padre, *Demófilo*, había sido folklorista insigne: ahí siguen sus *Cantes flamencos* [87] sobre los que el gran Hugo Schuchardt escribió una insuperable monografía [88]. Esos *Cantes* que habían de inspirar alguna obra teatral de los dos hijos poetas:

> A Sebiya ba la Lola,
> Consolación se ba ar Puerto,
> La Nena la ejan sola [89].

En la colección de *Demófilo* está la tendencia popularista que luego cultivarán Antonio y Manuel y Fernando Villalón [90]. Pero no ignoremos algo fundamental: el abuelo paterno, don Antonio Machado Núñez, catedrático, político, alcalde de Sevilla, etc., había sido trasladado a Madrid (1883); siguiendo sus pasos marchó toda la familia. Las cosas no rodaron bien y *Demófilo* fue a parar a Puerto Rico como registrador de la propiedad. Regresó (1893) con el tiempo justo para morir en Sevilla, donde había ido a recogerlo su mujer: contaba cuarenta y cinco años. El recuerdo paterno dejó un emocionante testimonio en la obra de su hijo Antonio: un día, exactamente el 13 de marzo de 1916, el poeta escribe *En el tiempo,* versos llenos de emoción, que se quedan en poco más que bosquejo; después pasan a las

---

[87]   Se publicaron en la Colección Austral (núm. 745), suprimidas las notas, con un prólogo de Manuel Machado. De 1974 es la pulcra impresión de Ediciones Demófilo, S. A. Colección *¿Llegaremos pronto a Sevilla?* El mismo año Félix Grande publicó otra edición en el Instituto de Cultura Hispánica de Madrid.

[88]   *Die Cantes Flamencos,* en «Zeitschrift für romanische Philologie», V, págs. 249-322, 1881.

[89]   Anota *Demófilo:* «La Lola era una cantadora célebre de la Isla: ignoramos si en esta copla se alude a ella» (ed. 1974, pág. 32, n. 20). Una variante de la soleá del texto es la soleariya bien conocida *(ibíd.,* pág. 91):

> La Lola.
> La Lola se ba a los puertos
> la Isla se quea sola.

[90]   Cfr. *Dialectalismos en la poesía del siglo XX,* apud *Estudios y ensayos de literatura contemporánea,* págs. 331-337, especialmente. Madrid, 1971.

Nuevas canciones en un soneto admirable (CLXV, IV) [91]: el recuerdo de Sevilla, la casa donde nació y, ya, la presencia del padre, «aún joven», que lee, escribe, hojea sus libros y, desde su tiempo intemporal, contempla al hijo envejecido. 1916 es el año del borrador, cuando se publica la segunda edición de *Campos de Castilla;* el soneto no debía estar listo, pues hubiera cabido entre los *Elogios.* Lo creo posterior. Los años 1916, 1917 significan un nuevo sesgo en la poesía de Machado, la incorporación definitiva de lo popular. Y entonces se produce el recuerdo poético hacia el padre muerto, hacia aquel hombre de letra diminuta con la que estaba creando el folklore como disciplina científica entre nosotros: *Juegos infantiles españoles, Colección de enigmas y adivinanzas, Estudios sobre literatura popular...*

Y está la otra veta, la de los cancioneros musicales, que inició Barbieri en 1890, que fueron despojados en una obra riquísima de Cejador [92], que divulgó Menéndez Pidal [93], que motivaron una célebre tesis de Henríquez Ureña [94], que habían de crear la tendencia neopopular de Moreno Villa, de Alberti, de Lorca.

Todo son caminos que llevaban por los años 1916-1924 hacia el redescubrimiento de la poesía popular y, con ella o antes de ella, a lo que *Demófilo* encontró en el folklore. Por eso, Antonio Machado, desdoblado en Juan de Mairena, había de decir «que el *folklore* era cultura viva y creadora de un pueblo de quien había mucho que aprender, para poder luego enseñar bien a las clases adineradas» [95], y completaría muchas páginas después: «si vais para poetas, cuidad vuestro folklore. Porque la verdadera poesía la hace el pueblo. Entendámonos: la hace alguien que no sabemos quién es, o

---

[91]   Para el proceso de elaboración, vid. mi prólogo a *Los complementarios*, págs. 47-53.

[92]   Me refiero a la *Verdadera poesía castellana* (1921-1924). A Cejador dedicó su poema CXXVII. En septiembre de 1917 se examinó de latín con don Julio y, previamente, le escribió rogándole benevolencia (Macrì, *op. cit.*, página 44). De esto me ocuparé en seguida.

[93]   Sobre todo, en la lección inaugural del curso 1919-1920 del Ateneo: *La primitiva poesía lírica española* (ahora en los *Estudios literarios*, Colección Austral, núm. 28).

[94]   *La versificación española irregular*. Madrid, 2.ª ed., 1933. La obra se escribió entre 1916 y 1920, según se dice en la página VII.

[95]   *Juan de Mairena*, Colección Austral, núm. 1530, pág. 66. Espasa Calpe, Madrid, 1973.

que, en último término, podemos ignorar quien sea, sin el
menor detrimento de la poesía» [96]. ¿Hasta dónde llegan? De una
He aquí las posibles sendas. ¿Hasta dónde llegan? De una
parte, la voz de la estirpe. Son esos cantos que oye al pueblo y con los que él se identifica hasta fundirse. Cancioncillas de geografía, entrañadas como coplas oídas al volver
una cantonada. Enumeración de nombres que en su propio
enunciado —desde Mena hasta Neruda— crean un mana-
dero de emociones [97]:

> Desde mi ventana,
> ¡campo de Baeza,
> a la luna clara!
> ¡Montes de Cazorla,
> Aznaitín y Mágina!
> ¡De luna y de piedra
> también los cachorros
> de Sierra Morena!

> (CLIV, I)

Y en esta tierra nuevamente descubierta, en estos olivares
de releje plateado por la luna, en los cortijos blancos de la
loma de Úbeda, el recuerdo lacerante. El poeta no ve aquella tierra, oscura como un vinagre espeso, ni la exacta geometría de los olivares, ni las manchas doradas del trigal. El
poeta no quiere ver. ¡El que había convertido en una inigua-
lable criatura de arte a las pobres tierras sorianas! Sabemos
que paseaba, que iba a Úbeda. Úbeda con su plaza grande,
portento de emociones y de equilibrios: Ayuntamiento labrado por Vandelvira, palacio del Condestable, iglesia del
Salvador (allí se apagó la voz de San Juan de la Cruz, la
más pura y cálida de nuestra lírica), colegiata de Santa María, por donde pasaron los castellanos de la Reconquista, y
el pretil abierto sobre un paisaje: suaves colinas y llanuras
dilatadas, tierra bermejeante y arbolado oscuro, cielos transparentes como vidrieras y aire terso. El poeta no quiere ver,

---

[96] *Juan de Mairena*, Colección Austral, núm. 1530, pág. 233. Espasa
Calpe, Madrid, 1973.
[97] Vid. Francisco Ynduráin, *Una nota a «Poesía y estilo» de Pablo Neruda, de Amado Alonso* («Archivum», IV, págs. 238-246, 1954).

sino que hace vivir su propio recuerdo. Muchos años antes había dicho:

> De toda la memoria sólo vale
> el don preclaro de evocar los sueños.
>
> (LXXXIX)

Y ahora, sobre esta tierra, que ya no quiere como suya, busca el hilo que le ensarte los recuerdos. El tiempo se ha concitado contra su encariñamiento y va desdibujando los días sorianos. Por eso no quiere ver la circunstancia en la que está sumergido, porque también ella había de colaborar con el olvido. Ahora sólo anécdotas —y a poder ser negativas—, sólo lo que la superficie brinda sin descubrir esencias, sólo voluntad de no querer. La última de las canciones es clave para el entendimiento de cuanto apunto:

> Los olivos grises,
> los caminos blancos.
> El sol ha sorbido
> la calor del campo;
> y hasta tu recuerdo
> me lo va secando
> este alma de polvo
> de los días malos.
>
> (CLIV, IX) [98]

Desde la noluntad, como diría Unamuno, creo que se explican las palabras de Julián Marías dedicadas a estos poemas: «La visión de Andalucía no es, como antes la de Castilla, personal, individualista e *histórica,* sino popular. No ve Andalucía con sus ojos [...], sino con los del pueblo, a través de sus canciones, de lo que se dice y se canta» [99].

---

[98] Esta evidencia sigue siéndolo para mí en otro bellísimo poema, *Parergon.* Todo, tono, léxico, sentimiento, parece aludir a Leonor; al temor de que el olvido borre a Leonor. Se ha dado alguna otra interpretación —el poema no ha llamado mucho la atención a los críticos— que me parece sin fundamento.

[99] *Antonio Machado y su interpretación poética de las cosas* («Cuadernos Hispanoamericanos», 11-12, pág. 314. 1949). Cfr. Dámaso Alonso, *Cuatro poetas españoles.* Madrid, 1962, págs. 150-151.

Y es que el corazón seguía estando en el alto Duero. ¡Cuán distintas las *Canciones de tierras altas!* Evocación de cosas concretas (nieve menuda, cigüeñas recién llegadas, la encina parda, los yermos pedregosos), de experiencias vividas (el camino borrado por la nieve, el río descubierto cuando sale el sol, Soria en los límites de la tierra y la luna), nombres repetidamente evocados como en una letanía apasionada (Urbión y Moncayo, Moncayo y Urbión). Y el recuerdo de los días felices, con las propias palabras entristecidas:

> ¡Alta paramera
> donde corre el Duero niño,
> tierra donde está su tierra!
>
> (CLVIII, VII)

Hasta llegar al temblor estremecido:

> El río despierta.
> En el aire oscuro,
> sólo el río suena.
> ¡Oh canción amarga
> del agua en la piedra!
> … Hacia el alto Espino,
> bajo las estrellas.
> Sólo suena el río
> al fondo del valle,
> bajo el alto Espino.
>
> (*Ibíd.,* VIII)

Esta tierra de Soria, pertinaz en el recuerdo, le hace descubrir la belleza sutil de los viejos cancioneros: el poeta recupera los temas de la tradición. Son canciones de molineros, de pastores, de colmeneros, de leñadores, de hortelanos o las primaverales de doncellas que danzan. Orillas del Duero, voz nueva, el mismo temblor incipiente que en una enumeración sin fin: *Delfín de música* (Luis de Narváez, 1538), *Tres libros* (Mudarra, 1546), *Villancicos y canciones* (Juan Vásquez, 1551), *Libro de música de vihuela* (Diego Pisador, 1552), *Orphénica lyra* (M. de Fuenllana, 1554), *Recopilación* (Vásquez, 1560), *El cortesano* (Luis Milán, 1561),

Libro de música en cifras para vihuela (Esteban Daza, 1576), *De música* (Francisco Salinas, 1577). Y Juan del Encina, Gil Vicente, Lope, Tirso. El noventayocho se había adelgazado con nuevos descubrimientos, pero —dentro de ellos— el poeta seguía siendo fiel a esa dolencia llamada España.

Las nuevas canciones no añaden demasiados valores absolutos a lo que sabemos de Machado. Son, sí, la presencia activa del pueblo en su quehacer. Esto nos lleva a comprender mejor su último libro y, también tal vez, a entender los compromisos del poeta en años que fueron definitivos. Pero, además, en los *Proverbios y cantares* (no se descuide: dedicados a Ortega) el planteamiento de una nueva forma de poesía: el aforismo filosófico, que vendría a vincularse con la larga serie de apócrifos. Pero esto nos lleva a otras cuestiones. Antes de alcanzarlas, detengámonos en esta lírica tradicional que tanto le atrajo [100].

POESÍA, FOLKLORE, IDEOLOGÍA

Hablar del amor de Antonio Machado por la poesía tradicional puede ser una redundancia. Él que, por boca de Juan de Mairena, había dicho

«Si vais para poetas, cuidad vuestro folklore. Porque la verdadera poesía la hace el pueblo. Entendámonos: la hace alguien que no sabemos quién es, o que, en último término, podemos ignorar quién sea, sin el menor detrimento de la poesía» [101].

Los textos podrían acumularse. Las cosas para él estaban claras: *folklore, poesía que hace el pueblo*. Y guardemos para más adelante ese concepto de *verdadera poesía*. No podemos exigir al poeta exactitudes terminológicas, sí valoraciones precisas de contenido. Y no podemos exigirle exacti-

---

[100] En la obra de Dámaso Alonso aducida en la nota anterior, llega a escribirse: «Machado cambió por cobre filosófico buena parte de su oro poético de ayer» (pág. 176).

[101] *Juan de Mairena,* Col. Austral, 1530, pág. 233.

tudes terminológicas porque no las tuvieran —no pudieron
tenerlas— grandes investigadores como Milá o como Menéndez y Pelayo. El maestro santanderino empleó una larga
serie denotativa para designar ese concepto único de lo popular [102] y llegó a formular unos principios justísimos [103] a
los que Menéndez Pidal daría rigor y definitiva consisten-
cia [104]. Para Machado, *folk-lore* venía a ser lo mismo que
hoy llamamos poesía popular o poesía popularizante: así,
cuando en *Los complementarios* hace su antología personal,
llama con la palabra inglesa a un conjunto de textos que son
cancioncillas de *Tonos castellanos*, como el *Vísteme de
verde*, que aparece en el Cancionero de Medinaceli; o las
cancioncillas vicentinas de *Quem tem farelos*, de la *Farsa de
Inés Pereira*, de *O velho da horta*, etc., o del *Rinconete y
Cortadillo*, o de las comedias de Lope, o de las letrillas de
Góngora; son también las *Seguidillas del Guadalquivir*, o
cantarcillos de camino; o los que recogen musicólogos y vihuelistas de la edad de oro: Salinas, Esteban Daza, Diego
Pisador; sin que falten las letras que transcribía el maestro
Correas, en su obra teórica o en su compilación paremioló-
gica [105]. Por este camino, se llegaría a ese epígrafe que don
Antonio Machado llamó «De mi folklore. Canciones del
Alto Duero. Cantan las mozas. Rc. A. M.» [106] y cuyas *Rc.*
han hecho pensar en *recogidas* o *recopiladas*, por más que
los textos, indisputablemente, sean poesías originales [107], y
como propias las corrigió al editarlas. Folklore, pues, entendido en un sentido que pudiera ser —lo dijo él— poesía del

[102]   M. Alvar, *La tradicionalidad en la escuela española de filología*, en «El
romancero. Tradicionalidad y pervivencia» (2.ª edic.), Madrid, 1974, páginas 18-19.
[103]   *Antología de poetas líricos castellanos*, O. C., XXII, pág. 38.
[104]   *Poesía popular y poesía tradicional*, en «Los romances de América».
Col. Austral, 55, páginas 76-77. Quien tanto conoce este tipo de poesía, como
Margit Frenk, emplea indistintamente las designaciones de *poesía popular*,
poesía folklórica y, «alguna vez», *poesía tradicional (Dignificación de la lírica
popular en el Siglo de Oro*, «Anuario de Letras», II, 1962, pág. 27, nota).
Vid., también, Antonio Sánchez Romeralo, *El Villancico. Estudio sobre la lírica popular en los siglos XV y XVI*. Madrid, 1969, págs. 26-27.
[105]   Cfr. *Los complementarios*, pág. 67.
[106]   *Los complementarios*, pág. 257.
[107]   Llevan el número CLX en las *Poesías Completas*. Tal vez el *recogidas*
no tenga nada que ver con tareas de recopilador, sino que se trata de poemas
incorporados a libro, toda vez que vieron la luz en *España*, 1922.

pueblo, pero hoy sabemos que la poesía del pueblo puede no ser folklórica y que la poesía folklórica puede dejar de ser popular. Con las precisiones de los estudiosos ya no nos engañamos: la poesía tradicional es una poesía que se transmite oralmente y cuya evolución interna está motivada —precisamente— por las variantes que surgen en la transmisión, tal es el principio de la poesía tradicional. El testimonio escrito fosiliza el espíritu de esta poesía, pero es el único modo que tenemos para conocer una tradición, tantas veces perdida. Machado ha ido recogiendo textos folklóricos o tradicionales, y desde ellos ha llegado a su inalienable creación: camino cierto al que *Los complementarios* ayudan a explicar. Pero ¿por qué esta veta en su invención poética?

Hace poco lo he dicho. Hay dos motivos que son harto significativos. Completo mi observación marcando unas sendas que —a mi modo de ver— vinieron a conformar las tareas del gran poeta: Giner de los Ríos hizo cambiar el sesgo lírico de Machado; los *Cantes flamencos* compilados por *Demófilo,* don Antonio Machado padre, crearon un mundo familiar. Pero estos dos veneros vienen de un mismo postulado teórico. En el *post-scriptum* que *Demófilo* puso a los *Cantos populares españoles,* recogidos, ordenados e ilustrados por Francisco Rodríguez Marín, habla Machado Álvarez de unos artículos suyos que vieron la luz en 1869 y 1870 en una publicación sevillana *(Revista de Literatura, Filosofía y Ciencias)* y en otra madrileña, fundada por él mismo *(Un obrero de la civilización)* y apostilla:

> «Creo de mi deber decir las dos tendencias que los inspiraban, a saber: de una parte, la de *la enseñanza krausista,* que atiende más al contenido y a la forma interna que a la forma externa o vestidura de la poesía, y de otra, mi asentamiento a la afirmación de mi querido e inolvidable tío, el eminente literato don Agustín Durán, de que "la emancipación del pensamiento en literatura es la aurora de la independencia y el sítnoma más expresivo de la nacionalidad"» [108].

---

[108] Página 29 en el *Post-scriptum* al que me he referido en el texto. Cito por la edición de Buenos Aires, 1948.

En el texto he subrayado la *enseñanza krausista,* que me parece de suma importancia para entender los condicionamientos, familiares e institucionales, que vinieron a pesar sobre Antonio Machado.

LO POPULAR EN LA POESÍA DE ANTONIO MACHADO

En *Los complementarios* hay «borradores y apuntes impublicables, escritos desde el año 1912 en que fui trasladado a Baeza, hasta el 1 de junio de 1925» [109]. Tenemos, pues, unas fechas de amplia referencia que podemos ajustar mucho más: una de las *Canciones del Alto Duero* (la de *Hortelano es mi amante*) está fechada el 1 de abril de 1916, y el poeta apostilla: «Inédita». Como es la última de las cinco que copia, y las da todas reunidas, podemos suponer sin demasiada osadía que las canciones estaban escritas en esa fecha, y debían ser relativamente cercanas unas u otras, pues no se copian —como ocurre en ocasiones— sin ninguna conexión a lo largo de las páginas del cuaderno; que la cancioncilla V debió ser la más reciente de todas [110], aunque luego añadió la que comienza *A la orilla del Duero,* y que 1916 significó algo que ahora tiene su interés: la incorporación definitiva de lo popular a su poesía. Porque cierto tipo de folklorismo estaba en poemas de 1912, como en las *Canciones* de 1912, tan diversas de los *Proverbios y cantares,* incluidas en *Campos de Castilla.* No deja de ser significativo: en 1912, según el testimonio de *Los complementarios,* había escrito cosas como:

> Y habrá cigüeñas al sol
> mirando la tarde roja,
> entre Moncayo y Urbión.

U otras en las estructuradas con un cierto paralelismo que pudiera ser tradicional:

---

[109]   Iba a ser la última página de *Los complementarios,* pero añadió unas notas de 1926.
[110]   Porque la copia en último lugar, y pone inédita. Cfr. Oreste Macrì, *Poesie di Antonio Machado* (3.ª edic.). Torino, 1969, págs. 1229-1230.

> ¡Oh, canción amarga
> del agua en la piedra.
> ... Hacia el alto Espino,
> bajo las estrellas...
> Sólo suena el río
> al fondo del valle,
> bajo el alto Espino [111].

Pero es en 1916 cuando esta poesía popularizante cobra cuerpo. El 1 de abril de ese año signa las *Canciones*, que incorpora a las *Nuevas canciones*, pero —nótese la coincidencia— el 13 de marzo de 1916 había escrito el poema *En el tiempo*, emocionada y bellísima evocación del padre prematuramente desaparecido, del que ya me he ocupado. Me interesa en este instante la segura pista que nos da para seguir la creación del poeta: conscientemente, en marzo y abril de 1916, Antonio Machado vuelve hacia una poesía folklórica o tradicional y vuelve con el recuerdo reavivado de *Demófilo*. Pasará el tiempo y el poema de evocación paterna cobrará un nuevo sentido: se adaptará a la forma canónica del soneto (1924) [112] y se incluirá —también él— en las *Nuevas canciones* [113].

No dudo del arrastre familiar e institucionista en el nuevo sesgo del quehacer, pero no dudo de otras cosas que he dicho de pasada y que, en definitiva, vienen a ser la justificación de estas páginas [114].

La *otra veta* a la que antes me refería es la que ahora quiero aclarar. No para rectificar la institucionista y familiar, sino para completarla. Las *Canciones* se empezaron a escribir por 1912 y Machado pudo conocer para escribirlas un nuevo venero: los cancioneros antiguos, que empezaron a ser divulgados en 1890, cuando Barbieri editó el *Cancionero musical de los siglos XV y XVI;* de otra parte, los cancioneros

---

[111] Están entre las *Canciones de Tierras Altas* (números II y VIII) de *Campos de Castilla*. Al añadir al segundo de los textos el comienzo con que se editó *(El río despierta)*, el procedimiento se atenuaba mucho.

[112] En *Los complementarios* está copiado entre textos del 16 de septiembre y del 8 de noviembre de 1924.

[113] El libro «se puso en librería en los últimos días de mayo de 1914».

[114] Vid. pág. 47.

modernos de los que pudo alcanzar el *Cancionero popular*,
de Lafuente Alcántara (2.ª edic., 1865); los *Cantos populares españoles*, de Rodríguez Marín (1882-1883); los *Cantares populares murcianos*, de Martínez Tornel (1892): *El
cancionero panocho*, de Díaz Cassou (1908); los *Cantos de la
Montaña*, de Calleja (1901); el *Folklores de Castilla o Cancionero popular de Burgos*, de Olmeda (1903), y el *Cancionero salmantino*, de Ledesma (1907). Si éste es un venero
que pudo ser conocido, hay otros motivos que se deben estudiar.

A partir de 1916, se van copiando en *Los complementarios* poemas de los que motivan el nuevo quehacer, pero, y
lo que es más interesante, es en 1922 cuando la tendencia
cobra agudísimo interés: *Al pasar el arroyo* [115], de Lope;
Hermitaño quiero ser, de Juan del Encina; *Pámpano verde*,
de Francisco de la Torre; *Al cantar de las aves*, de Quiñones
de Benavente: *Florecillas azules*, de Valdivielso; *Alamillos
verdes*, transcrito por Correas; *Por un sevillano*, de Cervantes; *Cantan los gallos*, de Gil Vicente, y un larguísimo
etcétera. Algo ha ocurrido para que una tendencia que
apunta por 1912, que se precisa en 1916, y, ya de una manera inequívoca, cobre esa intensidad que acabo de denun-
ciar por 1922. Quisiera explicar algo.

Antonio Machado decidió acabar su carrera de letras y
topó con el latín. Sabemos que en 1917 escribió a don Julio
Cejador, catedrático de la asignatura, pidiéndole benevolencia [116]; se examinó en septiembre de 1917 y las cosas rodaron bien para el poeta. Pero algo movió sus nobles sentimientos y dedicó al latinista un poema, *Otro viaje*, escrito
en 1915. Aquí una menuda cuestión a la que me he referido
de pasada (pág. 47): Machado había publicado esos versos
un año antes en la edición de *La Lectura* (1916), en una y
otra ocasión la dedicatoria no se puso: probablemente no

---

[115]   Texto copiado, antes, en 1916, creo que es el único previo a la enumeración que sigue, en la que también figura.
[116]   Macrì, *Poesie*, pág. 44. La carta fue publicada por R. Santos Torroe-
lla, *Don Antonio Machado se examina* («Ínsula», núm. 158, enero de 1960).
Don Antonio debió ser —como en tantas cosas— muy poco brillante en sus
exámenes, y Dámaso Alonso lo recuerda en las pruebas de Metafísica
(¿1919?), cuando «no daba pie con bola» (*Los fanales de Antonio Machado*,
apud «Obras Completas», t. IV, Madrid, 1975, pág. 429).

existían motivos de gratitud. Sólo después, en las *Poesías escogidas* (1917) se dedicó «A D. Julio Cejador». Pero la dedicatoria se borró ya en las *Poesías completas* de ese mismo 1917. Machado dio marcha a sus impulsos de gratitud y prefirió borrar un nombre. ¿Por qué?

Acaso se enteró tarde que Cejador estaba en abierta hostilidad con las gentes que más contaban —y contaron— en el quehacer científico español. Un hombre asistemático, atrabiliario y sin rigor filológico ofrecía flancos muy vulnerables a culquier crítica rigurosa, aunque no mediaran otras razones. El hecho cierto es que Cejador, en 1917, recibió una implacable reprimenda de Francisco A. de Icaza con motivo de haber publicado la *Historia de la lengua y literatura castellana* [117]. El fino escritor mejicano, cien veces le llama P. Frauca, y otras tantas censura los muchos, muchísimos, errores del laborioso Cejador. Pero, llevado de su actitud crítica, silenció cosas acertadas. En efecto, en el tomo II de la obra (pág. 25), había unas palabras a las que el propio Cejador volvió: «La verdadera lírica castellana está en las coplas y cantares, que [...] comienzan a imprimirse en el siglo XVI.»

No quisiera exagerar: aquí está una clave para encontrar la explicación de ciertos hechos. El jesuita creyó que se le había arrebatado la esencia misma de sus planteamientos teóricos. Expuestos en 1915, no se tuvieron en cuenta y, según él, se utilizaron por los demás; por si fuera poco, en 1918, la propia *Revista de Filología Española* dio noticia del *Miguel de Cervantes Saavedra* del erudito aragonés con una referencia a la reseña del anterior que allí mismo se había publicado, pero curiosamente —aliquando bonus dormitat Homerus— el anónimo censor y sus rigurosos supervisores cayeron en alguno de esos defectos que tanto les irritaban; citaron de memoria y, en su descuido, llegaron a cambiar el título de la obra con la que tan poca piedad se tuvo: «reseñada [la *Historia de la literatura española,* sic] con el rigor que merece esta Revista» [118]. No salimos ya del marco que va a fijar nuestros comentarios (1915, *Historia de la lengua y literatura castellana,* de Cejador; 1919, conferencia de

---

[117] «Revista de Filología Española», IV, 1917, págs. 65-74.
[118] *Ibídem,* V, pág. 80.

Menéndez Pidal en el Ateneo; 1920, *Versificación irregular,*
de Pedro Henríquez Ureña; 1921, comienza a publicarse la
Verdadera poesía, de Cejador), pero la actitud de la revista
no cambió con el tiempo, sino que se acibaró: en 1921, y sin
nombre, se publicó un comentario sobre *El Cantar de Mío
Cid y la Epopeya castellana* [119], en el que la severidad crítica
se descompasa en más de dos ocasiones [120], cuando espera-
ríamos páginas de sereno discurrir [121].

Y es que, entre tanto, habían pasado días muy significativos para nuestras letras: en 1919, Menéndez Pidal inauguró
el curso del Anteneo madrileño con una lección memorable
sobre *La primitiva poesía lírica española* [122]. Había nacido
un nuevo capítulo de nuestra historia literaria, basado, precisamente, en lo que era una poesía transmitida por el pueblo. Cejador se siente despojado, vuelve a lo que dijo en
1915 y arremete por su cuenta en los propios inicios de la
Verdadera poesía (1921):

> «Menéndez Pidal, sin duda recogiendo mi idea, aun
> cuando afirme que en ninguna historia literaria se
> trata de ello, leyó en el Ateneo, el año de 1919, un
> *Discurso* [...] esbozando los orígenes y trayendo ejem-
> plos, aunque repitiendo lo que fue planta exótica en
> Castilla y que el vulgo cantaba su lírica en gallego. Si-
> guióle Pedro Henríquez Ureña [...] con las mismas doc-
> trinas confusas o erróneas y sin tocar a la versifica-
> ción, que sigue llamando irregular» (I, pág. 19) [123].

---

[119]   *Ibídem*, VIII, págs. 67-76.
[120]   Fue injusto silenciar lo que en Cejador había de utilizable. Concreta-
mente, en el problema de la lírica española no todo lo que dijo fueron dispa-
rates, sino que apuntó —y más que apuntó— ideas que la historia ha compro-
bado ser ciertas.
[121]   Muy poco tiempo hace, un gran maestro dedicó unas emocionadas palabras «a un hombre sabio y desgraciado [...] y al que errores propios y
ajenos, así como causas muy complejas (tan complejas como su enorme labor, no siempre acertada y en ocasiones desaforada), han rodeado de un silencio injusto, que no merece. Me refiero, con piadosa reparación, a don Julio Cejador» (Emilio García Gómez, *Todo Ben Quzman*. Madrid, 1972, t. III,
pág. 12).
[122]   «Estudios literarios». Col. Austral, 28, págs. 157-219.
[123]   Muy poco antes de estas líneas (págs. 13-14), había escrito:

> «Dicen todos que la métrica de los cantares populares es irregular,

Hemos llegado al fin de unas discrepancias, al menos al fin que ahora nos interesa: en lo que concierne a algún motivo de la poesía de Antonio Machado. No todas las valoraciones anteriores tuvieron que ver con el problema que aquí trato de estudiar, pero evidenciaban una clara postura que no se fraguó en un instante: la escuela de Menéndez Pidal, en su órgano científico, repudió, desde 1917, los trabajos de Cejador. Era el mismo año en que Machado tuvo relaciones con el jesuita y que le movieron hacia el testimonio de su gratitud. Pero Francisco A. de Icaza —el agrio censor— era amigo del gran poeta («No es profesor de energía / Francisco de Icaza, / sino de melancolía»), según consta en las *Soledades a un maestro (Nuevas canciones,* 1917-1930). De una u otra forma, don Antonio se dio cuenta de haber cometido un error y prefirió quitar el envío.

Sin embargo, aún tendrá algo que ver con Cejador, no la trivialidad efímera de un poner y quitar ofrendas, sino en la constancia con que puede condicionar un quehacer, y volveré a ello. Pero Machado estaba fuera de discrepancias científicas y podía utilizar —como lo hizo— los distintos veneros que surtían aguas claras. De lo que empleó a Cejador, darán fe las páginas que siguen; lo que aprendió en don Ramón es algo mucho más difícil de rastrear y, por tanto, resulta algo que no podemos ponderar, pero sí asimiló y no poco la doctrina del maestro. Pienso, por ejemplo, en unas palabras de don Ramón que tan presentes están en la obra del creador: «La sutileza de un estudio penetrante hallará lo popular casi siempre, aun en el fondo de las obras de arte más personal y refinado» (art. cit., pág. 160).

Según se ha reiterado, dos años después de la conferencia

---

hasta el punto de que nadie se ha puesto a medirlos. El único libro que yo sepa haberse publicado sobre la lírica popular es la *Versificación irregular en la poesía castellana,* Madrid, 1920. El mismo título pedía se tratase de la métrica, esto es, de *La versificación;* pero su autor, el americano Pedro Henríquez Ureña, ni aun siquiera trató de medir un solo verso. Verdad es que diríase haberse querido curar en salud llamándola, como todos los demás, versificación o métrica *irregular.* Pero métrica irregular es métrica sin metro o medida, y métrica sin metro no es métrica. Si hay versificación y versos, su medida tendrán, su metro propio.»

Volverá obsesionado por la cuestión en las páginas 52-53 de ese mismo tomo I.

de Menéndez Pidal, Cejador publicó el primer tomo de *La verdadera poesía castellana* [124]. Machado conoció la obra y es éste el momento de recoger el hilo suelto que hemos dejado con Juan de Mairena: para el apócrifo también es *verdadera poesía* la que considera folklórica. Pero no acaban aquí las cosas. En *Los complementarios* hay muchas referencias, muchos textos, muchos nombres, que tienen que ver con la poesía tradicional. Lógicamente, no parece probable que el gran poeta dedicara su tiempo a rastrear hallazgos por bibliotecas en viejos —y difíciles— libros. Lo que hizo fue leer lo que se le daba ordenado en alguna obra, y la riquísima compilación de Cejador bien valía para sus deseos.

Merece la pena recoger, en orden cronológico, todos los poemas de tipo tradicional que Machado copia en *Los complementarios*. Vemos —y no sin sorpresa— que uno es de 1916, otro de 1917, cuatro de 1920 y, ya un verdadero torrente, 31 de 1922 y 12 de 1923. Es todo.

En resumen: Antonio Machado gustó de la poesía tradicional, folklórica o popular; era una inclinación que pudo aprender en los trabajos familiares o en el espíritu de la Institución. Cuando en 1916 incorpora a su propio quehacer esta veta popular, compone las *Canciones del Alto Duero*, y las compone por los mismos días que el recuerdo paterno le hizo escribir el emocionado poema que tituló *En el tiempo*.

Después vinieron los trabajos de otros investigadores que dieron vida nueva a un Guadiana oculto de nuestra poesía. Y Machado se interesó por estos quehaceres. No se olvide todo lo que de pionero tuvo la conferencia de Menéndez Pidal en el Ateneo madrileño (1919); don Antonio pudo oírla en el propio Ateneo [125], él que tanto tuvo que conocer al maestro, ¿por qué si no fue a París en 1910 a estudiar, precisamente,

---

[124]   *Floresta de la antigua lírica popular*. Madrid, 1921-1924. El t. IX, índices, sólo se publicó en 1930.

[125]   Un análisis pormenorizado de cada cantar lo llevé a cabo en mi estudio *Antonio Machado y la poesía de tipo tradicional*, en el *Homenaje a Machado*. Málaga, 1980, págs. 160-166. De este trabajo proceden las páginas que ahora considero. 1916 es el inicio de una manera y ese año coincide, lo hemos visto, con otros hechos sintomáticos; después, a partir de 1920, se inicia una riada que alcanza su plenitud en 1922, decrece y acaba en 1923. Sé que esto puede ser muy relativo, pero no puedo olvidar todo lo que tiene de sintomático. La *Verdadera poesía* comienza a publicarse en 1921 y 1923 es el tomo IV; a ellos habrá que vincular las lecturas de don Antonio.

poesía épica con Bédier? [126]. He aquí otro camino que vino a enriquecer su visión, que le orientó a cosas desconocidas y que, sobre todo, le hizo valorar, en este sentido, aquel inmenso mundo llamado Lope. Tal vez vengan de ahí las preferencias por las canciones que el Fénix engasta en sus comedias [127].

Llegó después a otro cauce que era totalmente lógico. Cejador, a partir de 1921, comenzó a editar la riquísima floresta *Verdadera poesía castellana,* y justamente hasta 1923 publicó los volúmenes que podían interesar al poeta; en ellos los testimonios más espontáneos y menos literarios. Digámoslo, los más del pueblo. Y de esa antología, tan variada, y con tanto desorden, Machado fue extrayendo filones de riquísimo precio: cancioneros musicales, vihuelistas, Gil Vicente, Lope, Correas y un largo etcétera. Pero no lo citó ni una sola vez [128]. ¿Le era necesario? ¿No? Quede la pregunta formulada. Pero hay un testimonio que hace pensar en cierta deliberación: Machado pidió ayuda al latinista en 1917; con él se examinó y la benevolencia pudo andar por medio, pues a Cejador dedicó *Otro viaje.* Lo dedicó, e inmediatamente quitó la dedicatoria. Tal vez se dio cuenta de que aquello era un error. Frente a la obra ingente de Menéndez Pidal y sus primeros discípulos, se alzó la voz del jesuita [129], que ofreció no pocos puntos vulnerables con su

---

[126] Aunque en 1922 se disculpaba con Gerardo Diego, que le había invitado a una lectura de *Imagen* en el centro (Macrì, *op. cit.,* pág. 47). Para el curso 1919-1920, Machado se trasladó de Baeza a Segovia y —nos dice— «desde 1919 paso la mitad de mi tiempo en Segovia y en Madrid la otra mitad, aproximadamente».

[127] No todos los biógrafos se hacen cargo de esto, pero es sabido, aunque luego se inclinara por la filosofía (vid., por ejemplo, Manuel Tuñón de Lara, *Antonio Machado, poeta del pueblo.* Barcelona, 1975, pág. 64). El cambio de actitud y las preferencias por las clases de Bergson no significa nada para lo que digo en el texto.

[128] El romancero —poesía tradicional también— tuvo que ver, y no poco, en la creación del poeta: «yo aprendí a leer en el *Romancero general,* que compiló mi buen tío don Agustín Durán; pero mis romances no emanan de las heroicas gestas, sino del pueblo que las compuso y de la tierra donde se cantaron» *(Poesías Escogidas.* Madrid, 1917, pág. 150). Conviene no olvidar el testimonio de *Demófilo,* que he transcrito en la página 53.

[129] Abandonó la Compañía a los treinta y siete años, según se desprende del siguiente texto:

«Entregué al Padre Rector el mauscrito de uno de mis tomos del *Lenguaje* para que lo diese el Provincial a la censura. Al *desposeerme*

arbitrariedad y su indisciplina científica. Cierto que bien se
aprovecharon sus rivales. Réplicas agrias, injusticias y
cuanto se quiera. Pero Machado estaba con lo que fue Junta
de Ampliación de Estudios y, en la *Revista de Filología Española*, desde ese año de 1917, menudearon los varapalos
contra Cejador. Machado prefirió quitar la dedicatoria. Pero
no anegó ese otro venero que le llegaba desde aquellos
textos [130].

DE UN CANCIONERO INÉDITO

Como una reacción contra Saint Beuve, suele decirse
desde Proust que la poesía es obra de otro yo. Todos somos
no otro, sino muchos yo. Verdad es que Whitman andaba
en lo cierto cuando decía que dentro del hombre había mul-
titudes. Y mucho más si ese hombre es poeta. Estoy tra-
tando de presentar la obra lírica de Machado y lo que voy
haciendo son cortes: el romántico, el noventayochista, el intimista, el impresionista, el mitólogo, el folklorista, el gnó-
mico, el...

> Con el tú de mi canción
> no te aludo, compañero;
> ese tú soy yo.

Machado realiza el viejo problema de multiplicarse en una

_____

de mis bienes, aconsejáronme los Superiores los diese a la Compañía
para ayuda de la impresión de mis libros. Un año pasó y preguntá-
dole al Rector qué había hecho del manuscrito, me dijo que seguía
en el cajón donde lo había metido. Démelo, Padre, le dije, y me lo
entregó. Por lo visto no querían imprimiese nada después de haberme
pasado los años mejores de mi vida, los veinte años desde los diecisiete de mi edad, en estudiar lenguas y filología.» (J. Cejador, *Recuerdos de mi vida*. Obra póstuma. Prólogo de R. Pérez de Ayala,
Madrid, 1927, pág. 75.)

Contra Menéndez Pidal están las páginas 14-15 y 40 del t. I, las 5, 185, 200,
passim, del t. V de la *Verdadera poesía*.

[130] En «Cuadernos Hispanoamericanos», núms. 304-307 (1975-76), páginas 302-357, publicó Paulo de Carvalho Neto su artículo *La influencia del
folklore en Antonio Machado*, que nada tiene que ver con estas páginas.

serie de poetas distintos [131] por más que sea muy difícil saber los linderos de la propia y la ajena personalidad. ¿*Tú* es 'yo' o *tú* es una criatura separada de su propio creador? El problema es largo. Bástenos aducir un testimonio insigne —ni mejor ni peor, insigne—, gracias al cual sabemos de este proceso. Pero lo sabemos en un hombre, no en otro ni en otros [132]. En marzo de 1914, Fernando Pessoa comienza un poema, *O guardador de rebanhos,* y ya sin descanso salen más de treinta: ha nacido Alberto Caeiro, de quien hace discípulos a Ricardo Reis y Álvaro de Campos [133]. Y tenemos aquí un planteamiento dramático: cada uno de esos hombres, Caeiro, Reis, Campos, es un drama individual y otro Fernando Pessoa, y el conjunto de todos un drama distinto de cada uno de ellos. Pessoa, en el número 17 de *Presença,* al que me he referido, publicó estas líneas:.

> «O que Fernando Pessoa escreve pertence a duas categorias de obras, a que poderemos chamar ortónimas e heterónimas. Não se poderá dizer que são anónimas e pseudónimas, porque deveras o não são. A obra pseudónima é do autor em sua pessoa, salvo o nome que assina; a heterónima é do autor fora da sua pessoa, é de uma individualidade completa fabricada por êle, como seriam os dizeres de qualquer personagem de qualquer drama seu.»

No es de mi incumbencia ahora discutir estos problemas [134], sí decir que no estoy muy de acuerdo con las po-

---

[131] Vid. Giovanni Caravaggi, *Sulla genesi degli «apocrifi» di A. Machado* («Studi e problemi di critica testuale», núm. 10, págs. 183-215, 1975). También, Aurora de Albornoz, *op. cit.,* págs. 227-310.

[132] Como planteamiento general, sigue siendo útil la obra (republicada en «Les documents bleus») de A. Borel y G. Robin, *Les Rêveurs Éveillés.*

[133] «Escrevi trinta e tantos poemas a fio, numa espécie de êxtase cuja natureza não conseguirei definir. Foi o dia triunfal da minha vida, e nunca poderei ter outro assim. Abri com um titulo, «O Guardador de Rebanhos». E o que se seguiu foi o aparecimento de alguém em mim, a quem dei desde logo o nome de Alberto Caeiro.» (Carta a Adolfo Casais Monteiro, inserta como apéndice de la *Antología* preparada por el propio Monteiro.) Para todo esto es importante la *Tábua bibliográfica* que el mismo Pessoa redactó para la revista «Presença», núm. 17. Aunque de su veracidad, no muy exacta siempre, habría que pensar con indulgencia: «o poeta é um fingidor».

[134] Vid., por ejemplo, Ildefonso Manuel Gil, *La poesía de Fernando Pes-*

sibilidades de que cada criatura se haga totalmente independiente de su creador. Menos, mucho menos, en el caso de
Antonio Machado, transparente en tantas circunstancias de
las que rodean a Abel Martín y a Juan de Mairena. Como
causal azar en las coincidencias del poeta español y el portu-
gués, no sólo el inventar apócrifos, sino el hacerlos nacer y
morir en fechas precisas y el establecer entre ellos dependencia intelectual. Pessoa (1888-1935) inventó sus heterónimos antes de que don Antonio hiciera nacer a los suyos,
pero su poesía era totalmente ignorada en España; sin embargo, Machado venía rellenando desde 1912 unos cuadernos que acabaron siendo *Los complementarios*.

> (Busca a tu complementario,
> que marcha siempre contigo,
> y suele ser tu contrario.)

De ellos pasaron muchas cosas al *Cancionero apócrifo*,
que ya vio la luz en las *Poesías completas* de 1928. La independencia de ambos —y tan distintos— poetas me parece
fuera de duda.

De un cancionero apócrifo se fue incorporando a las suce-
sivas ediciones de las *Poesías completas* (a partir de la ya
mencionada de 1928) y plantea numerosos problemas de índole muy diversa, pues en él no sólo son versos lo que se incluye, y aun éstos van teñidos de muchas precisiones filosó-
ficas [135]. Se trata de ensayos críticos, a veces de cierta ex-

---

soa, apud *Ensayos sobre poesía portuguesa* (Zaragoza, 1948); João Mendes,
Pessoa e seus heterónimos («Brotéria», XLVII, págs. 328-348, 1948), y Jacinto
de Prado Coello, *Diversidade e unidade en Fernando Pessoa*. Lisboa, 1963.
   [135]   No en vano, Mairena había dicho: «Algún día [...] se trocarán los papeles entre los poetas y los filósofos.» *(Juan de Mairena*, I, pág. 70.) Véanse
las muy valiosas páginas de José María Valverde, en su edición de las *Nuevas
canciones* y *De un nuevo cancionero apócrifo*, págs. 52-65 (Madrid, 1971).
Como recuerdo a la filiación bergsoniana de Machado, me permito aducir un
recuerdo autobiográfico de *Los complementarios* (pág. 24):

> «Durante el curso de 1910 a 1911 asistí a las lecciones de Henri Berg-
> son. El aula donde daba su clase era la mayor del Colegio de Francia y
> estaba siempre rebosante de oyentes. Bergson es un hombre frío, de ojos
> muy vivos. Su cráneo es muy bello. Su palabra es perfecta, pero no añade
> nada a su obra escrita. Entre los oyentes hay mujeres.»

tensión, de breves apostillas de teoría literaria [136]; si tuviera que dar en pocas palabras una referencia aprovechable, diría que estas prosas recuerdan al *Glosario* de D'Ors [137]. Quedan en nuestro objeto de hoy los poemas: unos filosóficos, otros de «geografía emotiva», otros de humor sarcástico. Tal vez no añaden mucho al aprecio que tenemos a una obra que es portentosa. Guardemos, sin embargo, los poemas de Guiomar [138]: *Canciones, Otras canciones*. Machado vuelve a ser Machado. No con capacidad de inventar nuevos modos (poco afortunado incrustar filosofía en el lirismo), sí para hacer retoñar su maestría poética. A veces un simbolismo que diríamos modernista *(Por ti la mar ensaya olas y espumas)*, otras el trasunto de situaciones que nos hacen pensar en algún bello poema a Leonor *(Tu poeta / piensa en ti)* o la nostalgia con que quedó transida —para siempre— su alma *(Hoy te escribo en mi celda de viajero)*. Guiomar pasa como una lucecita:

> ¡Sólo tu figura,
> como una centella blanca,
> en mi noche oscura!

Mientras, Machado es una pura renuncia. Su vida ya no puede remontar la corriente («reo de haberte creado, / ya no te puedo olvidar») y el poeta escribe su propio desengaño. Las cancioncillas no llevan sino la amargura y el dolor del poeta. Después, la guerra dio el corte definitivo. Un soneto lleno de belleza y de nostalgia, y un velo discreto, que lastima levantar:

---

[136] De esto me ocupo en mi edición de *Los complementarios*. Cfr.: Carlos Clavería, *Notas sobre la poética de Antonio Machado*, apud *Cinco estudios de literatura española moderna*, págs. 93-118 (Salamanca, 1945); Zubiría, *op. cit.*, págs. 137-146. Vid., también, la edición que José María Valverde hizo de *Juan de Mairena* («Clásicos Castalia», núm. 42) y la de Antonio Fernández Ferrer («Cátedra Letras Hispánicas», núms. 240-241).

[137] En 1921 le dedicó Machado un espléndido soneto. Cfr. Pablo de A. Cobos, *Machado en Juan de Mairena*, ya citado.

[138] Macrì (págs. 1249-1250) da antecedentes literarios del nombre de Guiomar. Sin embargo, no cita el que puede haber tenido más eco en el recuerdo de Machado: Guiomar era la esposa de Jorge Manrique, el poeta bien amado por Antonio (vid. Macrì, págs. 208-209).

De mar a mar entre los dos la guerra,
más honda que la mar. En mi parterre,
miro a la mar que el horizonte cierra.
Tú, asomada, Guiomar, a un finisterre,
    miras hacia otro mar, la mar de España
que Camoens cantara, tenebrosa.
Acaso a ti mi asusencia te acompaña.
A mí me duele tu recuerdo, diosa.
    La guerra dio al amor el tajo fuerte.
Y es la total angustia de la muerte,
con la sombra infecunda de tu llama
    y la soñada miel de amor tardío,
    y la flor imposible de la rama
que ha sentido del hacha el corte frío.

Guiomar había querido ser entrevista en algún poema (el CLV, el CLXII, el III de los *Sueños dialogados,* etc.). Para mí son —unos— anécdotas líricas que más bien traen el recuerdo de Leonor; otros, por falta de emoción, literatura; por último, sí, Guiomar [139]. En 1928, Machado conoció a Guiomar en Segovia, con ella siguió viéndose en Madrid; era la escritora Pilar de Valderrama, a la que elogió en *Los Lunes del Imparcial* [140], y a la que Manuel Machado dedicó un soneto, *Eco Prólogo* [141].

Después vinieron otras poesías —¿de circunstancias, diría Goethe?—, pero los ciclos ya no podían modificarse. Estaban cerrados años atrás. Se llamaron *Soledades* y *Galerías, Campos de Castilla* y *Nuevas canciones.* También, Abel Martín y Juan de Mairena. Entre esos títulos, años y años de emoción y tristeza, de soledad y amor a España [142], de

---

[139] Vid. Concha Espina, *De Antonio Machado a su grande y secreto amor* (Madrid, 1950), cartas incompletas para evitar la identificación de la mujer amada; Zubiría, *op. cit.,* págs. 119-126.

[140] José Luis Cano, *Poesía española del siglo XX: de Unamuno a Blas de Otero,* págs. 63-130 (Madrid, 1960); Justina Ruiz de Conde, *Antonio Machado y Guiomar* (Madrid, 1964); Macrì, *op. cit.,* págs. 51-52.

[141] Valverde, *ed. cit.,* pág. 86.

[142] En *El porvenir castellano* (Soria, 10 de marzo de 1913), don Antonio publicó un artículo (sobre *pedagogía*) muy lleno del espíritu de la Institución. Estas son sus últimas palabras: «Si las escuelas no han de ser ineficaces —y bien pudieran serlo aun duplicando su número— han de servir para formar españoles. Pero ¿sabemos nosotros lo que es o puede ser un español?» (cito

retazos de vida y de fluir nacional. Nosotros ahora podemos reconstruir muchos de esos pasos, los que sustentaron la vida de un hombre bueno, y esa vida nos dejó la lección de su poesía y el ejemplo de su conducta.

> (Contra la flecha que el tahúr tiraba
> al cielo, creo en la palabra buena.)

QUE VAN A DAR EN LA MAR

La imaginación simbólica, dice Virgilio Melchiorre, tiene su forma más alta en el ámbito de la expresión artística, pero el papel de la imaginación será tanto más esencial cuanto no pueda reducirse a la parcialidad de un dominio, por privilegiado y noble que en sí mismo lo consideremos [143]. Nosotros podemos transportar esa capacidad imaginativa hasta los límites del símbolo o del mito y entonces podemos convertir la anécdota en un oscuro y misterioso anticipar, que cobrará sentido en el decurso del tiempo. He intentado presentar a un poeta cercano a nosotros: cercano cronológicamente, cercano por la validez de su mensaje lírico, cercano por sus lecciones íntima y civil. Antonio Machado ya va siendo historia (casi cincuenta años hace que calló su «corazón sonoro»), pero próxima para que aún tengamos testimonios de quienes vivieron con él. Por eso podemos acercarnos al hombre y a la obra, no hacer arqueología, ni gacetilla cotidiana: es un pedazo de nuestra historia cultural más próxima, pero historia —la de Machado— cerrada ya. Las anécdotas, desde el principio hasta el fin, las vemos con un sentido que la demasiada cercanía lo hubiera convertido en trivialidad y, sin embargo, las poseemos vivas, trabadas, condicionadas y condicionantes, no como silva de varia lección, heterogénea y dispersa.

En la literatura simbólica, el mar es lugar de nacimiento, de transformación y de renacer; es el vientre materno del que se surge hacia la luz. Pero en las aguas, la presencia de delfines hablan de regeneración, sabiduría y prudencia. No

---

por Rodrigo Álvarez Molina, *Variaciones sobre Antonio Machado: el hombre y su lenguaje,* pág. 105; Madrid, 1973).
[143]   *L'immaginazione simbolica,* pág. 10. Bolonia, 1972.

en vano, delfines había —y el símbolo no cesa— cerca del trípode de Apolo en Delfos. Pero también el mar podía dar testimonio de luchas y pasiones, de muerte si no se sabía surcar: por eso los cretenses cabalgaban sobre delfines para alcanzar la morada de la eterna quietud. El origen remoto de Machado estuvo signado por aguas y delfines; su fin, a la orilla del mar, cerca de unas barcas de pescadores. Y, entre medio, el tiempo que lo torturó. Pero dejemos la palabra a Juan de Mairena; para que valga el símbolo, el tiempo preciso no cuenta: algo así como el retablo folklórico anclado en unos años en que fueron posibles todos los prodigios:

«Otro acontecimiento, también importante, de mi vida es anterior a mi nacimiento. Y fue que unos delfines, equivocando su camino y a favor de marea, se habían adentrado por el Guadalquivir, llegando hasta Sevilla. De toda la ciudad acudió mucha gente, atraída por el insólito espectáculo, a la orilla del río, damitas y galanes, entre ellos los que fueron mis padres, que allí se vieron por vez primera. Fue una tarde de sol, que yo he creído o he soñado recordar alguna vez» [144].

Y el mar vuelve a aparecer. Con el ejército republicano en retirada, el 27 de enero de 1939, van unas sombras humanas. Aún dura la de aquella muchachita que se casó en 1873, pero ahora es una pobre mujer huyendo en una ambulancia. Los fugitivos quedan abandonados en la frontera, diluvia, los papeles del hijo se dejan en el vehículo. («La madre de don Antonio, de ochenta y cinco años, con los cabellos mojados, era una belleza trágica.») Les dan pan blanco y queso. En un coche puede entrar el poeta enfermo; sobre sus rodillas se acomoda la madre. Los dos van hacia la morada de la eterna quietud; no sobre delfines, sino a través de funcionarios burocráticos. Cerbère, Colliure. Ya era el 28 de enero. Una sola vez salió el poeta de la pensión; viendo las barcas de pescadores, dice a su hermano Pepe: «¡Si pudiera vivir detrás de una de estas ventanas, libre de todas preocu-

---

[144] *Juan de Mairena*, Colección Austral, núm. 1530, págs. 216-217. Espasa Calpe, Madrid, 1973.

paciones!» El 19 de febrero empeoró [145] y moría el día 22 por la tarde. Los símbolos vuelven: era un miércoles de ceniza, frente quedaba el mar. La madre, tierra, mar, soledad desde 1893, ya no hacía falta para más desamparos; era la lamparilla que se extinguía cuando falta el aceite. Tres días después, el 25 de febrero, iba en busca del hueco recién abierto para el hijo [146]. Entre aquel jubiloso salto de delfines y este mar gris de febrero había vivido un grandísimo poeta. Eran unos años —¿muchos, pocos?— en los que el tiempo no se detuvo, pero que ahora, al contemplar una obra sin límites, se nos antojan muchísimos, o muy pocos para lo que quisiéramos tener. El último verso del poeta, solo, aislado, reza simplemente: «Estos días azules y este sol de la infancia.» Volvía el tiempo, el gran tema de Machado, pero buscando premoniciones en sus versos —¿cuántas veces se recordó el *Autorretrato?*—, la tarde del 22 de febrero había sido entrevista y, fatal, se había cumplido.

> (Y encontrarás una mañana pura
> amarrada tu barca a otra ribera, XXI).

MANUEL ALVAR.

---

[145] Vid. Macrì, pág. 60.

[146] Ana Ruiz y Antonio Machado se casaron el 22 de mayo de 1873. Manuel les nació en agosto del 74 y Antonio el 26 de julio del 75. En el palacio de Las Dueñas, que el poeta había de evocar bellísima y emocionadamente. Después los hijos aumentan, hay dificultades económicas, viajes. Traslado familiar a Madrid (1883), estudios en la Institución Libre de Enseñanza. Muere el padre el 93. Antonio hace teatro con Fernando Díaz de Mendoza. En junio del 99, París; regresa en octubre. Vida literaria en Madrid (Villaespesa, Rubén, Juan Ramón, *Azorín*, Valle-Inclán). Catedrático de francés en Soria (1907-12); conoce a Leonor Izquierdo Cuevas el 21 de septiembre de 1907 (la niña tiene trece años) y se casan el 30 de julio de 1909. La Junta de Ampliación de Estudios lo envía a seguir un curso con Bédier, pero deja la filología por la filosofía: asiste a las clases de Bergson. Leonor tiene un hemoptisis y Rubén ayuda económicamente al matrimonio para que pueda regresar a Soria; muere la esposa el 1 de agosto de 1912. Machado se traslada a Baeza (1912-1919) y se licencia en Letras (1917). En 1919 marcha a Segovia, donde permanece hasta 1932. Colabora con su hermano Manuel en varias obras teatrales (1926-1932). Conoce a Guiomar en Segovia (1928); es elegido académico (1927) y, aunque en 1931 tenía escrito parcialmente su discurso de ingreso, nunca llegó a leerlo. Se traslada al Instituto Calderón de la Barca de Madrid (1932) y luego al Cervantes (1935). Durante la guerra manifestó su adhesión a la República, a cuya causa sirvió. El fin, ha quedado transcrito. (Para la biografía de Machado, véase Miguel Pérez Ferrero, *Vida de Antonio y Manuel Machado*, Colección Austral, núm. 1135, Madrid, 1973; José Machado, *Ultimas soledades del poeta Antonio Machado*, 1940.)

ORACIÓN POR ANTONIO MACHADO

Misterioso y silencioso
iba una y otra vez.
Su mirada era tan profunda
que apenas se podía ver.
Cuando hablaba tenía un dejo
de timidez y de altivez.
Y la luz de sus pensamientos
casi siempre se veía arder.
Era luminoso y profundo
como era hombre de buena fe.
Fuera pastor de mil leones
y de corderos a la vez.
Conduciría tempestades
o traería un panal de miel.
Las maravillas de la vida
y del amor y del placer,
cantaba en versos profundos
cuyo secreto era de él.
Montado en un raro Pegaso,
un día al imposible fue.
Ruego por Antonio a mis dioses,
ellos le salven siempre. Amén.

RUBÉN DARÍO

VIDA, PRÓLOGOS, POÉTICA

VIDA

Nací en Sevilla una noche de julio de 1875, en el célebre palacio de Las Dueñas, sito en la calle del mismo nombre.

Mis recuerdos de la ciudad natal son todos infantiles, porque a los ocho años pasé a Madrid, adonde mis padres se trasladaron, y me eduqué en la Institución Libre de Enseñanza. A sus maestros guardo vivo afecto y profunda gratitud. Mi adolescencia y mi juventud son madrileños. He viajado algo por Francia y por España. En 1907 obtuve cátedra de Lengua Francesa, que profesé durante cinco años en Soria. Allí me casé: allí murió mi esposa, cuyo recuerdo me acompaña siempre. Me trasladé a Baeza, donde hoy resido. Mis aficiones son pasear y leer.

1917.

De Madrid a París a los veinticuatro años (1899). París era todavía la ciudad del «affaire Dreyfus» en política, del simbolismo en poesía, del impresionismo en pintura, del escepticismo elegante en crítica. Conocí personalmente a Oscar Wilde y a Jean Moréas. La gran figura literaria, el gran consagrado, era Anatole France.

De Madrid a París (1902). En este año conocí en París a Rubén Darío.

De 1903 a 1910, diversos viajes por España: Granada, Córdoba, tierras de Soria, las fuentes del Duero, ciudades de Castilla, Valencia, Aragón.

De Soria a París (1910). Asistí a un curso de Henri Bergson en el Colegio de Francia.

De 1912 a 1919, desde Baeza a las fuentes del Guadalquivir y a casi todas las ciudades de Andalucía.

Desde 1919 paso la mitad de mi tiempo en Segovia y en Madrid la otra mitad, aproximadamente. Mis últimas excursiones han sido a Ávila, León, Palencia y Barcelona (1928).

1931.

PRÓLOGOS

A *Páginas escogidas*

Mi costumbre de no volver nunca sobre lo hecho y de no leer nada de cuanto escribo, una vez dado a la imprenta, ha sido la causa en esta ocasión de no poco embarazo para mí. El presentar un tomo de *Páginas escogidas* me obligó no sólo a releer, sino a elegir, lo que supone juzgar. ¡Triste labor! Porque un poeta, aunque desbarre, mientras produce sus rimas está siempre de acuerdo consigo mismo; pero, pasados los años, el hombre que juzga su propia obra dista mucho del que la produjo. Y puede ser injusto para consigo mismo: si, por amor de padre, con exceso indulgente, también a veces ingrato por olvido, pues la página escrita nunca recuerda todo lo que se ha intentado, sino lo poco que se ha conseguido.

Si un libro nuestro fuera una sombra de nosotros mismos, sería bastante; porque francamente es mucho menos: la ceniza de un fuego que se ha apagado y que tal vez no ha de encenderse más. Y en el caso mejor, cuando nuestro libro nos evoca nuestra alma de ayer con la viveza de algunos sueños que actualizan lo pasado, echamos de ver que, entonces, llevábamos a la espalda un copioso haz de flechas que no recordamos haber disparado y que han debido caérsenos por al camino. La tristeza de volver sobre nuestra obra no proviene de la conciencia de lo poco logrado, sino de lo mucho que renunciamos a acometer. Nuestra incapacidad para fallar con justicia en causa propia estriba también en la merma de simpatía por nuestra obra y en la enorme distancia que media entre el momento creador y el crítico. En el primero coincidíamos con la corriente de la vida, cargada de realidades virtuales que acaso no llegan nunca a actualizarse, pero que sentimos como infinitamente posibles;

en el segundo estamos fuera de esta misma corriente, y aun fuera de nosotros, obligados a juzgar, a encerrar y distribuir las vivas aguas en los rígidos cangilones de las ideas ómnibus, a avaluar en moneda corriente lo más ajeno a toda mercadería. Es muy frecuente —casi la regla— que el poeta eche a perder su obra al corregirla. La explicación es fácil: se crea por intuiciones; se corrige por juicios, por relaciones entre conceptos. Los conceptos son de todos y se nos imponen desde fuera en el lenguaje aprendido; las intuiciones son siempre nuestras. Juzgarnos o corregirnos supone aplicar la medida ajena al paño propio. Y al par que entramos en razón y nos ponemos de acuerdo con los demás, nos apartamos de nosotros mismos; cuantas líneas enmendamos para afuera son otras tantas deformaciones de lo íntimo, de lo original, de lo que brotó espontáneo en nosotros.

El poeta debe escuchar con respeto la crítica ajena, porque el libro lanzado a la publicidad ya no le pertenece. El lo entregó al juicio de los hombres, sin que nadie le obligase a ello. Asístele, sin embargo, el derecho de no ser demasiado dócil a admoniciones y consejos, y le conviene, sobre todo, desconfiar aun de sus propias definiciones. No se define en arte, sino en matemática —allí donde lo definido y la definición son una misma cosa—. Ante la crítica dogmática y doctrinera, aun la propia inepcia puede sonreír desdeñosa.

Cabe, no obstante, pedir al hombre de un libro un juicio voluntario de su obra, un precio de su propia labor; cabe preguntarle: «¿En cuánto estima usted esto que nos ofrece en demanda de nuestra simpatía y de nuestro aplauso?» Responderé brevemente. Como valor absoluto, bien poco tendrá mi obra si alguno tiene; pero creo —y en esto estriba su valor relativo— haber contribuido con ella, y al par de otros poetas de mi promoción, a la poda de ramas superfluas en el árbol de la lírica española, y haber trabajado con sincero amor para futuras y más robustas primaveras.

Baeza, 20 de abril de 1917.

A *Soledades*

Las composiciones de este primer libro, publicado en enero de 1903, fueron escritas entre 1899 y 1902. Por aquellos años, Rubén Darío, combatido hasta el escarnio por la crítica al uso, era el ídolo de una selecta minoría. Yo también admiraba al autor de *Prosas profanas,* el maestro incomparable de la forma y de la sensación, que más tarde nos reveló la hondura de su alma en *Cantos de vida y esperanza.* Pero yo pretendí —y reparad que no me jacto de éxitos, sino de propósitos— seguir camino bien distinto. Pensaba yo que el elemento poético no era la palabra por su valor fónico, ni el color, ni la línea, ni un complejo de sensaciones, sino una honda palpitación del espíritu; lo que pone el alma, si es que algo pone, o lo que se dice, si es que algo dice, con voz propia, en respuesta al contacto del mundo. Y aún pensaba que el hombre puede sorprender algunas palabras de un íntimo monólogo, distinguiendo la voz viva de los ecos inertes; que puede también, mirando hacia dentro, vislumbrar las ideas cordiales, los universales del sentimiento. No fue mi libro la realización sistemática de este propósito; mas tal era mi estética de entonces.

Esta obra fue refundida en 1907, con adición de nuevas composiciones que no añadían nada sustancial a las primeras, en *Soledades, galerías y otros poemas.* Ambos volúmenes constituyen en realidad un solo libro.

1917.

A *Campos de Castilla*

En un tercer volumen publiqué mi segundo libro, *Campos de Castilla* (1912). Cinco años en la tierra de Soria, hoy para mí sagrada —allí me casé, allí perdí a mi esposa, a quien adoraba—, orientaron mis ojos y mi corazón hacia lo esencial castellano. Ya era, además, muy otra mi ideología. Somos víctimas —pensaba yo— de un doble espejismo. Si miramos afuera y procuramos penetrar en las cosas, nuestro mundo externo pierde en solidez, y acaba por disipársenos cuando llegamos a creer que no existe por sí, sino por nosotros. Pero si, convencidos de la íntima realidad, miramos adentro, entonces todo nos parece venir de fuera, y es nuestro mundo interior, nosotros mismos, lo que se desvanece. ¿Qué hacer entonces? Tejer el hilo que nos dan, soñar nuestro sueño, vivir; sólo así podremos obrar el milagro de la generación. Un hombre atento a sí mismo y procurando auscultarse ahoga la única voz que podría escuchar: la suya; pero le aturden los ruidos extraños. ¿Seremos, pues, meros espectadores del mundo? Pero nuestros ojos están cargados de razón y la razón analiza y disuelve. Pronto veremos el teatro en ruinas, y, al cabo, nuestra sola sombra proyectada en la escena. Y pensé que la misión del poeta era inventar nuevos poemas de lo eterno humano, historias animadas que, siendo suyas, viviesen, no obstante, por sí mismas. Me pareció el romance la suprema expresión de la poesía y quise escribir un nuevo Romancero. A este propósito responde *La tierra de Alvargonzález*. Muy lejos estaba yo de pretender resucitar el género en su sentido tradicional. La confección de nuevos romances viejos —caballerescos o moriscos— no fue nunca de mi agrado, y toda simulación de arcaísmo me parece ridícula. Cierto que yo aprendí a leer en el Romancero general que compiló mi buen tío don Agustín Durán; pero mis romances no emanan de las heroicas gestas, sino del pueblo que las compuso y de la tierra donde se cantaron; mis romances miran a lo elemental humano, al campo de Castilla y al libro primero de Moisés, llamado *Génesis*.

Muchas condiciones encontraréis ajenas a estos propósitos que os declaro. A una preocupación patriótica responden muchas de ellas; otras, al simple amor a la Naturaleza, que en mí supera infinitamente al del Arte. Por último, algunas rimas revelan las muchas horas de mi vida gastadas —alguien dirá: perdidas— en meditar sobre los enigmas del hombre y del mundo.

1917.

A SEGUNDA EDICIÓN DE *Soledades, galerías y otros poemas*

El libro que hoy reedita la Colección Universal se publicó en 1907, y era no más que una segunda edición, con adiciones poco esenciales, del libro *Soledades,* dado a la estampa en 1903, y que contenía rimas escritas y aun publicadas muchas de ellas en años anteriores.

Ningún alma sincera podía entonces aspirar al clasicismo, si por clasicismo ha de entenderse algo más que el diletantismo helenista de los parnasianos. Nuevos epígonos de Protágoras (nietzschianos, pragmatistas, humanistas, bergsonianos) militaban contra toda labor constructora, coherente, lógica. La ideología dominante era esencialmente subjetivista; el arte se atomizaba, y el poeta, en cantos más o menos enérgicos —recordad al gran Whitman entonando su «mind cure», el himno triunfal de la propia cenestesia—, sólo pretendía cantarse a sí mismo, o cantar, cuando más, el humor de su raza. Yo amé con pasión y gusté hasta el empacho esta nueva sofística, buen antídoto para el culto sin fe de los viejos dioses, representados ya en nuestra patria por una imaginería de cartón piedra.

Pero amo mucho más la edad que se avecina y a los poetas que han de surgir, cuando una tarea común apasione las almas. Cierto que la guerra no ha creado ideas nuevas —no pueden las ideas brotar de los puños—, pero ¿quién duda que el árbol humano comienza a renovarse por la raíz, y de que una nueva oleada de vida camina hacia la luz? Los defensores de una economía social definitivamente rota seguirán echando sus viejas cuentas, y soñarán con toda suerte de restauraciones: les conviene ignorar que la vida no se restaura ni se compone como los productos de la industria humana, sino que se renueva o perece. Sólo lo eterno, lo que nunca dejó de ser, será otra vez revelado, y la fuente homérica volverá a fluir. Deméter, de la hoz de oro, tomará en sus brazos —como el día antiguo al hijo de Keleo— al vástago tardío de la agotada burguesía y, tras criarle a sus pechos, le envolverá otra vez en la llama divina.

Toledo, 12 de abril de 1919.

POÉTICA

En este año de su *Antología* —1931— [147] pienso, como en los años de modernismo literario (los de mi juventud), que la poesía es la palabra esencial en el tiempo. La poesía moderna, que, a mi entender, arranca, en parte al menos, de Edgardo Poe, viene siendo hasta nuestros días la historia del gran problema que al poeta plantean estos dos imperativos, en cierto modo contradictorios: esencialidad y temporalidad.

El pensamiento lógico, que se adueña de las ideas y capta lo esencial, es una actividad destemporalizadora. Pensar lógicamente es abolir el tiempo, suponer que no existe, crear un movimiento ajeno al cambio, discurrir entre razones inmutables. El principio de identidad —nada hay que no sea igual a sí mismo— nos permite anclar en el río de Heráclito, de ningún modo aprisionar su onda fugitiva. Pero al poeta no le es dado pensar fuera del tiempo, porque piensa su propia vida que no es, fuera del tiempo, absolutamente nada.

Me siento, pues, algo en desacuerdo con los poetas del día. Ellos proceden a una destemporalización de la lírica, no sólo por el desuso de los artificios del ritmo, sino, sobre todo, por el empleo de las imágenes más en función conceptual que emotiva. Muy de acuerdo, en cambio, con los poetas futuros de mi *Antología,* que daré a la estampa, cultivadora de una lírica, otra vez inmergida en «las mesmas vivas aguas de la vida», dicho sea con frase de la pobre Teresa de Jesús [148]. Ellos devolverán su honor a los románticos, sin serlo ellos mismos; a los poetas del siglo lírico, que acentuó con un adverbio temporal su mejor poema, al par que ponía en el tiempo, con el principio de Carnot, la ley más general de la Naturaleza.

Entre tanto se habla de un nuevo clasicismo, y hasta de una poesía del intelecto. El intelecto no ha cantado jamás, no es su misión. Sirve, no obstante, a la poesía, señalándole el imperativo de su esencialidad. Porque tampoco hay poesía sin ideas, sin visiones de lo esencial. Pero las ideas del

---

[147] Se refiere a la *Antología* de poetas españoles contemporáneos de Gerardo Diego, a quien manda su Poética.
[148] La llamo pobre porque recuerdo sus comentaristas.

poeta no son categorías formales, cápsulas lógicas, sino directas intuiciones del ser que deviene, de su propio existir; son, pues, temporales, nunca elementos acrónicos existencialistas, en las cuales el tiempo alcanza un valor absoluto. Inquietud, angustia, temores, resignación, esperanza, impaciencia que el poeta canta, son signos del tiempo y, al par, revelaciones del ser en la conciencia humana.

1931.

POESÍAS COMPLETAS

LA PRESENTE EDICIÓN

La edición que hoy ofrecemos quiere ser de las *Poesías completas* de Antonio Machado, cosa que no eran las que se amparaban bajo tal rúbrica. Resulta sorprendente que hayan hecho falta en España tantos años para que se incluyeran en el conjunto los poemas de la guerra civil. Tanto más extraño por cuanto las dificultades parecían no existir. Al poner el prólogo a la edición de «Selecciones Austral» se me pidió revisar los textos; mis condiciones eran muy sencillas: debían ser las *Poesías completas,* según rezaba el título. Al parecer, y así se me dijo, la censura dejaba publicar todo, menos la cabecera *A otro conde D. Julián* (todo incluía también el texto «Más que tú, varona fuerte, madre santa»). Hubo escrúpulos que no casaban con mi visión de las cosas y rogué que constara con toda claridad que yo sólo respondía del prólogo. Y así se hizo. Era el mes de noviembre de 1975.

Después publiqué *Los complementarios* (1980) y acerqué a un público lector las páginas publicadas con otros alcances que los que yo me impuse: de ahí la veintena de textos de uno u otro carácter que faltan en la edición de Oreste Macrì, tan digna de elogio.

Presento, pues, toda la poesía de Antonio Machado. Los textos publicados por él en las *Poesías completas* no ofrecen muchas dificultades en una presentación como ésta, e incluso fueron bien publicados en ediciones de carácter popular. No puedo decir lo mismo de los que no se recogieron por el autor y que, tantas veces, se han impreso con muchos errores. Como principio he querido dar unos textos tan limpios como los de la primera parte. He revisado la totalidad de la obra.

Sigo la numeración que es habitual. Sólo la he cambiado, y únicamente cuando la razón lo exigía, en las llamadas *Poesías sueltas*. Aun así he tratado de respetar el orden de Macrì, aunque, como es lógico, mis adiciones y algunas circunstancias más que justificadas me han decidido a numerar de otro modo. Todos los textos de estas poesías sueltas llevan, tras el número romano, una S que facilita la identificación.

SOLEDADES (1899-1907)

I

EL VIAJERO

Está en la sala familiar, sombría,
y entre nosotros, el querido hermano
que en el sueño infantil de un claro día
vimos partir hacia un país lejano.

Hoy tiene ya las sienes plateadas,
un gris mechón sobre la angosta frente;
y la fría inquietud de sus miradas
revela un alma casi toda ausente.

Deshójanse las copas otoñales
del parque mustio y viejo.
La tarde, tras los húmedos cristales,
se pinta, y en el fondo del espejo.

El rostro del hermano se ilumina
suavemente. ¿Floridos desengaños
dorados por la tarde que declina?
¿Ansias de vida nueva en nuevos años?

¿Lamentará la juventud perdida?
Lejos quedó —la pobre loba— muerta.
¿La blanca juventud nunca vivida
teme, que ha de cantar ante su puerta?

¿Sonríe el sol de oro
de la tierra de un sueño no encontrada;
y ve su nave hender el mar sonoro,
de viento y luz la blanca vela hinchada?

Él ha visto las hojas otoñales,
amarillas, rodar, las olorosas

ramas del eucalipto, los rosales
que enseñan otra vez sus blancas rosas...
    Y este dolor que añora o desconfía
el temblor de una lágrima reprime,
y un resto de viril hipocresía
en el semblante pálido se imprime.
    Serio retrato en la pared clarea
todavía. Nosotros divagamos.
En la tristeza del hogar golpea
el tictac del reloj. Todos callamos.

II

    He andado muchos caminos,
he abierto muchas veredas;
he navegado en cien mares,
y atracado en cien riberas.
    En todas partes he visto
caravanas de tristeza,
soberbios y melancólicos
borrachos de sombra negra,
    y pedantones al paño
que miran, callan, y piensan
que saben, porque no beben
el vino de las tabernas.
    Mala gente que camina
y va apestando la tierra...
    Y en todas partes he visto
gentes que danzan o juegan,
cuando pueden, y laboran
sus cuatro palmos de tierra.
    Nunca, si llegan a un sitio,
preguntan a dónde llegan.
Cuando caminan, cabalgan
a lomos de mula vieja,
    y no conocen la prisa
ni aun en los días de fiesta.
Donde hay vino, beben vino;
donde no hay vino, agua fresca.

Son buenas gentes que viven,
laboran, pasan y sueñan,
y en un día como tantos,
descansan bajo la tierra.

III

La plaza y los naranjos encendidos
con sus frutas redondas y risueñas.
    Tumulto de pequeños colegiales
que, al salir en desorden de la escuela,
llenan el aire de la plaza en sombra
con la algazara de sus voces nuevas.
    ¡Alegría infantil en los rincones
de las ciudades muertas!...
¡Y algo nuestro de ayer, que todavía
vemos vagar por estas calles viejas!

IV

EN EL ENTIERRO DE UN AMIGO

Tierra le dieron una tarde horrible
del mes de julio, bajo el sol de fuego.
    A un paso de la abierta sepultura,
había rosas de podridos pétalos,
entre geranios de áspera fragancia
y roja flor. El cielo
puro y azul. Corría
un aire fuerte y seco.
    De los gruesos cordeles suspendido,
pesadamente, descender hicieron
el ataúd al fondo de la fosa
los dos sepultureros...
    Y al reposar sonó con recio golpe,
solemne, en el silencio.
    Un golpe de ataúd en tierra es algo
perfectamente serio.
    Sobre la negra caja se rompían
los pesados terrones polvorientos...

El aire se llevaba
de la honda fosa el blanquecino aliento.
—Y tú, sin sombra ya, duerme y reposa,
larga paz a tus huesos...
Definitivamente,
duerme un sueño tranquilo y verdadero.

V

RECUERDO INFANTIL

Una tarde parda y fría
de invierno. Los colegiales
estudian. Monotonía
de lluvia tras los cristales [1].
Es la clase. En un cartel
se representa a Caín
fugitivo, y muerto Abel,
junto a una mancha carmín.
Con timbre sonoro y hueco
truena el maestro, un anciano
mal vestido, enjuto y seco,
que lleva un libro en la mano.
Y todo un coro infantil
va cantando la lección:
«mil veces ciento, cien mil;
mil veces mil, un millón» [2].
Una tarde parda y fría
de invierno. Los colegiales
estudian. Monotonía
de la lluvia en los cristales.

---

[1] En *Páginas escogidas* (Madrid, 1917), este verso aparece en la misma
forma que en el final del poema. Así en las demás ediciones.
[2] Creo mejor ésta que la puntuación de Macrì (pág. 230).

VI

Fue una clara tarde, triste y soñolienta
tarde de verano. La hiedra asomaba
al muro del parque, negra y polvorienta...
            La fuente sonaba.

Rechinó en la vieja cancela mi llave;
con agrio ruido abrióse la puerta
de hierro mohoso y, al cerrarse, grave
golpeó el silencio de la tarde muerta.

En el solitario parque, la sonora
copla borbollante del agua cantora
me guió a la fuente. La fuente vertía
sobre el blanco mármol su monotonía.

La fuente cantaba: ¿Te recuerda, hermano,
un sueño lejano mi canto presente?
Fue una tarde lenta del lento verano.

Respondí a la fuente:
No recuerdo, hermana,
mas sé que tu copla presente es lejana.

Fue esta misma tarde: mi cristal vertía
como hoy sobre el mármol su monotonía.
¿Recuerdas, hermano?... Los mirtos talares,
que ves, sombreaban los claros cantares
que escuchas. Del rubio color de la llama,
el fruto maduro pendía en la rama,
lo mismo que ahora. ¿Recuerdas, hermano?...
Fue esta misma lenta tarde de verano.

—No sé qué me dice tu copla riente
de ensueños lejanos, hermana la fuente.

Yo sé que tu claro cristal de alegría
ya supo del árbol la fruta bermeja;
yo sé que es lejana la amargura mía
que sueña en la tarde de verano vieja.

Yo sé que tus bellos espejos cantores
copiaron antiguos delirios de amores:
mas cuéntame, fuente de lengua encantada,
cuéntame mi alegre leyenda olvidada.

—Yo no sé leyendas de antigua alegría,
sino historias viejas de melancolía.

Fue una clara tarde del lento verano...

Tú venías solo con tu pena, hermano;
tus labios besaron mi linfa serena,
y en la clara tarde dijeron tu pena.

Dijeron tu pena tus labios que ardían;
la sed que ahora tienen, entonces tenían.

—Adiós para siempre la fuente sonora,
del parque dormido eterna cantora.
Adiós para siempre; tu monotonía,
fuente, es más amarga que la pena mía.

Rechinó en la vieja cancela mi llave;
con agrio ruïdo abrióse la puerta
de hierro mohoso y, al cerrarse, grave
sonó en el silencio de la tarde muerta.

VII

El limonero lánguido suspende
una pálida rama polvorienta
sobre el encanto de la fuente limpia,
y allá en el fondo sueñan
los frutos de oro...
                                        Es una tarde clara,
casi de primavera,
tibia tarde de marzo
que el hálito de abril cercano lleva;
y estoy solo, en el patio silencioso,
buscando una ilusión cándida y vieja:
alguna sombra sobre el blanco muro,
algún recuerdo, en el pretil de piedra
de la fuente dormido, o, en el aire,
algún vagar de túnica ligera.

En el ambiente de la tarde flota
ese aroma de ausencia,
que dice al alma luminosa: nunca,
y al corazón: espera.

Ese aroma que evoca los fantasmas
de las fragancias vírgenes y muertas.

Sí, te recuerdo, tarde alegre y clara,
casi de primavera,
tarde sin flores, cuando me traías

el buen perfume de la hierbabuena,
y de la buena albahaca,
que tenía mi madre en sus macetas.
    Que tú me viste hundir mis manos puras
en el agua serena,
para alcanzar los frutos encantados
que hoy en el fondo de la fuente sueñan...
    Sí, te conozco, tarde alegre y clara,
casi de primavera.

VIII

        Yo escucho los cantos
    de viejas cadencias
    que los niños cantan
    cuando en corro juegan,
    y vierten en coro
    sus almas que sueñan,
    cual vierten sus aguas
    las fuentes de piedra:
    con monotonías
    de risas eternas
    que no son alegres,
    con lágrimas viejas
    que no son amargas
    y dicen tristezas,
    tristezas de amores
    de antiguas leyendas.
        En los labios niños,
    las canciones llevan
    confusa la historia
    y clara la pena;
    como clara el agua
    lleva su conseja
    de viejos amores
    que nunca se cuentan.
        Jugando, a la sombra
    de una plaza vieja,
    los niños cantaban...

La fuente de piedra
vertía su eterno
cristal de leyenda.
    Cantaban los niños
canciones ingenuas,
de un algo que pasa
y que nunca llega:
la historia confusa
y clara la pena.
    Seguía su cuento
la fuente serena;
borrada la historia,
contaba la pena [3].

IX

ORILLAS DEL DUERO

Se ha asomado una cigüeña a lo alto del campanario.
Girando en torno a la torre y al caserón solitario,
ya las golondrinas chillan. Pasaron del blanco invierno,
de nevascas y ventiscas los crudos soplos de infierno.
                Es una tibia mañana.
El sol calienta un poquito la pobre tierra soriana.
    Pasados los verdes pinos,
casi azules, primavera
se ve brotar en los finos
chopos de la carretera
y del río. El Duero corre, terso y mudo, mansamente.
El campo parece, más que joven, adolescente.
    Entre las hierbas alguna humilde flor ha nacido,
azul o blanca. ¡Belleza del campo apenas florido,
y mística primavera!

---

[3] En la primera edición de *Poesías completas* (Madrid, 1917), los dos primeros versos de la estrofilla dicen:

                    Vertía la fuente
                    su eterna conseja:

   Macrì transcribe como nuestro texto, salvo en el v. 3, donde prefiero la especi-
ficación a la explicación.

¡Chopos del camino blanco, álamos de la ribera,
espuma de la montaña
ante la azul lejanía,
sol del día, claro día!
¡Hermosa tierra de España! [4].

X

A la desierta plaza
conduce un laberinto de callejas.
A un lado, el viejo paredón sombrío
de una ruinosa iglesia;
a otro lado, la tapia blanquecina
de un huerto de cipreses y palmeras,
y, frente a mí, la casa,
y en la casa la reja
ante el cristal que levemente empaña
su figurilla plácida y risueña.
Me apartaré. No quiero
llamar a tu ventana... Primavera
viene —su veste blanca
flota en el aire de la plaza muerta—;
viene a encender las rosas
rojas de tus rosales... Quiero verla...

XI

Yo voy soñando caminos
de la tarde. ¡Las colinas
doradas, los verdes pinos,
las polvorientas encinas!...
¿Adónde el camino irá?
Yo voy cantando, viajero,
a lo largo del sendero...
—La tarde cayendo está—.
"En el corazón tenía
la espina de una pasión;

---

[4] Vid. Gregorio Salvador, *«Orillas del Duero», de Antonio Machado*, en
El comentario de textos. Madrid, 1973, págs. 271-284.

logré arrancármela un día:
ya no siento el corazón."

    Y todo el campo un momento
se queda, mudo y sombrío,
meditando. Suena el viento
en los álamos del río.

    La tarde más se oscurece;
y el camino que serpea
y débilmente blanquea,
se enturbia y desaparece.

    Mi cantar vuelve a plañir:
"Aguda espina dorada,
quién te pudiera sentir
en el corazón clavada."

XII

    Amada, el aura dice
tu pura veste blanca...
No te verán mis ojos;
¡mi corazón te aguarda!

    El viento me ha traído
tu nombre en la mañana;
el eco de tus pasos
repite la montaña...
No te verán mis ojos;
¡mi corazón te aguarda!

    En las sombrías torres
repican las campanas...
No te verán mis ojos;
¡mi corazón te aguarda!

    Los golpes del martillo
dicen la negra caja;
y el sitio de la fosa,
los golpes de la azada...
No te verán mis ojos;
¡mi corazón te aguarda!

XIII

Hacia un ocaso ardiente
caminaba el sol de estío,
y era, entre nubes de fuego, una trompeta gigante,
tras de los álamos verdes de las márgenes del río.
  Dentro de un olmo sonaba la sempiterna tijera
de la cigarra cantora, el monorritmo jovial,
entre metal y madera,
que es la canción estival.
  En una huerta sombría
giraban los cangilones de la noria soñolienta.
Bajo las ramas oscuras el son del agua se oía.
Era una tarde de julio, luminosa y polvorienta.
  Yo iba haciendo mi camino,
absorto en el solitario crepúsculo campesino.
  Y pensaba: "¡Hermosa tarde, nota de la lira inmensa
toda desdén y armonía;
hermosa tarde, tú curas la pobre melancolía
de este rincón vanidoso, oscuro rincón que piensa!"
  Pasaba el agua rizada bajo los ojos del puente.
Lejos la ciudad dormía
como cubierta de un mago fanal de oro transparente.
Bajo los arcos de piedra el agua clara corría.
  Los últimos arreboles coronaban las colinas
manchadas de olivos grises y de negruzcas encinas.
Yo caminaba cansado,
sintiendo la vieja angustia que hace el corazón pesado.
  El agua en sombra pasaba tan melancólicamente,
bajos los arcos del puente,
como si al pasar dijera:
  "Apenas desamarrada
la pobre barca, viajero, del árbol de la ribera,
se canta: no somos nada.
Donde acaba el pobre río la inmensa mar nos espera."
  Bajo los ojos del puente pasaba el agua sombría.
(Yo pensaba: ¡el alma mía!)
  Y me detuve un momento,
en la tarde, a meditar...
¿Qué es esta gota en el viento
que grita al mar: soy el mar?

Vibraba el aire asordado
por los élitros cantores que hacen el campo sonoro,
cual si estuviera sembrado
de campanitas de oro.
    En el azul fulguraba
un lucero diamantino.
Cálido viento soplaba,
alborotando el camino.
    Yo, en la tarde polvorienta,
hacia la ciudad volvía.
Sonaban los cangilones de la noria soñolienta.
Bajo las ramas oscuras caer el agua se oía [5].

XIV

CANTE HONDO

Yo meditaba absorto, devanando
los hilos del hastío y la tristeza,
cuando llegó a mi oído,
por la ventana de mi estancia, abierta
    a una caliente noche de verano,
el plañir de una copla soñolienta,
quebrada por los trémolos sombríos
de las músicas magas de mi tierra.

    ... Y era el Amor, como una roja llama...
—Nerviosa mano en la vibrante cuerda
ponía un largo suspirar de oro
que se trocaba en surtidor de estrellas—.

    ... Y era la Muerte, al hombro la cuchilla,
el paso largo, torva y esquelética.
—Tal cuando yo era niño la soñaba—.

    Y en la guitarra, resonante y trémula,
la brusca mano, al golpear, fingía
el reposar de un ataúd en tierra.

    Y era un plañido solitario el soplo
que el polvo barre y la ceniza avienta.

---

[5] Sobre este poema, vid. Gregorio Salvador, *Comentario al poema XIII de «Soledades»* («Homenaje a Machado». Universidad de Salamanca, 1975, páginas 241-258).

XV

La calle en sombra. Ocultan los altos caserones
el sol que muere; hay ecos de luz en los balcones.
¿No ves, en el encanto del mirador florido,
el óvalo rosado de un rostro conocido?
La imagen, tras el vidrio de equívoco reflejo,
surge o se apaga como daguerrotipo viejo.
Suena en la calle sólo el ruido de tu paso;
se extinguen lentamente los ecos del ocaso.
¡Oh, angustia! Pesa y duele el corazón... ¿Es ella?
No puede ser... Camina... En el azul la estrella.

XVI

Siempre fugitiva y siempre
cerca de mí, en negro manto
mal cubierto el desdeñoso
gesto de tu rostro pálido.
No sé adónde vas, ni dónde
tu virgen belleza tálamo
busca en la noche. No sé
qué sueños cierran tus párpados,
ni de quien haya entreabierto
tu lecho inhospitalario.
....
Detén el paso, belleza
esquiva, detén el paso.
Besar quisiera la amarga,
amarga flor de tus labios.

XVII

HORIZONTE

En una tarde clara y amplia como el hastío,
cuando su lanza blande el tórrido verano,
copiaban el fantasma de un grave sueño mío
mil sombras en teoría, enhiestas sobre el llano.

La gloria del ocaso era un purpúreo espejo,
era un cristal de llamas, que al infinito viejo
iba arrojando el grave soñar en la llanura...
Y yo sentí la espuela sonora de mi paso
repercutir lejana en el sangriento ocaso,
y más allá, la alegre canción de un alba pura.

XVIII

EL POETA

Para el libro *La casa de la primavera*,
de Gregorio Martínez Sierra.

Maldiciendo su destino
como Glauco, el dios marino,
mira, turbia la pupila
de llanto, el mar, que le debe su blanca virgen Scyla.
Él sabe que un Dios más fuerte
con la sustancia inmortal está jugando a la muerte,
cual niño bárbaro. Él piensa
que ha de caer como rama que sobre las aguas flota,
antes de perderse, gota
de mar, en la mar inmensa.
En sueños oyó el acento de una palabra divina;
en sueños se le ha mostrado la cruda ley diamantina,
sin odio ni amor, y el frío
soplo del olvido sabe sobre un arenal de hastío.
Bajo las palmeras del oasis el agua buena
miró brotar de la arena;
y se abrevó entre las dulces gacelas, y entre los fieros
animales carniceros...
Y supo cuánto es la vida hecha de sed y dolor.
Y fue compasivo para el ciervo y el cazador,
para el ladrón y el robado,
para el pájaro azorado,
para el sanguinario azor.
Con el sabio amargo dijo: Vanidad de vanidades [6],

---

[6] En *Poesías completas*, 1.ª edic.:

Con el Eclesiastés dijo: Vanidad de vanidades.

todo es negra vanidad;
y oyó otra voz que clamaba, alma de sus soledades:
sólo eres tú, luz que fulges en el corazón, verdad.

Y viendo cómo lucían
miles de blancas estrellas,
pensaba que todas ellas
en su corazón ardían.
¡Noche de amor!
                    Y otra noche
sintió la mala tristeza
que enturbia la pura llama,
y el corazón que bosteza,
y el histrión que declama [7].

Y dijo: Las galerías
del alma que espera están
desiertas, mudas, vacías:
las blancas sombras se van.

Y el demonio de los sueños abrió el jardín encantado de
ayer. ¡Cuán bello era!
¡Qué hermosamente el pasado
fingía la primavera,
cuando del árbol de otoño estaba el fruto colgado,
mísero fruto podrido,
que en el hueco acibarado
guarda el gusano escondido!

¡Alma, que en vano quisiste ser más joven cada día,
arranca tu flor, la humilde flor de la melancolía!

XIX

¡Verdes jardinillos,
claras plazoletas,
fuente verdinosa
donde el agua sueña,
donde el agua muda
resbala en la piedra! ...

---

[7]   En *Páginas escogidas* (Madrid, 1917):

                    y un corazón que bosteza,
                    y un histrión que declama.

Las hojas de un verde
mustio, casi negras
de la acacia, el viento
de septiembre besa,
y se lleva algunas
amarillas, secas,
jugando, entre el polvo
blanco de la tierra.
    Linda doncellita [8]
que el cántaro llenas
de agua transparente,
tú, al verme, no llevas
a los negros bucles
de tu cabellera,
distraídamente,
la mano morena,
ni, luego, en el limpio
cristal te contemplas...
    Tú miras al aire
de la tarde bella,
mientras de agua clara
el cántaro llenas.

---

[8] Creo que sobra la coma de Macrì (pág. 260).

DEL CAMINO

XX

PRELUDIO

Mientras la sombra pasa de un santo amor, hoy quiero
poner un dulce salmo sobre mi viejo atril.
Acordaré las notas del órgano severo
al suspirar fragante del pífano de abril.
   Madurarán su aroma las pomas otoñales,
la mirra y el incienso salmodiarán su olor;
exhalarán su fresco perfume los rosales,
bajo la paz en sombra del tibio huerto en flor.
   Al grave acorde lento de música y aroma,
la sola y vieja y noble razón de mi rezar
levantará su vuelo suave de paloma,
y la palabra blanca se elevará al altar.

XXI

   Daba el reloj las doce... y eran doce
golpes de azada en tierra...
   ... ¡Mi hora! —grité— ... El silencio
me respondió: —No temas;
tú no verás caer la última gota
que en la clepsidra tiembla.
   Dormirás muchas horas todavía
sobre la orilla vieja
y encontrarás una mañana pura
amarrada tu barca a otra ribera.

XXII

Sobre la tierra amarga,
caminos tiene el sueño
laberínticos, sendas tortuosas,
parques en flor y en sombra y en silencio;
   criptas hondas, escalas sobre estrellas;
retablos de esperanzas y recuerdos.
Figurillas que pasan y sonríen
—juguetes melancólicos de viejo—;
   imágenes amigas,
a la vuelta florida del sendero,
y quimeras rosadas
que hacen camino... lejos...

XXIII

En la desnuda tierra del camino
la hora florida brota,
espino solitario,
del valle humilde en la revuelta umbrosa.
   El salmo verdadero
de tenue voz hoy torna
al corazón, y al labio,
la palabra quebrada y temblorosa.
   Mis viejos mares duermen; se apagaron
sus espumas sonoras
sobre la playa estéril. La tormenta
camina lejos en la nube torva.
   Vuelve la paz al cielo;
la brisa tutelar esparce aromas
otra vez sobre el campo, y aparece,
en la bendita soledad, tu sombra.

XXIV

El sol es un globo de fuego,
la luna es disco morado.
   Una blanca paloma se posa
en el alto ciprés centenario.

Los cuadros de mirtos parecen
de marchito velludo empolvado.
¡El jardín y la tarde tranquila!...
Suena el agua en la fuente de mármol.

XXV

¡Tenue rumor de túnicas que pasan
sobre la infértil tierra!...
¡Y lágrimas sonoras
de las campanas viejas!
Las ascuas mortecinas
del horizonte humean...
Blancos fantasmas lares
van encendiendo estrellas.
—Abre el balcón. La hora
de una ilusión se acerca...
La tarde se ha dormido
y las campanas sueñan.

XXVI

¡Oh, figuras del atrio, más humildes
cada día y lejanas:
mendigos harapientos
sobre marmóreas gradas;
miserables ungidos
de eternidades santas,
manos que surgen de los mantos viejos
y de las rotas capas!
¿Pasó por vuestro lado
una ilusión velada,
de la mañana luminosa y fría
en las horas más plácidas?...
Sobre la negra túnica, su mano
era una rosa blanca...

XXVII

La tarde todavía
dará incienso de oro a tu plegaria,
y quizás el cenit de un nuevo día
amenguará tu sombra solitaria.
    Mas no es tu fiesta el Ultramar lejano,
sino la ermita junto al manso río;
no tu sandalia el soñoliento llano
pisará, ni la arena del hastío.
    Muy cerca está, romero,
la tierra verde y santa y florecida
de tus sueños; muy cerca, peregrino
que desdeñas la sombra del sendero
y el agua del mesón en tu camino.

XXVIII

Crear fiestas de amores
en nuestro amor pensamos,
quemar nuevos aromas
en montes no pisados,
    y guardar el secreto
de nuestros rostros pálidos,
porque en las bacanales de la vida
vacías nuestras copas conservamos,
    mientras con eco de cristal y espuma
ríen los zumos de la vid dorados.
    ....
    Un pájaro escondido entre las ramas
del parque solitario,
silba burlón...
                        Nosotros exprimimos
la penumbra de un sueño en nuestro vaso...
Y algo, que es tierra en nuestra carne, siente
la humedad del jardín como un halago.

XXIX

Arde en tus ojos un misterio, virgen
esquiva y compañera.
No sé si es odio o es amor la lumbre
inagotable de tu aljaba negra.
Conmigo irás mientras proyecte sombra
mi cuerpo y quede a mi sandalia arena.
—¿Eres la sed o el agua en mi camino?
Dime, virgen esquiva y compañera.

XXX

Algunos lienzos del recuerdo tienen
luz de jardín y soledad de campo;
la placidez del sueño
en el paisaje familiar soñado.
Otros guardan las fiestas
de días aun [9] lejanos;
figurillas sutiles
que pone un titerero en su retablo...
....
Ante el balcón florido,
está la cita de un amor amargo.
Brilla la tarde en el resol bermejo...
La hiedra efunde de los muros blancos...
A la revuelta de una calle en sombra
un fantasma irrisorio besa un nardo.

XXXI

Crece en la plaza en sombra
el musgo, y en la piedra vieja y santa
de la iglesia. En el atrio hay un mendigo...
Más vieja que la iglesia tiene el alma.

---

[9] En Macrì, indebidamente, *aún*.

Sube muy lento, en las mañanas frías,
por la marmórea grada,
hasta un rincón de piedra... Allí aparece
su mano seca entre la rota capa.
    Con las órbitas huecas de sus ojos
ha visto cómo pasan
las blancas sombras, en los claros días,
las blancas sombras de las horas santas.

XXXII

Las ascuas de un crepúsculo morado
detrás del negro cipresal humean...
En la glorieta en sombra está la fuente
con su alado y desnudo Amor de piedra,
que sueña mudo. En la marmórea taza
reposa el agua muerta.

XXXIII

    ¿Mi amor? ... ¿Recuerdas, dime,
aquellos juncos tiernos,
lánguidos y amarillos
que hay en el cauce seco?...
    ¿Recuerdas la amapola
que calcinó el verano,
la amapola marchita,
negro crespón del campo?...
    ¿Te acuerdas del sol yerto
y humilde, en la mañana,
que brilla y tiembla roto
sobre una fuente helada? ...

XXXIV

Me dijo un alba de la primavera:
Yo florecí en tu corazón sombrío
ha muchos años, caminante viejo
que no cortas las flores del camino.

Tu corazón de sombra, ¿acaso guarda
el viejo aroma de mis viejos lirios?
¿Perfuman aún mis rosas la alba frente
del hada de tu sueño adamantino?
    Respondí a la mañana:
Sólo tienen cristal los sueños míos.
Yo no conozco el hada de mis sueños;
ni sé si está mi corazón florido.
    Pero si aguardas la mañana pura
que ha de romper el vaso cristalino,
quizás el hada te dará tus rosas,
mi corazón tus lirios.

XXXV

Al borde del sendero un día nos sentamos.
Ya nuestra vida es tiempo, y nuestra sola cuita
son las desesperantes posturas que tomamos
para aguardar... Mas Ella no faltará a la cita.

XXXVI

Es una forma juvenil que un día
a nuestra casa llega.
Nosotros le decimos: ¿por qué tornas
a la morada vieja?
Ella abre la ventana, y todo el campo
en luz y aroma entra.
En el blanco sendero,
los troncos de los árboles negrean;
las hojas de sus copas
son humo verde que a lo lejos sueña.
Parece una laguna
el ancho río entre la blanca niebla
de la mañana. Por los montes cárdenos
camina otra quimera.

XXXVII

¡Oh, dime, noche amiga, amada vieja,
que me traes el retablo de mis sueños
siempre desierto y desolado, y sólo
con mi fantasma dentro,
mi pobre sombra triste
sobre la estepa y bajo el sol de fuego,
o soñando amarguras
en las voces de todos los misterios,
dime, si sabes, vieja amada, dime
si son mías las lágrimas que vierto!
Me respondió la noche:
Jamás me revelaste tu secreto.
Yo nunca supe, amado,
si eras tú ese fantasma de tu sueño,
ni averigüé si era su voz la tuya,
o era la voz de un histrión grotesco.

Dije a la noche: Amada mentirosa,
tú sabes mi secreto;
tú has visto la honda gruta
donde fabrica su cristal mi sueño,
y sabes que mis lágrimas son mías,
y sabes mi dolor, mi dolor viejo.

¡Oh! Yo no sé, dijo la noche, amado,
yo no sé tu secreto,
aunque he visto vagar ese que dices
desolado fantasma, por tu sueño.
Yo me asomo a las almas cuando lloran
y escucho su hondo rezo,
humilde y solitario,
ese que llamas salmo verdadero;
pero en las hondas bóvedas del alma
no sé si el llanto es una voz o un eco.

Para escuchar tu queja de tus labios
yo te busqué en tu sueño,
y allí te vi vagando en un borroso
laberinto de espejos.

CANCIONES

XXXVIII

Abril florecía
frente a mi ventana.
Entre los jazmines
y las rosas blancas
de un balcón florido,
vi las dos hermanas.
La menor cosía,
la mayor hilaba …
Entre los jazmines
y las rosas blancas,
la más pequeñita,
risueña y rosada
—su aguja en el aire—,
miró a mi ventana.

La mayor seguía
silenciosa y pálida,
el huso en su rueca
que el lino enroscaba.
Abril florecía
frente a mi ventana.

Una clara tarde
la mayor lloraba,
entre los jazmines
y las rosas blancas,
y ante el blanco lino
que en su rueca hilaba.
—¿Qué tienes —le dije—
silenciosa pálida?

Señaló el vestido
que empezó la hermana.
En la negra túnica
la aguja brillaba;
sobre el velo blanco [10],
el dedal de plata.
Señaló a la tarde
de abril que soñaba,
mientras que se oía
tañer de campanas.
Y en la clara tarde
me enseñó sus lágrimas…
Abril florecía
frente a mi ventana.

    Fue otro abril alegre
y otra tarde plácida.
El balcón florido
solitario estaba…
Ni la pequeñita
risueña y rosada,
ni la hermana triste,
silenciosa y pálida,
ni la negra túnica,
ni la toca blanca…
Tan sólo en el huso
el lino giraba
por mano invisible,
y en la oscura sala
la luna del limpio
espejo brillaba…
Entre los jazmines
y las rosas blancas
del balcón florido,
me miré en la clara
luna del espejo
que lejos soñaba…
Abril florecía
frente a mi ventana.

---

[10]   En Macrì (pág. 284), *blanco velo*, pero no anota variantes en sus apostillas críticas (pág. 1146).

XXXIX

COPLAS ELEGIACAS

¡Ay del que llega sediento
a ver el agua correr,
y dice: la sed que siento
no me la calma el beber!

¡Ay de quien bebe y, saciada
la sed, desprecia la vida:
moneda al tahúr prestada,
que sea al azar rendida!

Del iluso que suspira
bajo el orden soberano,
y del que sueña la lira
pitagórica en su mano.

¡Ay del noble peregrino
que se para a meditar,
después de largo camino
en el horror de llegar!

¡Ay de la melancolía
que llorando se consuela,
y de la melomanía
de un corazón de zarzuela!

¡Ay de nuestro ruiseñor,
si en una noche serena
se cura del mal de amor
que llora y canta sin pena!

¡De los jardines secretos,
de los pensiles soñados,
y de los sueños poblados
de propósitos discretos!

¡Ay del galán sin fortuna
que ronda a la luna bella;
de cuantos caen de la luna,
de cuantos se marchan a ella!

¡De quien el fruto prendido
en la rama no alcanzó,
de quien el fruto ha mordido
y el gusto amargo probó!

¡Y de nuestro amor primero
y de su fe mal pagada,
y, también, del verdadero
amante de nuestra amada!

XL

INVENTARIO GALANTE

Tus ojos me recuerdan
las noches de verano
negras noches sin luna,
orilla al mar salado,
y el chispear de estrellas
del cielo negro y bajo.
Tus ojos me recuerdan
las noches de verano.
Y tu morena carne,
los trigos requemados,
y el suspirar de fuego
de los maduros campos.

Tu hermana es clara y débil
como los juncos lánguidos,
como los sauces tristes,
como los linos glaucos.
Tu hermana es un lucero
en el azul lejano...
Y es alba y aura fría
sobre los pobres álamos
que en las orillas tiemblan
del río humilde y manso.
Tu hermana es un lucero
en el azul lejano.

De tu morena gracia,
de tu soñar gitano,
de tu mirar de sombra
quiero llenar mi vaso.
Me embriagaré una noche
de cielo negro y bajo,
para cantar contigo,
orilla al mar salado,

una canción que deje
cenizas en los labios...
De tu mirar de sombra
quiero llenar mi vaso.
    Para tu linda hermana
arrancaré los ramos
de florecillas nuevas
a los almendros blancos,
en un tranquilo y triste
alborear de marzo.
Los regaré con agua
de los arroyos claros,
los ataré con verdes
junquillos del remanso...
Para tu linda hermana
yo haré un ramito blanco.

XLI

    Me dijo una tarde
de la primavera:
Si buscas caminos
en flor en la tierra,
mata tus palabras
y oye tu alma vieja [11].
Que el mismo albo lino
que te vista, sea
tu traje de duelo,
tu traje de fiesta.
Ama tu alegría
y ama tu tristeza,
si buscas caminos
en flor en la tierra.
Respondí a la tarde
de la primavera:

---

[11]   En *Poesías completas*, 1.ª edic., estaban estos versos, luego suprimidos:

Los mismos ungüentos
y aromas y esencias
que en tus alegrías,
verteré en las penas.

Tú has dicho el secreto
que en mi alma reza:
yo odio la alegría
por odio a la pena.
Mas antes que pise
tu florida senda,
quisiera traerte
muerta mi alma vieja.

XLII

La vida hoy tiene ritmo
de ondas que pasan,
de olitas temblorosas
que fluyen y se alcanzan.
La vida hoy tiene el ritmo de los ríos,
la risa de las aguas
que entre los verdes junquerales corren,
y entre las verdes cañas.
Sueño florido lleva el manso viento;
bulle la savia joven en las nuevas ramas;
tiemblan alas y frondas,
y la mirada sagital del águila
no encuentra presa... Treme el campo en sueños,
vibra el sol como un arpa.
¡Fugitiva ilusión de ojos guerreros,
que por las selvas pasas
a la hora del cenit: tiemble en mi pecho
el oro de tu aljaba!
En tus labios florece la alegría
de los campos en flor; tu veste alada
aroman las primeras velloritas,
las violetas perfuman tus sandalias.
Yo he seguido tus pasos en el viejo bosque,
arrebatados tras la corza rápida,
y los ágiles músculos rosados
de tus piernas silvestres entre verdes ramas.
¡Pasajera ilusión de ojos guerreros
que por las selvas pasas
cuando la tierra reverdece y ríen
los ríos en las cañas!

¡Tiemble en mi pecho el oro
que llevas en tu aljaba!

XLIII

Era una mañana y abril sonreía.
Frente al horizonte dorado moría
la luna, muy blanca y opaca; tras ella,
cual tenue ligera quimera, corría
la nube que apenas enturbia una estrella.

....

Como sonreía la rosa mañana [12]
al sol del Oriente abrí mi ventana;
y en mi triste alcoba penetró el Oriente [13]
en canto de alondras, en risa de fuente
y en suave perfume de flora temprana.
Fue una clara tarde de melancolía [14].
Abril sonreía. Yo abrí las ventanas
de mi casa al viento... El viento traía
perfume de rosas, doblar de campanas...
Doblar de campanas lejanas, llorosas,
suave de rosas aromado aliento...
... ¿Dónde están los huertos floridos de rosas?
¿Qué dicen las dulces campanas al viento?

....

Pregunté a la tarde de abril que moría:
¿Al fin la alegría se acerca a mi casa?
La tarde de abril sonrió: La alegría
pasó por tu puerta —y luego, sombría:
Pasó por tu puerta. Dos veces no pasa.

---

[12]   Creo que es preferible esta puntuación (vid. Macrì, pág. 298).
[13]   *Oriente* con mayúscula está más en el espíritu de la composición. Vid.
los poemas XLVII, LII y 360.
[14]   Tras este verso había otros que el poeta suprimió:

> Y le dije al alba de Abril que nacía:
> Mañana de rosa: ¿aquel peregrino
> que está en el camino, será la alegría?
> —Si tal, la alegría que viene en camino,
> dijo el *Alba rosa de Abril* que reía.

(Macrì, pág. 1147)

XLIV

El casco roído y verdoso
del viejo falucho
reposa en la arena...
La vela tronchada parece
que aún sueña en el sol y en el mar.
El mar hierve y canta...
El mar es un sueño sonoro
bajo el sol de abril.
El mar hierve y ríe
con olas azules y espumas de leche y de plata,
el mar hierve y ríe
bajo el cielo azul.
El mar lactescente,
el mar rutilante,
que ríe en sus liras de plata sus risas azules...
¡Hierve y ríe el mar!...
El aire parece que duerme encantado
en la fúlgida niebla de sol blanquecino.
La gaviota palpita en el aire dormido, y al lento
volar soñoliento, se aleja y se pierde en la bruma del sol [15].

---

[15]   El poeta escribió unos versos que ha suprimido:

> A través del ambiente calino
> la lancha de pesca se acerca a la orilla,
> entre olas azules y espumas de plata y de leche,
> su velita hinchada
> de viento y de luz.
> En las redes de cuerda
> se agita el elástico enjambre marino,
> luciente maraña,
> montón palpitante
> que rinden las ondas [sic] alegres entrañas del mar.
> Canta el mar, bajo el sol, en sus liras azules
> sus risas de plata y de leche.
> Canta Abril, sobre el mar,
> con su fúlgido sol blanquecino.
> En el tórrido Abril,
> bajo el sol y el azul, sobre el mar rutilante
> canta el pescador...
>
> (Macrì, pág. 1148).

XLV

El sueño bajo el sol que aturde y ciega,
tórrido sueño en la hora de arrebol;
el río luminoso el aire surca;
esplende la montaña
la tarde es polvo y sol.
El sibilante caracol del viento
ronco dormita en el remoto alcor;
emerge el sueño ingrave en la palmera,
luego se enciende en el naranjo en flor.
La estúpida cigüeña
su garabato escribe en el sopor
del molino parado; el toro abate
sobre la hierba la testuz feroz.
La verde, quieta espuma del ramaje
efunde sobre el blanco paredón,
lejano, inerte, del jardín sombrío,
dormido bajo el cielo fanfarrón.
. . . .
Lejos, enfrente de la tarde roja,
refulge el ventanal del torreón [16].
. . . .

---

[16] En sus notas críticas, Macrì (pág. 1149) transcribe estos versos que fueron eliminados:

> ¡Alma del moro, que la tierra verde,
> florida, a sangre y hierro conquistó!
> ¡Alegre son de lililí moruno;
> verde turbante, alfanje brillador.
> ¡Senda de limoneros y palmeras!
> ¡Soberanas lujurias bajo el sol!
> ¡Dulce tañer de guzla solitaria,
> que obscuro encanto lleva al corazón!
> ¡Cosas idas presentes!... Con vosotras
> flota también la tórrida ilusión
> de mi alma. ¡Salve, tierra, amarga tierra!
> ¡Tierra de bruma y polvo y fuego y sol!

HUMORISMOS, FANTASÍAS, APUNTES

LOS GRANDES INVENTOS

XLVI

LA NORIA

La tarde caía
triste y polvorienta.
El agua cantaba
su copla plebeya
en los cangilones
de la noria lenta.
Soñaba la mula [17],
¡pobre mula vieja!,
al compás de sombra
que en el agua suena.
La tarde caía
triste y polvorienta.
Yo no sé qué noble,
divino poeta,
unió a la amargura
de la eterna rueda
la dulce armonía
del agua que sueña,
y vendó tus ojos,
¡pobre mula vieja!...

---

[17]   La exclamación exige ir entre comas.

Mas sé que fue un noble,
divino poeta,
corazón maduro
de sombra y de ciencia.

XLVII

EL CADALSO

La aurora asomaba
lejana y siniestra.
El lienzo de Oriente
sangraba tragedias,
pintarrajeadas
con nubes grotescas.
....

En la vieja plaza
de una vieja aldea,
erguía su horrible
pavura esquelética
el tosco patíbulo
de fresca madera...
La aurora asomaba
lejana y siniestra.

XLVIII

LAS MOSCAS

Vosotras, las familiares,
inevitables golosas,
vosotras, moscas vulgares,
me evocáis todas las cosas.
¡Oh, viejas moscas voraces
como abejas en abril,
viejas moscas pertinaces
sobre mi calva infantil!
¡Moscas del primer hastío
en el salón familiar,

las claras tardes de estío
en que yo empecé a soñar!
   Y en la aborrecida escuela,
raudas moscas divertidas,
perseguidas
por amor de lo que vuela,
   —que todo es volar—, sonoras
rebotando en los cristales
en los días otoñales...
Moscas de todas las horas,
   de infancia y adolescencia,
de mi juventud dorada;
de esta segunda inocencia,
que da en no creer en nada,
   de siempre... Moscas vulgares,
que de puro familiares
no tendréis digno cantor:
yo sé que os habéis posado
   sobre el juguete encantado,
sobre el librote cerrado,
sobre la carta de amor,
sobre los párpados yertos
de los muertos.
   Inevitables golosas,
que ni labráis como abejas,
ni brilláis cual mariposas;
pequeñitas, revoltosas,
vosotras, amigas viejas,
me evocáis todas las cosas.

XLIX

ELEGÍA DE UN MADRIGAL

   Recuerdo que una tarde de soledad y hastío,
¡oh tarde como tantas!, el alma mía era,
bajo el azul monótono, un ancho y terso río
que ni tenía un pobre juncal en su ribera.
   ¡Oh mundo sin encanto, sentimental inopia
que borra el misterioso azogue del cristal!

¡Oh el alma sin amores que el Universo copia
con un irremediable bostezo universal!

*

Quiso el poeta recordar a solas,
las ondas bien amadas, la luz de los cabellos
que él llamaba en sus rimas rubias olas.
Leyó… La letra mata: no se acordaba de ellos…
Y un día —como tantos—, al aspirar un día
aromas de una rosa que en el rosal se abría,
brotó como una llama la luz de los cabellos
que él en sus madrigales llamaba rubias olas,
brotó, porque un aroma igual tuvieron ellos…
Y se alejó en silencio para llorar a solas.

1907.

L

ACASO…

Como atento no más a mi quimera
no reparaba en torno mío, un día
me sorprendió la fértil primavera
que en todo el ancho campo sonreía.

Brotaban verdes hojas
de las hinchadas yemas del ramaje,
y flores amarillas, blancas, rojas,
alegraban[18] la mancha del paisaje.

Y era una lluvia de saetas de oro,
el sol sobre las frondas juveniles;
del amplio río en el caudal sonoro
se miraban los álamos gentiles.

Tras de tanto camino es la primera
vez que miro brotar la primavera,
dije, y después, declamatoriamente:

—¡Cuán tarde ya para la dicha mía!—
Y luego, al caminar, como quien siente

---

[18] En *Poesías completas*, 1.ª edic., *bariolaban*.

alas de otra ilusión: —Y todavía
¡yo alcanzaré mi juventud un día!

LI

JARDÍN

Lejos de tu jardín quema la tarde
inciensos de oro en purpurinas llamas,
tras el bosque de cobre y de ceniza.
En tu jardín hay dalias.
¡Malhaya tu jardín!... Hoy me parece
la obra de un peluquero,
con esa pobre palmerilla enana,
y ese cuadro de mirtos recortados...
y el naranjito en su tonel... El agua
de la fuente de piedra
no cesa de reír sobre la concha blanca.

LII

FANTASÍA DE UNA NOCHE DE ABRIL

¿Sevilla?... ¿Granada?... La noche de luna.
Angosta la calle, revuelta y moruna,
de blancas paredes y obscuras ventanas.
Cerrados postigos, corridas persianas...
El cielo vestía su gasa de abril.

Un vino risueño me dijo el camino.
Yo escucho los áureos consejos del vino,
que el vino es a veces escala de ensueño.
Abril y la noche y el vino risueño
cantaron en coro su salmo de amor.

La calle copiaba, con sombra en el muro,
el paso fantasma y el sueño maduro
de apuesto embozado, galán caballero:
espada tendida, calado sombrero...
La luna vertía su blanco soñar.

Como un laberinto mi sueño torcía
de calle en calleja. Mi sombra seguía

de aquel laberinto la sierpe encantada,
en pos de una oculta plazuela cerrada.
La luna lloraba su dulce blancor.

La casa y la clara ventana florida,
de blancos jazmines y nardos prendida,
más blancos que el blanco soñar de la luna...
—Señora, la hora, tal vez importuna...
¿Que espere? (La dueña se lleva el candil.)

Ya sé que sería quimera, señora,
mi sombra galante buscando a la aurora
en noches de estrellas y luna, si fuera
mentira la blanca nocturna quimera
que usurpa a la luna su trono de luz.

¡Oh dulce señora, más cándida y bella
que la solitaria matutina estrella
tan clara en el cielo! ¿Por qué silenciosa
oís mi nocturna querella amorosa?
¿Quién hizo, señora, cristal vuestra voz?...

La blanca quimera parece que sueña.
Acecha en la obscura estancia la dueña.
—Señora, si acaso otra sombra, emboscada
teméis, en la sombra, fiad en mi espada...
Mi espada se ha visto a la luna brillar.

¿Acaso os parece mi gesto anacrónico?
El vuestro es, señora, sobrado lacónico.
¿Acaso os asombra mi sombra embozada,
de espada tendida y toca plumada?...
¿Seréis la cautiva del moro Gazul?

Dijéraislo, y pronto mi amor os diría
el son de mi guzla y la algarabía
más dulce que oyera ventana moruna.
Mi guzla os dijera la noche de luna,
la noche de cándida luna de abril.

Dijera la clara cantiga de plata
del patio moruno, y la serenata
que lleva el aroma de floridas preces
a los miradores y a los ajimeces,
los salmos de un blanco fantasma lunar.

Dijera las danzas de trenzas lascivas,
las muelles cadencias de ensueños, las vivas

centellas de lánguidos rostros velados,
los tibios perfumes, los huertos cerrados;
dijera el aroma letal del harén.

Yo guardo, señora, en viejo salterio [19]
también una copla de blanco misterio,
la copla más suave, más dulce y más sabia
que evoca las claras estrellas de Arabia
y aromas de un moro jardín andaluz.

Silencio... En la noche la paz de la luna
alumbra la blanca ventana moruna.
Silencio... Es el musgo que brota, y la hiedra
que lenta desgarra la tapia de piedra...
El llanto que vierte la luna de abril.

—Si sois una sombra de la primavera
blanca entre jazmines, o antigua quimera
soñada en las trovas de dulces cantores,
yo soy una sombra de viejos cantares,
y el signo de un álgebra vieja de amores.

Los gayos, lascivos decires mejores,
los árabes albos nocturnos soñares,
las coplas mundanas, los salmos talares,
poned en mis labios;
yo soy una sombra también del amor.

Ya muerta la luna, mi sueño volvía
por la retorcida, moruna calleja.
El sol en Oriente reía
su risa más vieja.

LIII

A UN NARANJO Y A UN LIMONERO

VISTOS EN UNA TIENDA DE PLANTAS Y FLORES

Naranjo en maceta, ¡qué triste es tu suerte!
Medrosas tiritan tus hojas menguadas.

---

[19] En *Poesías completas*, 1.ª edic.:

Yo guardo, señora, en *mi* viejo salterio.

Naranjo en la corte, ¡qué pena da verte
con tus naranjitas secas y arrugadas! [20].
   Pobre limonero de fruto amarillo
cual pomo pulido de pálida cera,
¡qué pena mirarte, mísero arbolillo
criado en mezquino tonel de madera!
   De los claros bosques de la Andalucía,
¿quién os trajo a esta castellana tierra
que barren los vientos de la adusta sierra,
hijos de los campos de la tierra mía?
   ¡Gloria de los huertos, árbol limonero,
que enciendes los frutos de pálido oro,
y alumbras del negro cipresal austero
las quietas plegarias erguidas en coro;
   y fresco naranjo del patio querido,
del campo risueño y el huerto soñado,
siempre en mi recuerdo maduro o florido
de frondas y aromas y frutos cargado!

LIV

LOS SUEÑOS MALOS

Está la plaza sombría;
muere el día.
Suenan lejos las campanas.
   De balcones y ventanas
se iluminan las vidrieras,
con reflejos mortecinos,
como huesos blanquecinos
y borrosas calaveras.
   En toda la tarde brilla
una luz de pesadilla.
Está el sol en el ocaso.
Suena el eco de mi paso.
   —¿Eres tú? Ya te esperaba...
—No eras tú a quien yo buscaba.

---

[20]   Las exclamaciones son necesarias, vid. la estrofa siguiente.

LV

HASTÍO

Pasan las horas de hastío
por la estancia familiar,
el amplio cuarto sombrío
donde yo empecé a soñar.
Del reloj arrinconado,
que en la penumbra clarea,
el tictac acompasado
odiosamente golpea.
Dice la monotonía
del agua clara al caer:
un día es como otro día;
hoy es lo mismo que ayer.
Cae la tarde. El viento agita
el parque mustio y dorado...
¡Qué largamente ha llorado
toda la fronda marchita!

LVI

Sonaba el reloj la una,
dentro de mi cuarto. Era
triste la noche. La luna,
reluciente calavera,
ya del cenit declinando,
iba del ciprés del huerto
fríamente iluminando
el alto ramaje yerto.
Por la entreabierta ventana
llegaban a mis oídos
metálicos alaridos
de una música lejana.
Una música tristona,
una mazurca olvidada,
entre inocente y burlona,
mal tañida y mal soplada.

Y yo sentí el estupor
del alma cuando bosteza
el corazón, la cabeza,
y... morirse es lo mejor.

LVII

CONSEJOS

I

Este amor que quiere ser
acaso pronto será;
pero ¿cuándo ha de volver
lo que acaba de pasar?
Hoy dista mucho de ayer.
¡Ayer es Nunca jamás!

II

Moneda que está en la mano
quizá se deba guardar:
la monedita del alma
se pierde si no se da.

LVIII

GLOSA

Nuestras vidas son los ríos,
que van a dar a la mar,
que es el morir. ¡Gran cantar!
Entre los poetas míos
tiene Manrique un altar.
Dulce goce de vivir:
mala ciencia del pasar,
ciego huir a la mar.
Tras el pavor del morir
está el placer de llegar.

¡Gran placer!
Mas ¿y el horror de volver?
¡Gran pesar!

LIX

Anoche cuando dormía
soñé, ¡bendita ilusión!,
que una fontana fluía
dentro de mi corazón.
Di, ¿por qué acequia escondida,
agua, vienes hasta mí,
manantial de nuestra vida
de donde nunca bebí?
Anoche cuando dormía
soñé, ¡bendita ilusión!,
que una colmena tenía
dentro de mi corazón;
y las doradas abejas
iban fabricando en él,
con las amarguras viejas,
blanca cera y dulce miel.
Anoche cuando dormía
soñé, ¡bendita ilusión!,
que un ardiente sol lucía
dentro de mi corazón.
Era ardiente porque daba
calores de rojo hogar,
y era sol porque alumbraba
y porque hacía llorar.
Anoche cuando dormía
soñé, ¡bendita ilusión!,
que era Dios lo que tenía
dentro de mi corazón.

LX

¿Mi corazón se ha dormido?
Colmenares de mis sueños,

¿ya no labráis? ¿Está seca
la noria del pensamiento,
los cangilones vacíos,
girando, de sombra llenos?
  No, mi corazón no duerme.
Está despierto, despierto.
Ni duerme ni sueña, mira,
los claros ojos abiertos,
señas lejanas y escucha
a orillas del gran silencio.

GALERÍAS

LXI

INTRODUCCIÓN

Leyendo un claro día
mis bien amados versos,
he visto en el profundo
espejo de mis sueños
  que una verdad divina
temblando está de miedo,
y es una flor que quiere
echar su aroma al viento.
  El alma del poeta
se orienta hacia el misterio.
Sólo el poeta puede
mirar lo que está lejos
dentro del alma, en turbio
y mago sol envuelto.
  En esas galerías,
sin fondo, del recuerdo,
donde las pobres gentes
colgaron cual trofeo
  el traje de una fiesta
apolillado y viejo,
allí el poeta sabe
el laborar eterno
mirar de las doradas
abejas de los sueños.
  Poetas, con el alma
atenta al hondo cielo,

en la cruel batalla
o en el tranquilo huerto,
   la nueva miel labramos
con los dolores viejos,
la veste blanca y pura
pacientemente hacemos,
y bajo el sol bruñimos
el fuerte arnés de hierro.
   El alma que no sueña,
el enemigo espejo,
proyecta nuestra imagen
con un perfil grotesco.
   Sentimos una ola
de sangre, en nuestro pecho,
que pasa... y sonreímos,
y a laborar volvemos.

LXII

   Desgarrada la nube; el arco iris
brillando ya en el cielo,
y en un fanal de lluvia
y sol el campo envuelto.
   Desperté. ¿Quién enturbia
los mágicos cristales de mi sueño?
Mi corazón latía
atónito y disperso.
   ... ¡El limonar florido,
el cipresal del huerto,
el prado verde, el sol, el agua, el iris!...
¡el agua en tus cabellos!...
Y todo en la memoria se perdía
como una pompa de jabón al viento.

LXIII

   Y era el demonio de mi sueño, el ángel
más hermoso. Brillaban
como aceros los ojos victoriosos,
y las sangrientas llamas

de su antorcha alumbraron
la honda cripta del alma.
   —¿Vendrás conmigo? —No, jamás; las tumbas
y los muertos me espantan.
Pero la férrea mano
mi diestra atenazaba.
   —Vendrás conmigo... Y avancé en mi sueño
cegado por la roja luminaria.
Y en la cripta sentí sonar cadenas,
y rebullir de fieras enjauladas.

LXIV

Desde el umbral de un sueño me llamaron...
Era la buena voz, la voz querida.
   —Dime: ¿vendrás conmigo a ver el alma?...
Llegó a mi corazón una caricia.
   —Contigo siempre... Y avancé en mi sueño
por una larga, escueta galería,
sintiendo el roce de la veste pura
y el palpitar suave de la mano amiga.

LXV

SUEÑO INFANTIL

Una clara noche
de fiesta y de luna,
noche de mis sueños,
noche de alegría
   —era luz mi alma
que hoy es bruma toda,
no eran mis cabellos
negros todavía—,
   el hada más joven
me llevó en sus brazos
a la alegre fiesta
que en la plaza ardía.

So el chisporroteo
de las luminarias,
amor sus madejas
de danzas tejía.
    Y en aquella noche
de fiesta y de luna,
noche de mis sueños,
noche de alegría,
    el hada más joven
besaba mi frente...
con su linda mano
su adiós me decía...
    Todos los rosales
daban sus aromas,
todos los amores
amor entreabría.

LXVI

¡Y esos niños en hilera,
llevando el sol de la tarde
en sus velitas de cera!...

*

¡De amarillo calabaza,
en el azul, cómo sube
la luna, sobre la plaza!

*

Duro ceño.
Pirata, rubio africano,
barbitaheño.
    Lleva un alfanje en la mano.
Estas figuras del sueño...

*

Donde las niñas cantan en corro,
en los jardines del limonar,

sobre la fuente, negro abejorro
pasa volando, zumba al volar.
      Se oyó su [21] bronco gruñir de abuelo
entre las claras voces sonar,
superflua nota de violoncelo
en los jardines del limonar.
      Entre las cuatro blancas paredes,
cuando una mano cerró el balcón,
por los salones de sal-si-puedes
suena el rebato de su bordón.
      Muda en el techo, quieta, ¿dormida?,
la negra nota de angustia está,
y en la pradera verdiflorida
de un sueño niño volando va...

LXVII

  Si yo fuera un poeta
galante, cantaría
a vuestros ojos un cantar tan puro
como en el mármol blanco el agua limpia.
  Y en una estrofa de agua
todo el cantar sería:
  "Ya sé que no responden a mis ojos,
que ven y no preguntan cuando miran,
los vuestros claros, vuestros ojos tienen
la buena luz tranquila,
la buena luz del mundo en flor, que he visto
desde los brazos de mi madre un día."

LXVIII

  Llamó a mi corazón, un claro día,
con un perfume de jazmín, el viento.
  —A cambio de este aroma,
todo el aroma de tus rosas quiero.

---

[21]   De acuerdo con la lectura de Macrì (pág. 340).

—No tengo rosas; flores
en mi jardín no hay ya; todas han muerto.
Me llevaré los llantos de las fuentes,
las hojas amarillas y los mustios pétalos.
Y el viento huyó... Mi corazón sangraba...
Alma, ¿qué has hecho de tu pobre huerto?

LXIX

Hoy buscarás en vano
a tu dolor consuelo.
Lleváronse tus hadas
el lino de tus sueños.
Está la fuente muda,
y está marchito el huerto.
Hoy sólo quedan lágrimas
para llorar. No hay que llorar, ¡silencio!

LXX

Y nada importa ya que el vino de oro
rebose de tu copa cristalina,
o el agrio zumo enturbie el puro vaso...
Tú sabes las secretas galerías
del alma, los caminos de los sueños,
y la tarde tranquila
donde van a morir... Allí te aguardan
las hadas silenciosas de la vida,
y hacia un jardín de eterna primavera
te llevarán un día.

LXXI

¡Tocados de otros días,
mustios encajes y marchitas sedas;
salterios arrumbados,
rincones de las salas polvorientas:
daguerrotipos turbios,
cartas que amarillean;

libracos no leídos
que guardan grises florecitas secas;
   romanticismos muertos,
cursilerías viejas,
cosas de ayer que sois el alma, y cantos
y cuentos de la abuela!...

LXXII

   La casa tan querida
donde habitaba ella,
sobre un montón de escombros arruinada
o derruida, enseña
el negro y carcomido
maltrabado esqueleto de madera.
   La luna está vertiendo
su clara luz en sueños que platea
en las ventanas. Mal vestido y triste,
voy caminando por la calle vieja.

LXXIII

   Ante el pálido lienzo de la tarde,
la iglesia, con sus torres afiladas
y el ancho campanario, en cuyos huecos
voltean suavemente las campanas,
alta y sombría, surge.
   La estrella es una lágrima
en el azul celeste.
Bajo la estrella clara,
flota, vellón disperso,
una nube quimérica de plata.

LXXIV

   Tarde tranquila, casi
   con placidez de alma,
   para ser joven, para haberlo sido

cuando Dios quiso, para
tener algunas alegrías... lejos,
y poder dulcemente recordarlas.

LXXV

Yo, como Anacreonte,
quiero cantar, reír y echar al viento
las sabias amarguras
y los graves consejos,
y quiero, sobre todo, emborracharme,
ya lo sabéis... ¡Grotesco!
Pura fe en el morir, pobre alegría
y macabro danzar antes de tiempo.

LXXVI

¡Oh tarde luminosa!
El aire está encantado.
La blanca cigüeña
dormita volando,
y las golondrinas se cruzan, tendidas
las alas agudas al viento dorado,
y en la tarde risueña se alejan
volando, soñando...
Y hay una que torna como la saeta,
las alas agudas tendidas al aire sombrío,
buscando su negro rincón del tejado.
La blanca cigüeña,
como un garabato,
tranquila y disforme, ¡tan disparatada!,
sobre el campanario.

LXXVII

Es una tarde cenicienta y mustia,
destartalada, como el alma mía;
y es esta vieja angustia
que habita mi usual hipocondría.

La causa de esta angustia no consigo
ni vagamente comprender siquiera;
pero recuerdo y, recordando, digo:
—Sí, yo era niño, y tú, mi compañera.

*

Y no es verdad, dolor, yo te conozco,
tú eres nostalgia de la vida buena
y soledad de corazón sombrío,
de barco sin naufragio y sin estrella.
    Como perro olvidado que no tiene
huella ni olfato y yerra
por los caminos, sin camino, como
el niño que en la noche de una fiesta
    se pierde entre el gentío
y el aire polvoriento y las candelas
chispeantes, atónito, y asombra
su corazón de música y de pena,
    así voy yo, borracho melancólico,
guitarrista lunático, poeta,
y pobre hombre en sueños,
siempre buscando a Dios entre la niebla.

LXXVIII

    ¿Y ha de morir contigo el mundo mago
donde guarda el recuerdo
los hálitos más puros de la vida,
la blanca sombra del amor primero,
    la voz que fue a tu corazón, la mano
que tú querías retener en sueños,
y todos los amores
que llegaron al alma, al hondo cielo?
    ¿Y ha de morir contigo el mundo tuyo,
la vieja vida en orden tuyo y nuevo?
¿Los yunques y crisoles de tu alma
trabajan para el polvo y para el viento?

LXXIX

Desnuda está la tierra,
y el alma aúlla al horizonte pálido
como loba famélica. ¿Qué buscas,
poeta, en el ocaso?
 ¡Amargo caminar, porque el camino
pesa en el corazón! ¡El viento helado,
y la noche que llega, y la amargura
de la distancia!... En el camino blanco
 algunos yertos árboles negrean;
en los montes lejanos
hay oro y sangre... El sol murió... ¿Qué buscas,
poeta, en el ocaso?

LXXX

CAMPO

La tarde está muriendo
como un hogar humilde que se apaga.
 Allá, sobre los montes,
quedan algunas brasas.
 Y ese árbol roto en el camino blanco
hace llorar de lástima.
 ¡Dos ramas en el tronco herido, y una
hoja marchita y negra en cada rama!
 ¿Lloras?... Entre los álamos de oro,
lejos, la sombra del amor te aguarda.

LXXXI

A UN VIEJO Y DISTINGUIDO SEÑOR

Te he visto, por el parque ceniciento
que los poetas aman
para llorar, como una noble sombra
vagar, envuelto en tu levita larga.

El talante cortés, ha tantos años
compuesto de una fiesta en la antesala,
¡qué bien tus pobres huesos
ceremoniosos guardan!
    Yo te he visto, aspirando distraído,
con el aliento que la tierra exhala
—hoy, tibia tarde en que las mustias hojas
húmedo viento arranca—,
del eucalipto verde
el frescor de las hojas perfumadas.
Y te he visto llevar la seca mano
a la perla que brilla en tu corbata.

LXXXII

LOS SUEÑOS

El hada más hermosa ha sonreído
al ver la lumbre de una estrella pálida,
que en hilo suave, blanco y silencioso
se enrosca al huso de su rubia hermana.
    Y vuelve a sonreír porque en su rueca
el hilo de los campos se enmaraña.
Tras la tenue cortina de la alcoba
está el jardín envuelto en luz dorada.
    La cuna, casi en sombra. El niño duerme.
Dos hadas laboriosas lo acompañan,
hilando de los sueños los sutiles
copos en ruecas de marfil y plata.

LXXXIII

Guitarra del mesón que hoy suenas jota,
mañana petenera,
según quien llega y tañe
las empolvadas cuerdas.
    Guitarra del mesón de los caminos,
no fuiste nunca, ni serás, poeta.
    Tú eres alma que dice su armonía
solitaria a las almas pasajeras...

Y siempre que te escucha el caminante
sueña escuchar un aire de su tierra.

LXXXIV

El rojo sol de un sueño en el Oriente asoma.
Luz en sueños. ¿No tiemblas, andante peregrino?
Pasado el llano verde, en la florida loma,
acaso está el cercano final de tu camino.
    Tú no verás del trigo la espiga sazonada
y de macizas pomas cargado el manzanar,
ni de la vid rugosa la uva aurirrosada
ha de exprimir su alegre licor en tu lagar.
    Cuando el primer aroma exhalen los jazmines
y cuando más palpiten las rosas del amor,
una mañana de oro que alumbre los jardines,
¿no huirá, como una nube dispersa, el sueño en flor?
    Campo recién florido y verde, ¡quién pudiera soñar aún
largo tiempo en esas pequeñitas
corolas azuladas que manchan la pradera,
y en esas diminutas primeras margaritas!

LXXXV [22]

La primavera besaba
suavemente la arboleda,
y el verde nuevo brotaba
como una verde humareda.
    Las nubes iban pasando
sobre el campo juvenil...
Yo vi en las hojas temblando
las frescas lluvias de abril.
    Bajo ese almendro florido,
todo cargado de flor
—recordé—, yo he maldecido
mi juventud sin amor.

---

[22] En *Páginas escogidas* (Madrid, 1917), este poema se titulaba *Nevermore*.

Hoy, en mitad de la vida,
me he parado a meditar...
¡Juventud nunca vivida,
quién te volviera a soñar!

LXXXVI

Eran ayer mis dolores
como gusanos de seda
que iban labrando capullos;
hoy son mariposas negras.
¡De cuántas flores amargas
he sacado blanca cera!
¡Oh tiempo en que mis pesares
trabajaban como abejas!
Hoy son como avenas locas,
o cizaña en sementera,
como tizón en espiga,
como carcoma en madera.
¡Oh tiempo en que mis dolores
tenían lágrimas buenas,
y eran como agua de noria
que va regando una huerta!
Hoy son agua de torrente
que arranca el limo a la tierra.
Dolores que ayer hicieron
de mi corazón colmena,
hoy tratan mi corazón
como a una muralla vieja:
quieren derribarlo, y pronto,
al golpe de la piqueta.

LXXXVII

RENACIMIENTO

Galerías del alma... ¡El alma niña!
Su clara luz risueña;
y la pequeña historia,
y la alegría de la vida nueva...

¡Ah, volver a nacer, y andar camino,
ya recobrada la perdida senda!
Y volver a sentir en nuestra mano
aquel latido de la mano buena
de nuestra madre... Y caminar en sueños
por amor de la mano que nos lleva.

*

En nuestras almas todo
por misteriosa mano se gobierna.
Incomprensibles, mudas,
nada sabemos de las almas nuestras.
Las más hondas palabras
del sabio nos enseñan
lo que el silbar del viento cuando sopla
o el sonar de las aguas cuando ruedan.

LXXXVIII

Tal vez la mano, en sueño,
del sembrador de estrellas,
hizo sonar la música olvidada
como una nota de la lira inmensa,
y la ola humilde a nuestros labios vino
de unas pocas palabras verdaderas.

LXXXIX

Y podrás conocerte recordando
del pasado soñar los turbios lienzos,
en este día triste en que caminas
con los ojos abiertos.
De toda la memoria, sólo vale
el don preclaro de evocar los sueños.

XC

Los árboles conservan
verdes aún las copas,
pero del verde mustio
de las marchitas frondas.
    El agua de la fuente,
sobre la piedra tosca
y de verdín cubierta,
resbala silenciosa.
    Arrastra el viento algunas
amarillentas hojas.
¡El viento de la tarde
sobre la tierra en sombra!

XCI

Húmedo está, bajo el laurel, el banco
de verdinosa piedra;
lavó la lluvia, sobre el muro blanco,
las empolvadas hojas de la hiedra.
    Del viento del otoño el tibio aliento
los céspedes undula, y la alameda
conversa con el viento...
¡el viento de la tarde en la arboleda!
    Mientras el sol en el ocaso esplende
que los racimos de la vid orea,
y el buen burgués, en su balcón enciende
la estoica pipa en que el tabaco humea,
    voy recordando versos juveniles...
¿Qué fue de aquel mi corazón sonoro?
¿Será cierto que os vais, sombras gentiles,
huyendo entre los árboles de oro?

VARIA

XCII

«Tournez, tournez, chevaux de bois.»
VERLAINE.

Pegasos, lindos pegasos,
caballitos de madera.
. . . .
Yo conocí, siendo niño,
la alegría de dar vueltas
sobre un corcel colorado,
en una noche de fiesta.
En el aire polvoriento
chispeaban las candelas,
y la noche azul ardía
toda sembrada de estrellas.
¡Alegrías infantiles
que cuestan una moneda
de cobre, lindos pegasos,
caballitos de madera!

XCIII

Deletreos de armonía
que ensaya inexperta mano.
Hastío. Cacofonía
del sempiterno piano
que yo de niño escuchaba
soñando... no sé con qué,

con algo que no llegaba,
todo lo que ya se fue.

XCIV [23]

En medio de la plaza y sobre tosca piedra,
el agua brota y brota. En el cercano huerto
eleva, tras el muro ceñido por la hiedra,
alto ciprés la mancha de su ramaje yerto.
    La tarde está cayendo frente a los caserones
de la ancha plaza, en sueños. Relucen las vidrieras
con ecos mortecinos de sol. En los balcones
hay formas que parecen confusas calaveras.
    La calma es infinita en la desierta plaza,
donde pasea el alma su traza de alma en pena.
El agua brota y brota en la marmórea taza.
En todo el aire en sombra no más que el agua suena.

XCV

COPLAS MUNDANAS

Poeta ayer, hoy triste y pobre
filósofo trasnochado,
tengo en monedas de cobre
el oro de ayer cambiado.
    Sin placer y sin fortuna,
pasó como una quimera
mi juventud, la primera...
la sola, no hay más que una:
la de dentro es la de fuera.
    Pasó como un torbellino,
bohemia y aborrascada,
harta de coplas y vino,
mi juventud bien amada.
    Y hoy miro a las galerías
del recuerdo, para hacer

---

[23]   En *Poesías completas*, 1.ª edic., este poema se titulaba *Pesadilla*.

aleluyas de elegías
desconsoladas de ayer.
    ¡Adiós, lágrimas cantoras,
lágrimas que alegremente
brotabais, como en la fuente
las limpias aguas sonoras!
    ¡Buenas lágrimas vertidas
por un amor juvenil,
cual frescas lluvias caídas
sobre los campos de abril!
    No canta ya el ruiseñor
de cierta noche serena;
sanamos del mal de amor
que sabe llorar sin pena.
    Poeta ayer, hoy triste y pobre
filósofo trasnochado,
tengo en monedas de cobre
el oro de ayer cambiado.

XCVI

SOL DE INVIERNO

    Es mediodía. Un parque.
Invierno. Blancas sendas;
simétricos montículos
y ramas esqueléticas.
    Bajo el invernadero,
naranjos en maceta,
y en su tonel, pintado
de verde, la palmera.
    Un viejecillo dice,
para su capa vieja:
"¡El sol, esta hermosura
de sol!..." Los niños juegan.
    El agua de la fuente
resbala, corre y sueña
lamiendo, casi muda,
la verdinosa piedra.

CAMPOS DE CASTILLA (1907-1917)

XCVII

RETRATO [24]

Mi infancia son recuerdos de un patio de Sevilla,
y un huerto claro donde madura el limonero;
mi juventud, veinte años en tierra de Castilla;
mi historia, algunos casos que recordar no quiero.

Ni un seductor Mañara, ni un Bradomín he sido
—ya conocéis mi torpe aliño indumentario—,
mas recibí la flecha que me asignó Cupido,
y amé cuanto ellas puedan tener de hospitalario.

Hay en mis venas gotas de sangre jacobina,
pero mi verso brota de manantial sereno;
y, más que un hombre al uso que sabe su doctrina,
soy, en el buen sentido de la palabra, bueno.

Adoro la hermosura, y en la moderna estética
corté las viejas rosas del huerto de Ronsard;
mas no amo los afeites de la actual cosmética,
ni soy un ave de esas del nuevo gay-trinar.

Desdeño las romanzas de los tenores huecos
y el coro de los grillos que cantan a la luna.
A distinguir me paro las voces de los ecos,
y escucho solamente, entre las voces, una.

¿Soy clásico o romántico? No sé. Dejar quisiera
mi verso, como deja el capitán su espada:

---

[24] Vid. Jorge Urrutia, *Bases comprensivas para un análisis del poema «Retrato»* («Cuadernos Hispanoamericanos», 304-307, 1975, págs. 920-943).

famosa por la mano viril que la blandiera,
no por el docto oficio del forjador preciada.

Converso con el hombre que siempre va conmigo
—quien habla solo espera hablar a Dios un día—;
mi soliloquio es plática con este buen amigo
que me enseñó el secreto de la filantropía.

Y al cabo, nada os debo; debéisme cuanto he escrito.
A mi trabajo acudo, con mi dinero pago
el traje que me cubre y la mansión que habito,
el pan que me alimenta y el lecho en donde yago.

Y cuando llegue el día del último vïaje,
y esté al partir la nave que nunca ha de tornar,
me encontraréis a bordo ligero de equipaje,
casi desnudo, como los hijos de la mar.

[1906] [25]

XCVIII

A ORILLAS DEL DUERO

Mediaba el mes de julio. Era un hermoso día.
Yo, solo, por las quiebras del pedregal subía,
buscando los recodos de sombra, lentamente.
A trechos me paraba para enjugar mi frente
y dar algún respiro al pecho jadeante;
o bien, ahincando el paso, el cuerpo hacia adelante
y hacia la mano diestra vencido y apoyado
en un bastón, a guisa de pastoril cayado,
trepaba por los cerros que habitan las rapaces
aves de altura, hollando las hierbas montaraces
de fuerte olor —romero, tomillo, salvia, espliego—.
Sobre los agrios campos caía un sol de fuego.

Un buitre de anchas alas con majestuoso vuelo
cruzaba solitario el puro azul del cielo.
Yo divisaba, lejos, un monte alto y agudo,
y una redonda loma cual recamado escudo,

[25] La fecha fue establecida por Heliodoro Carpintero, en «Ínsula», 344-345, 1975.

y cárdenos alcores sobre la parda tierra
—harapos esparcidos de un viejo arnés de guerra—,
las serrezuelas calvas por donde tuerce el Duero
para formar la corva ballesta de un arquero
en torno a Soria. —Soria es una barbacana,
hacia Aragón, que tiene la torre castellana—.
Veía el horizonte cerrado por colinas
oscuras, coronadas de robles y de encinas;
desnudos peñascales, algún humilde prado
donde el merino pace y el toro, arrodillado
sobre la hierba, rumia; las márgenes del río
lucir sus verdes álamos al claro sol de estío,
y, silenciosamente, lejanos pasajeros,
¡tan diminutos! —carros, jinetes y arrieros—,
cruzar el largo puente, y bajo las arcadas
de piedra ensombrecerse las aguas plateadas
del Duero.
              El Duero cruza el corazón de roble
de Iberia y de Castilla.
                            ¡Oh, tierra triste y noble,
la de los altos llanos y yermos y roquedas,
de campos sin arados, regatos ni arboledas;
decrépitas ciudades, caminos sin mesones,
y atónitos palurdos sin danzas ni canciones
que aún van, abandonando el mortecino hogar,
como tus largos ríos, Castilla, hacia la mar!

Castilla miserable, ayer dominadora,
envuelta en sus andrajos desprecia cuanto ignora.
¿Espera, duerme o sueña? ¿La sangre derramada
recuerda, cuando tuvo la fiebre de la espada?

Todo se mueve, fluye, discurre, corre o gira;
cambian la mar y el monte y el ojo que los mira.
¿Pasó? Sobre sus campos aún el fantasma yerra
de un pueblo que ponía a Dios sobre la guerra.

La madre en otro tiempo fecunda en capitanes,
madrastra es hoy apenas de humildes ganapanes.
Castilla no es aquella tan generosa un día,
cuando Myo Cid Rodrigo el de Vivar volvía,
ufano de su nueva fortuna, y su opulencia,
a regalar a Alfonso los huertos de Valencia;
o que, tras la aventura que acreditó sus bríos,

pedía la conquista de los inmensos ríos
indianos a la corte, la madre de soldados,
guerreros y adalides que han de tornar, cargados
de plata y oro, a España, en regios galeones,
para la presa cuervos, para la lid leones.
Filósofos nutridos de sopa de convento
contemplan impasibles el amplio firmamento;
y si les llega en sueños, como un rumor distante,
clamor de mercaderes de muelles de Levante,
no acudirán siquiera a preguntar ¿qué pasa?
Y ya la guerra ha abierto las puertas de su casa.
   Castilla miserable, ayer dominadora,
envuelta en sus harapos desprecia cuanto ignora.
   El sol va declinando. De la ciudad lejana
me llega un armonioso tañido de campana
—ya irán a su rosario las enlutadas viejas—.
De entre las peñas salen dos lindas comadrejas;
me miran y se alejan, huyendo, y aparecen
de nuevo, ¡tan curiosas!… Los campos se obscurecen.
Hacia el camino blanco está el mesón abierto
al campo ensombrecido y al pedregal desierto.

XCIX

POR TIERRAS DE ESPAÑA

   El hombre de estos campos que incendia los pinares
y su despojo aguarda como botín de guerra,
antaño hubo raído los negros encinares,
talado los robustos robledos de la sierra.
   Hoy ve a sus pobres hijos huyendo de sus lares;
la tempestad llevarse los limos de la tierra
por los sagrados ríos hacia los anchos mares;
y en páramos malditos trabaja, sufre y yerra.
   Es hijo de una estirpe de rudos caminantes,
pastores que conducen sus hordas de merinos
a Extremadura fértil, rebaños trashumantes
que mancha el polvo y dora el sol de los caminos.
   Pequeño, ágil, sufrido, los ojos de hombre astuto,
hundidos, recelosos, movibles; y trazadas

cual arco de ballesta, en el semblante enjuto
de pómulos salientes, las cejas muy pobladas.
    Abunda el hombre malo del campo y de la aldea,
capaz de insanos vicios y crímenes bestiales,
que bajo el pardo sayo esconde un alma fea,
esclava de los siete pecados capitales.
    Los ojos siempre turbios de envidia o de tristeza,
guarda su presa y llora la que el vecino alcanza;
ni para su infortunio ni goza su riqueza;
le hieren y acongojan fortuna y malandanza.
    El numen de estos campos es sanguinario y fiero:
al declinar la tarde, sobre el remoto alcor,
veréis agigantarse la forma de un arquero,
la forma de un inmenso centauro flechador.
    Veréis llanuras bélicas y páramos de asceta
—no fue por estos campos el bíblico jardín—:
son tierras para el águila, un trozo de planeta
por donde cruza errante la sombra de Caín.

C

EL HOSPICIO

    Es el hospicio, el viejo hospicio provinciano,
el caserón ruinoso de ennegrecidas tejas
en donde los vencejos anidan en verano
y graznan en las noches de invierno las cornejas.
    Con su frontón al Norte, entre los dos torreones
de antigua fortaleza, el sórdido edificio
de grietados muros y sucios paredones,
es un rincón de sombra eterna. ¡El viejo hospicio!
    Mientras el sol de enero su débil luz envía,
su triste luz velada sobre los campos yermos,
a un ventanuco asoman, al declinar el día,
algunos rostros pálidos, atónitos y enfermos,
    a contemplar los montes azules de la sierra;
o, de los cielos blancos, como sobre una fosa,
caer la blanca nieve sobre la fría tierra,
¡sobre la tierra fría la nieve silenciosa!...

CI

EL DIOS IBERO

Igual que el ballestero
tahúr de la cantiga,
tuviera una saeta el hombre ibero
para el Señor que apedreó la espiga
y malogró los frutos otoñales,
y un "gloria a ti" para el Señor que grana
centenos y trigales
que el pan bendito le darán mañana.

"Señor de la ruïna,
adoro porque aguardo y porque temo:
con mi oración se inclina
hacia la tierra un corazón blasfemo.

"¡Señor, por quien arranco el pan con pena,
sé tu poder, conozco mi cadena!
¡Oh dueño de la nube del estío
que la campiña arrasa,
del seco otoño, del helar tardío,
y del bochorno que la mies abrasa!

"¡Señor del iris, sobre el campo verde
donde la oveja pace,
Señor del fruto que el gusano muerde
y de la choza que el turbión deshace,

"tu soplo el fuego del hogar aviva,
tu lumbre da sazón al rubio grano,
y cuaja el hueso de la verde oliva,
la noche de San Juan, tu santa mano!

"¡Oh dueño de fortuna y de pobreza,
ventura y malandanza,
que al rico das favores y pereza
y al pobre su fatiga y su esperanza!

"¡Señor, Señor: en la voltaria rueda
del año he visto mi simiente echada,
corriendo igual albur que la moneda
del jugador en el azar sembrada!

"¡Señor, hoy paternal, ayer cruento,
con doble faz de amor y de venganza,
a ti, en un dado de tahúr al viento
va mi oración, blasfemia y alabanza!"

Este que insulta a Dios en los altares,
no más atento al ceño del destino,
también soñó caminos en los mares
y dijo: es Dios sobre la mar camino.
    ¿No es él quien puso a Dios sobre la guerra,
más allá de la suerte,
más allá de la tierra,
más allá de la mar y de la muerte?
    ¿No dio la encina ibera
para el fuego de Dios la buena rama,
que fue en la santa hoguera
de amor una con Dios en pura llama?
    Mas hoy... ¡Qué importa un día!
Para los nuevos lares
estepas hay en la floresta umbría,
leña verde en los viejos encinares.
    Aún larga patria espera
abrir al corvo arado sus besanas;
para el grano de Dios hay sementera
bajo cardos y abrojos y bardanas.
    ¡Qué importa un día! Está el ayer alerto
al mañana, mañana al infinito,
hombres de España [26], ni el pasado ha muerto,
no está el mañana —ni el ayer— escrito.
    ¿Quién ha visto la faz al Dios hispano?
Mi corazón aguarda
al hombre ibero de la recia mano,
que tallará en el roble castellano
el Dios adusto de la tierra parda.

CII

ORILLAS DEL DUERO

¡Primavera soriana, primavera
humilde, como el sueño de un bendito,
de un pobre caminante que durmiera
de cansancio en un páramo infinito!

---

[26] *Hombres*, según la lectura de Macrì (pág. 394); sin embargo, creo preferible puntuar como hacen otras ediciones.

¡Campillo amarillento,
como tosco sayal de campesina,
pradera de velludo polvoriento
donde pace la escuálida merina!
  ¡Aquellos diminutos pegujales
de tierra dura y fría,
donde apuntan centenos y trigales
que el pan moreno nos darán un día!
  Y otra vez roca y roca, pedregales
desnudos y pelados serrijones,
la tierra de las águilas caudales,
malezas y jarales,
hierbas monteses, zarzas y cambrones.
  ¡Oh tierra ingrata y fuerte, tierra mía!
¡Castilla, tus decrépitas ciudades!
¡La agria melancolía
que puebla tus sombrías soledades!
  ¡Castilla varonil, adusta tierra,
Castilla del desdén contra la suerte,
Castilla del dolor y de la guerra,
tierra inmortal, Castilla de la muerte!
  Era una tarde, cuando el campo huía
del sol, y en el asombro del planeta,
como un globo morado aparecía
la hermosa luna, amada del poeta.
  En el cárdeno cielo violeta
alguna clara estrella fulguraba.
El aire ensombrecido
oreaba mis sienes, y acercaba
el murmullo del agua hasta mi oído.
  Entre cerros de plomo y de ceniza
manchados de roídos encinares,
y entre calvas roquedas de caliza,
iba a embestir los ocho tajamares
del puente el padre río,
que surca de Castilla el yermo frío.
  ¡Oh Duero, tu agua corre
y correrá mientras las nieves blancas
de enero el sol de mayo
haga fluir por hoces y barrancas,

mientras tengan las sierras su turbante
de nieve y de tormenta.
y brille el olifante
del sol, tras de la nube cenicienta!...
    ¿Y el viejo romancero
fue el sueño de un juglar junto a tu orilla?
¿Acaso como tú y por siempre, Duero,
irá corriendo hacia la mar Castilla?

CIII

LAS ENCINAS

A los señores de Masriera, en recuerdo de
una expedición a El Pardo.

    ¡Encinares castellanos
en laderas y altozanos,
serrijones y colinas
llenos de oscura maleza,
encinas, pardas encinas;
humildad y fortaleza!
    Mientras que llenándoos va
el hacha de calvijares,
¿nadie cantaros sabrá,
encinares?
    El roble es la guerra, el roble
dice el valor y el coraje,
rabia inmoble
en su torcido ramaje;
y es más rudo
que la encina, más nervudo,
más altivo y más señor.
    El alto roble parece
que recalca y ennudece
su robustez como atleta
que, erguido, afinca en el suelo.
    El pino es el mar y el cielo
y la montaña: el planeta.
La palmera es el desierto,
el sol y la lejanía:

la sed; una fuente fría
soñada en el campo yerto.
    Las hayas son la leyenda.
Alguien, en las viejas hayas,
leía una historia horrenda
de crímenes y batallas.
    ¿Quién ha visto sin temblar
un hayedo en un pinar?
Los chopos son la ribera,
liras de la primavera,
cerca del agua que fluye,
pasa y huye,
viva o lenta,
que se emboca turbulenta
o en remanso se dilata [27].
En su eterno escalofrío
copian del agua del río
las vivas ondas de plata.
    De los parques las olmedas
son las buenas arboledas
que nos han visto jugar,
cuando eran nuestros cabellos
rubios y, con nieve en ellos,
nos han de ver meditar.
    Tiene el manzano el olor
de su poma,
el eucalipto el aroma
de sus hojas, de su flor
el naranjo la fragancia;
y es del huerto
la elegancia
el ciprés oscuro y yerto.
    ¿Qué tienes tú, negra encina
campesina,
con tus ramas sin color
en el campo sin verdor;
con tu tronco ceniciento

---

[27] En *Poesías completas*, 1.ª edic.:

o en remanso se dilata,
y en su eterno escalofrío...

sin esbeltez ni altiveza,
con tu vigor sin tormento,
y tu humildad que es firmeza?

En tu copa ancha y redonda
nada brilla,
ni tu verdioscura fronda
ni tu flor verdiamarilla.

Nada es lindo ni arrogante
en tu porte, ni guerrero,
nada fiero
que aderece su talante.
Brotas derecha o torcida
con esa humildad que cede
sólo a la ley de la vida,
que es vivir como se puede.

El campo mismo se hizo
árbol en ti, parda encina.
Ya bajo el sol que calcina,
ya contra el hielo invernizo,
el bochorno y la borrasca,
el agosto y el enero,
los copos de la nevasca,
los hilos del aguacero,
siempre firme, siempre igual,
impasible, casta y buena,
¡oh tú, robusta y serena,
eterna encina rural
de los negros encinares
de la raya aragonesa
y las crestas militares
de la tierra pamplonesa;
encinas de Extremadura,
de Castilla, que hizo a España,
encinas de la llanura,
del cerro y de la montaña;
encinas del alto llano
que el joven Duero rodea,
y del Tajo que serpea
por el suelo toledano;
encinas de junto al mar
—en Santander—, encinar

que pones tu nota arisca,
como un castellano ceño,
en Córdoba la morisca,
y tú, encinar madrileño,
bajo Guadarrama frío,
tan hermoso, tan sombrío,
con tu adustez castellana
corrigiendo,
la vanidad y el atuendo
y la hetiquez cortesana!...
Ya sé, encinas
campesinas,
que os pintaron, con lebreles
elegantes y corceles,
los más egregios pinceles,
y os cantaron los poetas
augustales,
que os asordan escopetas
de cazadores reales;
mas sois el campo y el lar
y la sombra tutelar
de los buenos aldeanos
que visten parda estameña,
y que cortan vuestra leña
con sus manos [28].

CIV [29]

¿Eres tú, Guadarrama, viejo amigo,
la sierra gris y blanca,
la sierra de mis tardes madrileñas
que yo veía en el azul pintada?
      Por tus barrancos hondos
y por tus cumbres agrias,
mil Guadarramas y mil soles vienen,
cabalgando conmigo, a tus entrañas.

Camino de Balsaín, 1911.

---

[28] Recuerda el verso 35 de las *Coplas* de Jorge Manrique, vid. LVIII.
[29] En *Poesías completas*, 1.ª edic., este poema se titula *Caminos*. Y está
fechado en 1914.

CV

EN ABRIL, LAS AGUAS MIL

Son de abril las aguas mil.
Sopla el viento achubascado,
y entre nublado y nublado
hay trozos de cielo añil.
    Agua y sol. El iris brilla.
En una nube lejana,
zigzaguea
una centella amarilla.
    La lluvia da en la ventana
y el cristal repiquetea.
    A través de la neblina
que forma la lluvia fina,
se divisa un prado verde,
y un encinar se esfumina,
y una sierra gris se pierde.
    Los hilos del aguacero
sesgan las nacientes frondas,
y agitan las turbias ondas
en el remanso del Duero.
    Lloviendo está en los habares
y en las pardas sementeras;
hay sol en los encinares [30],
charcos por las carreteras.
    Lluvia y sol. Ya se oscurece
el campo, ya se ilumina;
allí un cerro desparece,
allá surge una colina.
    Ya son claros, ya sombríos
los dispersos caseríos,
los lejanos torreones.
    Hacia la sierra plomiza
van rodando en pelotones
nubes de guata y ceniza.

---

[30] En *Poesías completas*, 1.ª edic., se lee:

                y el sol, en los encimares,

CVI

UN LOCO

Es una tarde mustia y desabrida
de un otoño sin frutos, en la tierra
estéril y raída
donde la sombra de un centauro yerra.

Por un camino en la árida llanura,
entre álamos marchitos,
a solas con su sombra y su locura
va el loco, hablando a gritos.

Lejos se ven sombríos estepares,
colinas con malezas y cambrones,
y ruinas de viejos encinares,
coronando los agrios serrijones.

El loco vocifera
a solas con su sombra y su quimera.
Es horrible y grotesta su figura;
flaco, sucio, maltrecho y mal rapado,
ojos de calentura
iluminan su rostro demacrado.

Huye de la ciudad... Pobres maldades,
misérrimas virtudes y quehaceres
de chulos aburridos, y ruindades
de ociosos mercaderes.

Por los campos de Dios el loco avanza.
Tras la tierra esquelética y sequiza
—rojo de herrumbre y pardo de ceniza—
hay un sueño de lirio en lontananza.

Huye de la ciudad. ¡El tedio urbano!
—¡carne triste y espíritu villano!—.
No fue por una trágica amargura
esta alma errante desgajada y rota;
purga un pecado ajeno: la cordura,
la terrible cordura del idiota.

CVII

FANTASÍA ICONOGRÁFICA

La calva prematura
brilla sobre la frente amplia y severa;
bajo la piel pálida tersura
se trasluce la fina calavera.
    Mentón agudo y pómulos marcados
por trazos de un punzón adamantino;
y de insólita púrpura manchados
los labios que soñara un florentino.
    Mientras la boca sonreír parece,
los ojos perspicaces,
que un ceño pensativo empequeñece,
miran y ven, profundos y tenaces.
    Tiene sobre la mesa un libro viejo
donde posa la mano distraída.
Al fondo de la cuadra, en el espejo,
una tarde dorada está dormida.
    Montañas de violeta
y grisientos breñales,
la tierra que ama el santo y el poeta,
los buitres y las águilas caudales.
    Del abierto balcón al blanco muro
va una franja de sol anaranjada
que inflama el aire, en el ambiente obscuro
que envuelve la armadura arrinconada.

CVIII

UN CRIMINAL

El acusado es pálido y lampiño.
Arde en sus ojos una fosca lumbre,
que repugna a su máscara de niño
y ademán de piadosa mansedumbre.
    Conserva del obscuro seminario
el talante modesto y la costumbre
de mirar a la tierra o al breviario.

Devoto de María,
madre de pecadores,
por Burgos bachiller en teología,
presto a tomar las órdenes menores.

Fue su crimen atroz. Hartóse un día
de los textos profanos y divinos,
sintió pesar del tiempo que perdía
enderezando hipérbatons latinos.

Enamoróse de una hermosa niña,
subiósele el amor a la cabeza
como el zumo dorado de la viña,
y despertó su natural fiereza.

En sueños vio a sus padres —labradores
de mediano caudal— iluminados [31]
del hogar por los rojos resplandores,
los campesinos rostros atezados.

Quiso heredar. ¡Oh guindos y nogales
del huerto familiar, verde y sombrío,
y doradas espigas candeales
que colmarán las trojes del estío! [32].

Y se acordó del hacha que pendía
en el muro, luciente y afilada,
el hacha fuerte que la leña hacía
de la rama de roble cercenada.

....

Frente al reo, los jueces con sus viejos
ropones enlutados;
y una hilera de obscuros entrecejos
y de plebeyos rostros: los jurados.

El abogado defensor perora,
golpeando el pupitre con la mano;
emborrona papel un escribano,
mientras oye el fiscal, indiferente,
el alegato enfático y sonoro,
y repasa los autos judiciales
o, entre sus dedos, de las gafas de oro
acaricia los límpidos cristales.

---

[31] Es contrario al sentido puntuar tras esta palabra.
[32] En *Poesías completas*, 1.ª edic., *trojes* es masculino.

Dice un ujier: "Va sin remedio al palo."
El joven cuervo la clemencia espera.
Un pueblo, carne de horca, la severa
justicia aguarda que castiga al malo.

CIX

AMANECER DE OTOÑO

A Julio Romero de Torres.

Una larga carretera
entre grises peñascales,
y alguna humilde pradera
donde pacen negros toros. Zarzas, malezas, jarales.
Está la tierra mojada
por las gotas del rocío,
y la alameda dorada,
hacia la curva del río.
Tras los montes de violeta
quebrado el primer albor:
a la espalda la escopeta,
entre sus galgos agudos, caminando un cazador.

CX

EL TREN

Yo, para todo viaje
—siempre sobre la madera
de mi vagón de tercera—,
voy ligero de equipaje [33].
Si es de noche, porque no
acostumbro a dormir yo,
y de día, por mirar
los arbolitos pasar,
yo nunca duermo en el tren,
y, sin embargo, voy bien.
¡Este placer de alejarse!
Londres, Madrid, Ponferrada,

---

[33]   Cfr. número XCVII, verso penúltimo.

tan lindos... para marcharse.
Lo molesto es la llegada.
Luego, el tren, al caminar,
siempre nos hace soñar;
y casi, casi olvidamos
el jamelgo que montamos.
¡Oh, el pollino
que sabe bien el camino!
¿Dónde estamos?
¿Dónde todos nos bajamos?
¡Frente a mí va una monjita
tan bonita!

Tiene esa expresión serena
que a la pena
da una esperanza infinita.
Y yo pienso: Tú eres buena;
porque diste tus amores
a Jesús; porque no quieres
ser madre de pecadores.
Mas tú eres
maternal,
bendita entre las mujeres,
madrecita virginal.
Algo en tu rostro es divino
bajo tus cofias de lino.
Tus mejillas
—esas rosas amarillas—
fueron rosadas, y, luego,
ardió en tus entrañas fuego;
y hoy, esposa de la Cruz,
ya eres luz, y sólo luz...
¡Todas las mujeres bellas
fueran, como tú, doncellas
en un convento a encerrarse!...
¡Y la niña que yo quiero,
ay, preferirá casarse
con un mocito barbero!
El tren camina y camina,
y la máquina resuella,
y tose con tos ferina.
¡Vamos en una centella!

CXI

NOCHE DE VERANO

Es una hermosa noche de verano.
Tienen las altas casas
abiertos los balcones
del viejo pueblo a la anchurosa plaza.
En el amplio rectángulo desierto,
bancos de piedra, evónimos y acacias
simétricos dibujan
sus negras sombras en la arena blanca.
En el cenit, la luna, y en la torre,
la esfera del reloj iluminada.
Yo en este viejo pueblo paseando
solo, como un fantasma.

CXII

PASCUA DE RESURRECCIÓN

Mirad: el arco de la vida traza
el iris sobre el campo que verdea.
Buscad vuestros amores, doncellitas,
donde brota la fuente de la piedra.
En donde el agua ríe y sueña y pasa,
allí el romance del amor se cuenta.
¿No han de mirar un día, en vuestros brazos,
atónitos, el sol de primavera,
ojos que vienen a la luz cerrados,
y que al partirse de la vida ciegan?
¿No beberán un día en vuestros senos
los que mañana labrarán la tierra?
¡Oh, celebrad este domingo claro,
madrecitas en flor, vuestras entrañas nuevas! [34].

---

[34] Tras este verso, en otras ediciones siguen los que copio de Macrì (página 1167):

Y vosotros, fantasmas de los fuertes días,
nobles palurdos que pisáis la estepa,
hombres del alto llano
por donde un largo río corre a la mar sin priesa.

Gozad esta sonrisa de vuestra ruda madre.
Ya sus hermosos nidos habitan las cigüeñas,
y escriben en las torres sus blancos garabatos.
Como esmeraldas lucen los musgos de las peñas.
Entre los robles muerden
los negros toros la menuda hierba,
y el pastor que apacienta los merinos
su pardo sayo en la montaña deja.

CXIII

CAMPOS DE SORIA

I

Es la tierra de Soria árida y fría.
Por las colinas y las sierras calvas,
verdes pradillos, cerros cenicientos,
la primavera pasa
dejando entre las hierbas olorosas
sus diminutas margaritas blancas.
    La tierra no revive, el campo sueña.
Al empezar abril está nevada
la espalda del Moncayo;
el caminante lleva en su bufanda
envueltos cuello y boca, y los pastores
pasan cubiertos con sus luengas capas.

II

Las tierras labrantías,
como retazos de estameñas pardas,
el huertecillo, el abejar, los trozos
de verde obscuro en que el merino pasta,
entre plomizos peñascales, siembran
el sueño alegre de infantil Arcadia.
En los chopos lejanos del camino,
parecen humear las yertas ramas
como un glauco vapor —las nuevas hojas—

y en las quiebras de valles y barrancas
blanquean los zarzales florecidos,
y brotan las violetas perfumadas.

III

Es el campo undulado, y los caminos
ya ocultan los viajeros que cabalgan
en pardos borriquillos,
ya al fondo de la tarde arrebolada
elevan las plebeyas figurillas,
que el lienzo de oro del ocaso manchan.
Mas si trepáis a un cerro y veis el campo
desde los picos donde habita el águila,
son tornasoles de carmín y acero,
llanos plomizos, lomas plateadas,
circuidos por montes de violeta,
con las cumbres de nieve sonrosada.

IV

¡Las figuras del campo sobre el cielo!
Dos lentos bueyes aran
en un alcor, cuando el otoño empieza,
y entre las negras testas doblegadas
bajo el pesado yugo,
pende un cesto de juncos y retama,
que es la cuna de un niño;
y tras la yunta marcha
un hombre que se inclina hacia la tierra,
y una mujer que en las abiertas zanjas
arroja la semilla.
Bajo una nube de carmín y llama,
en el oro fluido y verdinoso
del poniente, las sombras se agigantan.

V

La nieve. En el mesón al campo abierto
se ve el hogar donde la leña humea
y la olla al hervir borbollonea.
El cierzo corre por el campo yerto,
alborotando en blancos torbellinos
la nieve silenciosa.
La nieve sobre el campo y los caminos,
cayendo está como sobre una fosa.
Un viejo acurrucado tiembla y tose
cerca del fuego; su mechón de lana
la vieja hila, y una niña cose
verde ribete a su estameña grana.
Padres los viejos son de un arriero
que caminó sobre la blanca tierra,
y una noche perdió ruta y sendero,
y se enterró en las nieves de la sierra.
En torno al fuego hay un lugar vacío
y en la frente del viejo, de hosco ceño,
como un tachón sombrío
—tal el golpe de un hacha sobre un leño—.
La vieja mira al campo, cual si oyera
pasos sobre la nieve. Nadie pasa.
Desierta la vecina carretera,
desierto el campo en torno de la casa.
La niña piensa que en los verdes prados
ha de correr con otras doncellitas
en los días azules y dorados,
cuando crecen las blancas margaritas.

VI

¡Soria fría, *Soria pura,*
cabeza de Extremadura,
con su castillo guerrero
arruinado, sobre el Duero;
con sus murallas roídas
y sus casas denegridas!
    ¡Muerta ciudad de señores
soldados o cazadores;

de portales con escudos
de cien linajes hidalgos,
y de famélicos galgos,
de galgos flacos y agudos,
que pululan
por las sórdidas callejas,
y a la medianoche alulan,
cuando graznan las cornejas!
    ¡Soria fría! La campana
de la Audiencia da la una.
Soria, ciudad castellana
¡tan bella! bajo la luna.

VII

¡Colinas plateadas,
grises alcores, cárdenas roquedas
por donde traza el Duero
su curva de ballesta
en torno a Soria, obscuros encinares,
ariscos pedregales, calvas sierras,
caminos blancos y álamos del río,
tardes de Soria, mística y guerrera,
hoy siento por vosotros, en el fondo
del corazón, tristeza,
tristeza que es amor! ¡Campos de Soria
donde parece que las rocas sueñan,
conmigo vais! ¡Colinas plateadas,
grises alcores, cárdenas roquedas!...

VIII

He vuelto a ver los álamos dorados,
álamos del camino en la ribera
del Duero, entre San Polo y San Saturio,
tras las murallas viejas
de Soria —barbacana
hacia Aragón, en castellana tierra [35]—.

---

[35] El mismo símil en XCVIII, pág. 152.

Estos chopos del río, que acompañan
con el sonido de sus hojas secas
el son del agua, cuando el viento sopla,
tienen en sus cortezas
grabadas iniciales que son nombres
de enamorados, cifras que son fechas.
¡Álamos del amor que ayer tuvisteis
de ruiseñores vuestras ramas llenas;
álamos que seréis mañana liras
del viento perfumado en primavera;
álamos del amor cerca del agua
que corre y pasa y sueña,
álamos de las márgenes del Duero,
conmigo vais, mi corazón os lleva!

IX

¡Oh, sí! Conmigo vais, campos de Soria,
tardes tranquilas, montes de violeta,
alamedas del río, verde sueño
del suelo gris y de la parda tierra,
agria melancolía
de la ciudad decrépita.
Me habéis llegado al alma,
¿o acaso estabais en el fondo de ella?
¡Gentes del alto llano numantino
que a Dios guardáis como cristianas viejas,
que el sol de España os llene
de alegría, de luz y de riqueza!

LA TIERRA DE ALVARGONZÁLEZ

(CUENTO-LEYENDA) [36]

Una mañana de los primeros días de octubre decidí visitar
la fuente del Duero y tomé en Soria el coche de Burgos que
había de llevarme hasta Cidones. Me acomodé en la delan-
tera, cerca del mayoral y entre dos viajeros: un indiano que
tornaba de Méjico a su aldea natal, escondida en tierra de
pinares, y un viejo campesino que venía de Barcelona,
donde embarcara a dos de sus hijos para el Plata. No cruza-
réis la alta estepa de Castilla sin encontrar gentes que os ha-
blen de Ultramar.

Tomamos la ancha carretera de Burgos, dejando a nuestra
izquierda el camino de Osma, bordeado de chopos que el
otoño comenzaba a dorar. Soria quedaba a nuestra espalda
entre grises colinas y cerros pelados. Soria, mística y guerrera, guardaba antaño la puerta de Castilla como una barbacana hacia los reinos moros que cruzó el Cid en su destie-
rro. El Duero, en torno a Soria, forma una curva de ballesta [37]. Nosotros llevábamos la dirección del venablo.

El indiano me hablaba de Veracruz, mas yo escuchaba al
campesino que discutía con el mayoral sobre un crimen reciente. En los pinares de Duruelo, una joven vaquera había
aparecido cosida a puñaladas y violada después de muerta.
El campesino acusaba a un rico ganadero de Valdeavellano,
preso por indicios en la cárcel de Soria, como autor induda-
ble de tan bárbara fechoría, y desconfiaba de la justicia porque la víctima era pobre. En las pequeñas ciudades las
gentes se apasionan del juego y de la política como en las
grandes del arte y de la pornografía —ocio de mercaderes—, pero en los campos sólo interesan las labores que
reclaman la tierra y los crímenes de los hombres.

—¿Va usted muy lejos? —pregunté al campesino.

—A Covaleda, señor —me respondió—. ¿Y usted?

---

[36] Publicado en la revista *Mundial,* de París, núm. 9, enero de 1912.
Vid. C. Beceiro, *«La tierra de Alvargonzález», un poema prosificado* («Clavileño», VII, 1956, págs. 36-46). Tesis esta —la prioridad del texto poético—
rebatida por Macrì (págs. 1171-1172).
[37] Cfr. mi nota en la pág. 172.

—El mismo camino llevo, porque pienso subir a Urbión y tomaré el valle del Duero. A la vuelta bajaré a Vinuesa por el puerto de Santa Inés.

—Mal tiempo para subir a Urbión. Dios le libre de una tormenta por aquella sierra.

Llegados a Cidones, nos apeamos el campesino y yo, despidiéndonos del indiano, que continuaba su viaje en la diligencia hasta San Leonardo, y emprendimos en sendas caballerías el camino de Vinuesa.

Siempre que trato con hombres del campo pienso en lo mucho que ellos saben y nosotros ignoramos, y en lo poco que a ellos importa conocer cuanto nosotros sabemos.

El campesino cabalgaba delante de mí, silencioso. El hombre de aquellas tierras, serio y taciturno, habla cuando se le interroga, y es sobrio en la respuesta. Cuando la pregunta es tal que pudiera excusarse, apenas se digna contestar. Sólo se extiende en advertencias inútiles sobre las cosas que conoce bien o cuando narra historias de la tierra.

Volví los ojos al pueblecillo que dejábamos a nuestra espalda. La iglesia, con su alto campanario coronado por un hermoso nido de cigüeñas, descuella sobre unas cuantas casuchas de tierra. Hacia el camino real destácase la casa de un indiano, contrastando con el sórdido caserío. Es un hotelito moderno y mundano, rodeado de jardín y verja. Frente al pueblo se extiende una calva serrezuela de rocas grises surcadas de grietas rojizas.

Después de cabalgar dos horas llegamos a la Muedra, una aldea a medio camino entre Cidones y Vinuesa, y a pocos pasos cruzamos un puente de madera sobre el Duero.

—Por aquel sendero —me dijo el campesino, señalando a su diestra— se va a las tierras de Alvargonzález; campos malditos hoy; los mejores, antaño, de esta comarca.

—¿Alvargonzález es el nombre de su dueño? —le pregunté.

—Alvargonzález —me respondió— fue un rico labrador; mas nadie lleva ese nombre por estos contornos. La aldea donde vivió se llama como él se llamaba: Alvargonzález, y tierras de Alvargonzález a los páramos que la rodean. Tomando esa vereda llegaríamos allá antes que a Vinuesa por este camino. Los lobos, en invierno, cuando el hambre les echa de los bosques, cruzan esa aldea y se les oye aullar al

pasar por las majadas que fueron de Alvargonzález, hoy vacías y arruinadas.

Siendo niño, oí contar a un pastor la historia de Alvargonzález, y sé que anda inscrita en papeles y que los ciegos
la cantan por tierra de Berlanga.

Roguéle que me narrase aquella historia, y el campesino
comenzó así su relato:

Siendo Alvargonzález mozo, heredó de sus padres rica hacienda. Tenía casa con huerta y colmenar, dos prados de
fina hierba, campos de trigo y de centeno, un trozo de encinar no lejos de la aldea, algunas yuntas para el arado, cien
ovejas, un mastín y muchos lebreles de caza.

Prendóse de una linda moza en tierras del Burgo, no lejos
de Berlanga, y al año de conocerla la tomó por mujer. Era
Polonia, de tres hermanas, la mayor y la más hermosa, hija
de labradores que llaman los Peribáñez, ricos en otros
tiempos, entonces dueños de menguada fortuna.

Famosas fueron las bodas que se hicieron en el pueblo de
la novia y las tornabodas que celebró en su aldea Alvargonzález. Hubo vihuelas, rabeles, flautas y tamboriles, danza
aragonesa y fuegos al uso valenciano. De la comarca que
riega el Duero, desde Urbión, donde nace, hasta que se
aleja por tierras de Burgos, se habla de las bodas de Alvargonzález y se recuerdan las fiestas de aquellos días, porque
el pueblo no olvida nunca lo que brilla y truena.

Vivió feliz Alvargonzález con el amor de su esposa y el
medro de sus tierras y ganados. Tres hijos tuvo, y, ya crecidos, puso el mayor a cuidar huerta y abejar; otro, al ganado, y mandó al menor a estudiar en Osma, porque lo des-
tinaba a la iglesia.

Mucha sangre de Caín tiene la gente labradora. La envidia armó pelea en el hogar de Alvargonzález. Casáronse los
mayores, y el buen padre tuvo nueras que antes de darle
nietos le trajeron cizaña. Malas hembras y tan codiciosas
para sus casas, que sólo pensaban en la herencia que les ca-
bría a la muerte de Alvargonzález; por ansia de lo que espe-
raban no gozaban lo que tenían.

El menor, a quien los padres pusieron en el seminario,
prefería las lindas mozas a rezos y latines, y colgó un día la
sotana, dispuesto a no vestirse más por la cabeza. Declaró
que estaba dispuesto a embarcarse para las Américas. So-

ñaba con correr tierras y pasar los mares y ver el mundo entero.

Mucho lloró la madre. Alvargonzález vendió el encinar y dio a su hijo cuanto había de heredar.

—Toma lo tuyo, hijo mío, y que Dios te acompañe. Sigue tu idea, y sabe que mientras tu padre viva, pan y techo tienes en esta casa; pero a mi muerte, todo será de tus hermanos.

Ya tenía Alvargonzález la frente arrugada, y por la barba le plateaba el bozo azul de la cara. Eran sus hombros todavía robustos y erguida la cabeza, que sólo blanqueaba en las sienes.

Una mañana de otoño salió solo de su casa; no iba, como otras veces, entre sus finos galgos, terciada a la espalda la escopeta. No llevaba arreo de cazador ni pensaba en cazar. Largo camino anduvo bajo los álamos amarillos de la ribera, cruzó el encinar, y, junto a una fuente que un olmo gigantesco sombreaba, detúvose fatigado. Enjugó el sudor de su frente, bebió algunos sorbos de agua y acostóse en la tierra.

Y a solas hablaba con Dios Alvargonzález, diciendo: "Dios, mi señor, que colmaste las tierras que labran mis manos, a quien debo pan en mi mesa, mujer en mi lecho y por quien crecieron robustos los hijos que engendré, por quien mis majadas rebosan de blancas merinas y se cargan de fruto los árboles de mi huerto y tienen miel las colmenas de mi abejar, sabe, Dios mío, que sé cuánto me has dado antes de que me lo quites."

Se fue quedando dormido mientras así rezaba, porque la sombra de las ramas y el agua que brotaba la piedra parecían decirle: "Duerme y descansa."

Y durmió Alvargonzález; pero su ánimo no había de reposar porque los sueños aborrascan el dormir del hombre.

Y Alvargonzález soñó que una voz le hablaba, y veía, como Jacob, una escala de luz que iba del cielo a la tierra. Sería tal vez la franja del sol que filtraban las ramas del olmo.

Difícil es interpretar los sueños que desatan el haz de nuestros propósitos para mezclarlos con recuerdos y temores. Muchos creen adivinar lo que ha de venir estudiando los sueños. Casi siempre yerran, pero alguna vez aciertan. En los sueños malos, que apesadumbran el corazón del dur-

miente, no es difícil acertar. Son estos sueños memorias de
lo pasado, que teje y confunde la mano torpe y temblorosa
de un personaje invisible: el miedo.

Soñaba Alvargonzález en su niñez. La alegre fogata del
hogar bajo la ancha y negra campana de la cocina y en
torno al fuego sus padres y sus hermanos. Las nudosas
manos del viejo acariciaban la rubia candela. La madre pasaba las cuentas de un negro rosario. En la pared ahumada
colgaba el hacha reluciente con que el viejo hacía leña de
las ramas de roble.

Seguía soñando Alvargonzález, y era en sus mejores días
de mozo. Una tarde de verano y un prado verde tras los
muros de una huerta. A la sombra y sobre la hierba, cuando
el sol caía, tiñendo de luz anaranjada las copas de los cas-
taños. Alvargonzález levantaba el odre de cuero y el vino
rojo caía en su boca, refrescándole la seca garganta. En
torno suyo estaba la familia de Peribáñez: los padres y las
tres lindas hermanas. De las ramas de la huerta y de la
hierba del prado se elevaba una armonía de oro y cristal,
como si las estrellas cantasen en la tierra antes de aparecer
dispersas en el cielo silencioso. Caía la tarde, y sobre el pinar oscuro aparecía, dorada y jadeante, la luna llena, hermosa luna del amor, sobre el campo tranquilo.

Como si las hadas que hilan y tejen los sueños hubiesen
puesto en sus ruecas un mechón de negra lana, ensombre-
cióse el soñar de Alvargonzález, y una puerta dorada
abrióse, lastimando el corazón del durmiente.

Y apareció un hueco sombrío, y al fondo, por tenue claridad iluminado, el hogar desierto y sin leña. En la pared colgaba de una escarpia el hacha bruñida y reluciente.

El sueño abrióse al claro día. Tres niños juegan a la
puerta de la casa. La mujer vigila, cose y a ratos sonríe. Entre los mayores brinca un cuervo negro y lustroso de ojo
acerado.

—Hijos, ¿qué hacéis? —les pregunta.

Los niños se miran y callan.

—Subid al monte, hijos míos, y antes que caiga la noche
traedme un brazado de leña.

Los tres niños se alejan. El menor, que ha quedado atrás,
vuelve la cara y su madre lo llama. El niño vuelve hacia la
casa y los hermanos siguen su camino hacia el encinar.

Y es otra vez el hogar, el hogar apagado y desierto, y en el muro colgaba el hacha reluciente.

Los mayores de Alvargonzález vuelven del monte con la tarde, cargados de estepas. La madre enciende el candil y el mayor arroja astillas y jaras sobre el tronco de roble, y quiere hacer el fuego en el hogar; cruje la leña, y los tueros, apenas encendidos, se apagan. No brota la llama en el lar de Alvargonzález. A la luz del candil brilla el hacha en el muro, y esta vez parece que gotea sangre.

—Padre, la hoguera no prende: está la leña mojada.

Acude el segundo y también se afana por hacer lumbre. Pero el fuego no quiere brotar.

El más pequeño echa sobre el hogar un puñado de estepas, y una roja llama alumbra la cocina. La madre sonríe, y Alvargonzález coge en brazos al hijo y le sienta en sus rodillas, a la diestra del fuego.

—Aunque último has nacido, tú eres el primero en mi corazón y el mejor de mi casta; porque tus manos hacen el fuego.

Los hermanos, pálidos como la muerte, se alejan por los rincones del sueño. En la diestra del mayor brilla el hacha de hierro.

Junto a la fuente dormía Alvargonzález, cuando el primer lucero brillaba en el azul, y una enorme luna teñida de púrpura se asomaba al campo ensombrecido. El agua que brotaba en la piedra parecía relatar una historia vieja y triste: la historia del crimen del campo.

Los hijos de Alvargonzález caminaban silenciosos, y vieron al padre dormido junto a la fuente. Las sombras que alargaban la tarde llegaron al durmiente antes que los asesinos. La frente de Alvargonzález tenía un tachón sombrío entre las cejas, como la huella de una segur sobre el tronco de un roble. Soñaba Alvargonzález que sus hijos venían a matarle, y al abrir los ojos vio que era cierto lo que soñaba.

Mala muerte dieron al labrador los malos hijos a la vera de la fuente. Un hachazo en el cuello y cuatro puñaladas en el pecho pusieron fin al sueño de Alvargonzález. El hacha que tenían de sus abuelos y que tanta leña cortó para el hogar, tajó el robusto cuello que los años no habían doblado todavía, y el cuchillo con que el buen padre cortaba el pan moreno que repartía a los suyos en torno a la mesa, hendido

había el más noble corazón de aquella tierra. Porque Alvargonzález era bueno para su casa, pero era también mucha su
caridad en la casa del pobre. Como padre habían de llorarle
cuantos alguna vez llamaron a su puerta, o alguna vez le
vieron en los umbrales de las suyas.

Los hijos de Alvargonzález no saben lo que han hecho.
Al padre muerto arrastran hacia un barranco por donde corre un río que busca al Duero. Es un valle sombrío lleno de
helechos, hayedos y pinares.

Y lo llevan a la Laguna Negra, que no tiene fondo, y allí
lo arrojan con una piedra atada a los pies. La laguna está
rodeada de una muralla gigantesca de rocas grises y ver-
dosas, donde anidan las águilas y los buitres. Las gentes de
la sierra en aquellos tiempos no osaban acercarse a la laguna
ni aun en los días claros. Los viajeros, que, como usted, vi-
sitan estos lugares han hecho que se les pierda el miedo.

Los hijos de Alvargonzález tornaban por el valle entre los
pinos gigantescos y las hayas decrépitas. No oían el agua
que sonaba en el fondo del barranco. Dos lobos asomaron
al verles pasar. Los lobos huyeron espantados. Fueron a cruzar el río, y el río tomó por otro cauce, y en seco lo pasaron.
Caminaban por el bosque para tornar a su aldea con la noche
cerrada, y los pinos, las rocas y los helechos por todas partes
les dejaban vereda como si huyesen de los asesinos. Pasaron
otra vez junto a la fuente, y la fuente, que contaba su vieja
historia, calló mientras pasaban, y aguardó a que se alejasen
para seguir contándola.

Así heredaron los malos hijos la hacienda del buen labrador que una mañana de otoño salió de su casa y no volvió ni
podía volver. Al otro día se encontró su manta cerca de la
fuente y un reguero de sangre camino del barranco. Nadie
osó acusar del crimen a los hijos de Alvargonzález, porque
el hombre del campo teme al poderoso, y nadie se atrevió a
sondar la laguna, porque hubiera sido inútil. La laguna
jamás devuelve lo que se traga. Un buhonero que erraba
por aquellas tierras fue preso y ahorcado en Soria, a los dos
meses, porque los hijos de Alvargonzález le entregaron a la
justicia, y con testigos pagados lograron perderle.

La maldad de los hombres es como la Laguna Negra, que
no tiene fondo.

La madre murió a los pocos meses. Los que la vieron

muerta una mañana, dicen que tenía cubierto el rostro entre las manos frías y agarrotadas.

*

El sol de primavera iluminaba el campo verde, y las cigüeñas sacaban a volar a sus hijuelos en el azul de los primeros días de mayo. Crotoraban las codornices entre los trigos jóvenes: verdeaban los álamos del camino y de las riberas, y los ciruelos del huerto se llenaban de blancas flores. Sonreían las tierras de Alvargonzález a sus nuevos amos, y prometían cuanto habían rendido al viejo labrador.

Fue un año de abundancia en aquellos campos. Los hijos de Alvargonzález comenzaron a descargarse del peso de su crimen, porque a los malvados muerde la culpa cuando temen el castigo de Dios o de los hombres; pero si la fortuna ayuda y huye el temor, comen su pan alegremente, como si estuviera bendito.

Mas la codicia tiene garras para coger, pero no tiene manos para labrar. Cuando llegó el verano siguiente, la tierra empobrecida parecía fruncir el ceño a sus señores. Entre los trigos había más amapolas y hierbajos que rubias espigas. Heladas tardías habían matado en flor los frutos de la huerta. Las ovejas morían por docenas porque una vieja, a quien se tenía por bruja, les hizo mala hechicería. Y si un año era malo, otro peor le seguía. Aquellos campos estaban malditos, y los Alvargonzález venían tan a menos como iban a más querellas y enconos entre las mujeres. Cada uno de los hermanos tuvo dos hijos, que no pudieron lograrse porque el odio había envenenado la leche de las madres.

Una noche de invierno, ambos hermanos y sus mujeres rodeaban el hogar, donde ardía un fuego mezquino que se iba extinguiendo poco a poco. No tenían leña, ni podían buscarla a aquellas horas. Un viento helado penetraba por las rendijas del postigo, y se le oía bramar en la chimenea. Fuera, caía la nieve en torbellinos. Todos miraban silenciosos las ascuas mortecinas, cuando llamaron a la puerta.

—¿Quién será a estas horas? —dijo el mayor—. Abre tú.

Todos permanecieron inmóviles sin atreverse a abrir.

Sonó otro golpe en la puerta y una voz que decía:

—Abrid, hermanos.

—¡Es Miguel! Abrámosle.

Cuando abrieron la puerta, cubierto de nieve y embozado en un largo capote, entró Miguel, el menor de Alvargonzález, que volvía de las Indias.

Abrazó a sus hermanos, y se sentó con ellos cerca del hogar. Todos quedaron silenciosos. Miguel tenía los ojos llenos de lágrimas, y nadie le miraba frente a frente. Miguel, que abandonó su casa de niño, tornaba hombre rico. Sabía las desgracias de su hogar, mas no sospechaba de sus hermanos. Era su porte, caballero. La tez morena algo quemada, y el rostro enjuto, porque las tierras de Ultramar dejan siempre huella, pero en la mirada de sus grandes ojos brillaba la juventud. Sobre la frente, ancha y tersa, su cabello castaño caía en finos bucles. Era el más bello de los tres hermanos, porque al mayor le afeaba el rostro lo espeso de las cejas velludas, y al segundo, los ojos pequeños, inquietos y cobardes, de hombre astuto y cruel.

Mientras Miguel permanecía mudo y abstraído, sus hermanos le miraban al pecho, donde brillaba una gruesa cadena de oro.

El mayor rompió el silencio, y dijo:

—¿Vivirás con nosotros?

—Si queréis —contestó Miguel—. Mi equipaje llegará mañana.

—Unos suben y otros bajan —añadió el segundo—. Tú traes oro y nosotros, ya ves, ni leña tenemos para calentarnos.

El viento batía la puerta y el postigo, y aullaba en la chimenea. El frío era tan grande que estremecía los huesos.

Miguel iba a hablar cuando llamaron otra vez a la puerta. Miró a sus hermanos como preguntándoles quién podría ser a aquellas horas. Sus hermanos temblaron de espanto.

Llamaron otra vez, y Miguel abrió.

Apareció el hueco sombrío de la noche, y una racha de viento le salpicó de nieve el rostro. No vio a nadie en la puerta, mas divisó una figura que se alejaba bajo los copos blancos. Cuando volvió a cerrar, notó que en el umbral había un montón de leña. Aquella noche ardió una hermosa llama en el hogar de Alvargonzález.

Fortuna traía Miguel de las Américas, aunque no tanta como soñara la codicia de sus hermanos. Decidió afincar en

aquella aldea donde había nacido, mas como sabía que toda
la hacienda era de sus hermanos, les compró una parte, dán-
doles por ella mucho más oro del que nunca había valido.
Cerróse el trato, y Miguel comenzó a labrar en las tierras
malditas.

El oro devolvió la alegría al corazón de los malvados.
Gastaron sin tino en el regalo y el vicio y tanto mermaron
su ganancia, que al año volvieron a cultivar la tierra abandonada.

Miguel trabajaba de sol a sol. Removió la tierra con el
arado, limpióla de malas hierbas, sembró trigo y centeno, y
mientras los campos de sus hermanos parecían desmedrados
y secos, los suyos se colmaron de rubias y macizas espigas.
Sus hermanos le miraban con odio y con envidia. Miguel les
ofreció el oro que le quedaba a cambio de las tierras malditas.

Las tierras de Alvargonzález eran ya de Miguel, y a ellas
tornaba la abundancia de los tiempos del viejo labrador. Los
mayores gastaban su dinero en locas francachelas. El juego
y el vino llevábanles otra vez a la ruina.

Una noche volvían borrachos a su aldea, porque habían
pasado el día bebiendo y festejando en una feria cercana.
Llevaba el mayor el ceño fruncido y un pensamiento feroz
bajo la frente.

—¿Cómo te explicas tú la suerte de Miguel? —dijo a su
hermano—. La tierra le colma de riquezas, y a nosotros nos
niega un pedazo de pan.

—Brujería y artes de Satanás —contestó el segundo.

Pasaban cerca de la huerta, y se les ocurrió asomarse a la
tapia. La huerta estaba cuajada de frutos. Bajo los árboles,
y entre los rosales, divisaron un hombre encorvado hacia la
tierra.

—Mírale —dijo el mayor—. Hasta de noche trabaja.

—¡Eh, Miguel! —le gritaron.

Pero el hombre aquel no volvía la cara. Seguía trabajando
en la tierra, cortando ramas o arrancando hierbas. Los dos
atónitos borrachos achacaron al vino, que les aborrascaba la
cabeza, el cerco de luz que parecía rodear la figura del hortelano. Después, el hombre se levantó y avanzó hacia ellos
sin mirarles, como si buscase otro rincón del huerto para seguir trabajando. Aquel hombre tenía el rostro del viejo la-

brador. ¡De la laguna sin fondo había salido Alvargonzález para labrar el huerto de Miguel!

Al día siguiente, ambos hermanos recordaban haber bebido mucho vino y visto cosas raras en su borrachera. Y siguieron gastando su dinero hasta perder la última moneda. Miguel labraba sus tierras, y Dios le colmaba de riqueza.

Los mayores volvieron a sentir en sus venas la sangre de Caín, y el recuerdo del crimen, les azuzaba al crimen.

Decidieron matar a su hermano, y así lo hicieron.

Ahogáronle en la presa del molino, y una mañana apareció flotando sobre el agua.

Los malvados lloraron aquella muerte con lágrimas fingidas, para alejar sospechas en la aldea donde nadie los quería. No faltaba quien los acusase del crimen en voz baja, aunque ninguno osó llevar pruebas a la justicia.

Y otra vez volvió a los malvados la tierra de Alvargonzález.

Y el primer año tuvieron abundancia porque cosecharon la labor de Miguel; pero al segundo, la tierra se empobreció.

Un día seguía el mayor encorvado sobre la reja del arado, que abría penosamente un surco en la tierra. Cuando volvió los ojos, reparó que la tierra se cerraba y el surco desaparecía.

Su hermano cavaba en la huerta, donde sólo medraban las malas hierbas, y vio que de la tierra brotaba sangre. Apoyado en la azada contemplaba la huerta, y un frío sudor corría por su frente.

Otro día, los hijos de Alvargonzález tomaron silenciosos el camino de la Laguna Negra.

Cuando caía la tarde, cruzaban por entre las hayas y los pinos.

Dos lobos se asomaron a verles; huyeron espantados.

—¡Padre! —gritaron—. Y cuando en los huecos de las rocas el eco repetía: ¡Padre! ¡Padre! ¡Padre!, ya se los había tragado el agua de la laguna sin fondo.

CXIV

LA TIERRA DE ALVARGONZÁLEZ

Al poeta Juan Ramón Jiménez.

I

Siendo mozo Alvargonzález,
dueño de mediana hacienda,
que en otras tierras se dice
bienestar y aquí, opulencia,
en la feria de Berlanga
prendóse de una doncella,
y la tomó por mujer
al año de conocerla.
Muy ricas las bodas fueron
y quien las vio las recuerda;
sonadas las tornabodas
que hizo Alvar en su aldea;
hubo gaitas, tamboriles,
flauta, bandurria y vihuela,
fuegos a la valenciana
y danza a la aragonesa.

II

Feliz vivió Alvargonzález
en el amor de su tierra.
Naciéronle tres varones,
que en el campo son riqueza,
y, ya crecidos, los puso,
uno a cultivar la huerta,
otro a cuidar los merinos,
y dio el menor a la Iglesia.

III

Mucha sangre de Caín
tiene la gente labriega,

y en el hogar campesino
armó la envidia pelea.
    Casáronse los mayores;
tuvo Alvargonzález nueras,
que le trajeron cizaña,
antes que nietos le dieran.
    La codicia de los campos
ve tras la muerte la herencia;
no goza de lo que tiene
por ansia de lo que espera.
    El menor, que a los latines
prefería las doncellas
hermosas y no gustaba
de vestir por la cabeza,
colgó la sotana un día
y partió a lejanas tierras.
La madre lloró, y el padre
diole bendición y herencia.

                          IV

    Alvargonzález ya tiene
la adusta frente arrugada,
por la barba le platea
la sombra azul de la cara.
    Una mañana de otoño
salió solo de su casa;
no llevaba sus lebreles,
agudos canes de caza;
    iba triste y pensativo
por la alameda dorada;
anduvo largo camino
y llegó a una fuente clara.
    Echóse en la tierra; puso
sobre una piedra la manta,
y a la vera de la fuente
durmió al arrullo del agua.

EL SUEÑO

I

Y Alvargonzález veía,
como Jacob, una escala
que iba de la tierra al cielo,
y oyó una voz que le hablaba.
Mas las hadas hilanderas,
entre las vedijas blancas
y vellones de oro, han puesto
un mechón de negra lana.

II

Tres niños están jugando
a la puerta de su casa;
entre los mayores brinca
un cuervo de negras alas.
La mujer vigila, cose
y, a ratos, sonríe y canta.
—Hijos, ¿qué hacéis? —les pregunta.
Ellos se miran y callan.
    —Subid al monte, hijos míos,
y antes que la noche caiga,
con un brazado de estepas
hacedme una buena llama.

III

Sobre el lar de Alvargonzález
está la leña apilada;
el mayor quiere encenderla,
pero no brota la llama.
—Padre, la hoguera no prende,
está la estepa mojada.
    Su hermano viene a ayudarle
y arroja astillas y ramas
sobre los troncos de roble;
pero el rescoldo se apaga.

Acude el menor, y enciende,
bajo la negra campana
de la cocina, una hoguera
que alumbra toda la casa.

IV

Alvargonzález levanta
en brazos al más pequeño
y en sus rodillas lo sienta;
—Tus manos hacen el fuego;
aunque el último naciste
tú eres en mi amor primero.
Los dos mayores se alejan
por los rincones del sueño.
Entre los dos fugitivos
reluce un hacha de hierro.

AQUELLA TARDE...

I

Sobre los campos desnudos,
la luna llena manchada
de un arrebol purpurino,
enorme globo, asomaba.
Los hijos de Alvargonzález
silenciosos caminaban,
y han visto al padre dormido
junto de la fuente clara.

II

Tiene el padre entre las cejas
un ceño que le aborrasca
el rostro, un tachón sombrío
como la huella de un hacha.

Soñando está con sus hijos,
que sus hijos lo apuñalan;
y cuando despierta mira
que es cierto lo que soñaba.

III

A la vera de la fuente
quedó Alvargonzález muerto.
Tiene cuatro puñaladas
entre el costado y el pecho,
por donde la sangre brota,
más un hachazo en el cuello.
Cuenta la hazaña del campo
el agua clara corriendo,
mientras los dos asesinos
huyen hacia los hayedos.
Hasta la Laguna Negra,
bajo las fuentes del Duero,
llevan el muerto, dejando
detrás un rastro sangriento [38];
y en la laguna sin fondo,
que guarda bien los secretos,
con una piedra amarrada
a los pies, tumba le dieron.

IV

Se encontró junto a la fuente
la manta de Alvargonzález,
y, camino del hayedo,
se vio un reguero de sangre.
Nadie de la aldea ha osado
a la laguna acercarse,
y el sondarla inútil fuera,
que es la laguna insondable.

---

[38] Macrì (pág. 1170) trae los versos de otra redacción:

de fresca sangre un reguero
tras de sus pasos que hostiga
con sus espuelas el miedo.

Un buhonero, que cruzaba
aquellas tierras errante,
fue en Dauria acusado, preso
y muerto en garrote infame.

V

Pasados algunos meses,
la madre murió de pena.
Los que muerta la encontraron
dicen que las manos yertas
sobre su rostro tenía,
oculto el rostro con ellas.

VI

Los hijos de Alvargonzález
ya tienen majada y huerta,
campos de trigo y centeno
y prados de fina hierba;
en el olmo viejo, hendido
por el rayo [39], la colmena,
dos yuntas para el arado,
un mastín y mil ovejas.

OTROS DÍAS

I

Ya están las zarzas floridas
y los ciruelos blanquean;
ya las abejas doradas
liban para sus colmenas,
y en los nidos, que coronan
las torres de las iglesias,

---

[39]   Vid. el comienzo del poema CXV.

asoman los garabatos
ganchudos de las cigüeñas.
Ya los olmos del camino
y chopos de las riberas
de los arroyos, que buscan
al padre Duero, verdean.
El cielo está azul, los montes
sin nieve son de violeta.
La tierra de Alvargonzález
se colmará de riqueza;
muerto está quien la ha labrado,
mas no le cubre la tierra.

II

La hermosa tierra de España [40]
adusta, fina y guerrera
Castilla, de largos ríos,
tiene un puñado de sierras
entre Soria y Burgos como
reductos de fortaleza,
como yelmos crestonados,
y Urbión es una cimera.

III

Los hijos de Alvargonzález,
por una empinada senda,
para tomar el camino
de Salduero a Covaleda,
cabalgan en pardas mulas,
bajo el pinar de Vinuesa.
Van en busca de ganado
con que volver a su aldea,
y por tierra de pinares
larga jornada comienzan.

---

[40] El mismo sintagma en el número IX.

Van Duero arriba, dejando
atrás los arcos de piedra
del puente y el caserío
de la ociosa y opulenta
villa de indianos. El río,
al fondo del valle, suena,
y de las cabalgaduras
los cascos baten las piedras.
A la otra orilla del Duero
canta una voz lastimera:
"La tierra de Alvargonzález
se colmará de riqueza,
y el que la tierra ha labrado
no duerme bajo la tierra."

IV

Llegados son a un paraje
en donde el pinar se espesa,
y el mayor, que abre la marcha,
su parda mula espolea,
diciendo: —Démonos prisa;
porque son más de dos leguas
de pinar y hay que apurarlas
antes que la noche venga.
Dos hijos del campo, hechos
a quebradas y asperezas,
porque recuerdan un día
la tarde en el monte tiemblan.
Allá en lo espeso del bosque
otra vez la copla suena:
"La tierra de Alvargonzález
se colmará de riqueza,
y el que la tierra ha labrado
no duerme bajo la tierra."

V

Desde Salduero el camino
va al hilo de la ribera;

a ambas márgenes del río
el pinar crece y se eleva,
y las rocas se aborrascan,
al par que el valle se estrecha.
Los fuertes pinos del bosque
con sus copas gigantescas
y sus desnudas raíces
amarradas a las piedras;
los de troncos plateados
cuyas frondas azulean,
pinos jóvenes; los viejos,
cubiertos de blanca lepra,
musgos y líquenes canos
que el grueso tronco rodean,
colman el valle y se pierden
rebasando ambas laderas
Juan, el mayor, dice: —Hermano,
si Blas Antonio apacienta
cerca de Urbión su vacada,
largo camino nos queda.

—Cuando hacia Urbión alarguemos
se puede acortar de vuelta,
tomando por el atajo,
hacia la Laguna Negra
y bajando por el puerto
de Santa Inés a Vinuesa.

—Mala tierra y peor camino.
Te juro que no quisiera
verlos otra vez. Cerremos
los tratos en Covaleda;
hagamos noche y, al alba,
volvámonos a la aldea
por este valle, que, a veces,
quien piensa atajar rodea.
   Cerca del río cabalgan
los hermanos, y contemplan
cómo el bosque centenario,
al par que avanzan, aumenta,
y la roqueda del monte
el horizonte les cierra.
El agua, que va saltando,

parece que canta o cuenta:
"La tierra de Alvargonzález
se colmará de riqueza,
y el que la tierra ha labrado
no duerme bajo la tierra."

CASTIGO

I

Aunque la codicia tiene
redil que encierre la oveja,
trojes que guarden el trigo,
bolsas para la moneda,
y garras, no tiene manos
que sepan labrar la tierra.
Así, a un año de abundancia
siguió un año de pobreza.

II

En los sembrados crecieron
las amapolas sangrientas;
pudrió el tizón las espigas
de trigales y de avenas;
hielos tardíos mataron
en flor la fruta en la huerta,
y una mala hechicería
hizo enfermar las ovejas.
A los dos Alvargonzález
maldijo Dios en sus tierras,
y al año pobre siguieron
largos años de miseria.

III

Es una noche de invierno.
Cae la nieve en remolinos.
Los Alvargonzález velan
un fuego casi extinguido.

El pensamiento amarrado
tienen a un recuerdo mismo,
y en las ascuas mortecinas
del hogar los ojos fijos.
No tienen leña ni sueño.
Larga es la noche y el frío
arrecia. Un candil humea [41]
en el muro ennegrecido.
El aire agita la llama,
que pone un fulgor rojizo
sobre las dos pensativas [42]
testas de los asesinos.
El mayor de Alvargonzález,
lanzando un ronco suspiro,
rompe el silencio, exclamando:
—Hermano, ¡qué mal hicimos!
El viento la puerta bate
hace temblar el postigo,
y suena en la chimenea
con hueco y largo bramido.
Después, el silencio vuelve,
y a intervalos el pabilo
del candil chisporrotea
en el aire aterecido.
El segundo dijo: —Hermano,
¡demos lo viejo al olvido!

EL VIAJERO

I

Es una noche de invierno.
Azota el viento las ramas
de los álamos. La nieve
ha puesto la tierra blanca.

---

[41] En *Poesías completas*, 1.ª edic.:

> Larga es la noche y el frío
> mucho. Un candilejo humea...

[42] En *Poesías completas*, 1.ª edic.:

> sobre entrambas pensativas...

Bajo la nevada, un hombre
por el camino cabalga;
va cubierto hasta los ojos,
embozado en negra capa [43].
Entrado en la aldea, busca
de Alvargonzález la casa,
y ante su puerta llegado,
sin echar pie a tierra, llama.

II

Los dos hermanos oyeron
una aldabada a la puerta,
y de una cabalgadura
los cascos sobre las piedras.
Ambos los ojos alzaron
llenos de espanto y sorpresa.
—¿Quién es? Responda —gritaron.
—Miguel —respondieron fuera.
Era la voz del viajero
que partió a lejanas tierras.

III

Abierto el portón, entróse
a caballo el caballero
y echó pie a tierra. Venía
todo de nieve cubierto.
En brazos de sus hermanos
lloró algún rato en silencio.
Después dio el caballo al uno,
al otro, capa y sombrero,
y en la estancia campesina
buscó el arrimo del fuego.

---

[43]   En *Poesías completas*, 1.ª edic.:

           embozado en luenga capa.

IV

El menor de los hermanos,
que niño y aventurero
fue más allá de los mares
y hoy torna indiano opulento,
vestía con negro traje
de peludo terciopelo,
ajustado a la cintura
por ancho cinto de cuero.
Gruesa cadena formaba
un bucle de oro en su pecho.
Era un hombre alto y robusto,
con ojos grandes y negros
llenos de melancolía;
la tez de color moreno,
y sobre la frente comba
enmarañados cabellos;
el hijo que saca porte
señor de padre labriego,
a quien fortuna le debe
amor, poder y dinero.
De los tres Alvargonzález
era Miguel el más bello;
porque al mayor afeaba
el muy poblado entrecejo
bajo la frente mezquina,
y al segundo, los inquietos
ojos que mirar no saben
de frente, torvos y fieros.

V

Los tres hermanos contemplan
el triste hogar en silencio;
y con la noche cerrada
arrecia el frío y el viento.
—Hermanos, ¿no tenéis leña?
—dice Miguel.
                        —No tenemos
—responde el mayor.

                              Un hombre,
milagrosamente, ha abierto
la gruesa puerta cerrada
con doble barra de hierro.
El hombre que ha entrado tiene
el rostro del padre muerto.
Un halo de luz dorada
orla sus blancos cabellos.
Lleva un haz de leña al hombro
y empuña un hacha de hierro.

EL INDIANO

I

    De aquellos campos malditos,
Miguel a sus dos hermanos
compró una parte, que mucho
caudal de América trajo,
y aun en tierra mala, el oro
luce mejor que enterrado,
y más en mano de pobres
que oculto en orza de barro.
    Diose a trabajar la tierra
con fe y tesón el indiano,
y a laborar los mayores
sus pegujales tornaron.
    Ya con macizas espigas,
preñadas de rubios granos,
a los campos de Miguel
tornó el fecundo verano;
y ya de aldea en aldea
se cuenta como un milagro,
que los asesinos tienen
la maldición en sus campos.
    Ya el pueblo canta una copla
que narra el crimen pasado:
"A la orilla de la fuente
lo asesinaron.

¡Qué mala muerte le dieron
los hijos malos!
En la laguna sin fondo
al padre muerto arrojaron.
No duerme bajo la tierra
el que la tierra ha labrado."

II

Miguel, con sus dos lebreles
y armado de su escopeta,
hacia el azul de los montes,
en una tarde serena,
caminaba entre los verdes
chopos de la carretera,
y oyó una voz que cantaba:
"No tiene tumba en la tierra.
Entre los pinos del valle
del Revinuesa,
al padre muerto llevaron
hasta la Laguna Negra."

LA CASA

I

La casa de Alvargonzález
era una casona vieja,
con cuatro estrechas ventanas,
separada de la aldea
cien pasos y entre dos olmos
que, gigantes centinelas,
sombra le dan en verano,
y en el otoño hojas secas.
Es casa de labradores,
gente aunque rica plebeya,
donde el hogar humeante
con sus escaños de piedra
se ve sin entrar, si tiene
abierta al campo la puerta.

Al arrimo del rescoldo
del hogar borbollonean
dos pucherillos de barro,
que a dos familias sustentan.
     A diestra mano, la cuadra
y el corral; a la siniestra,
huerto y abejar, y, al fondo,
una gastada escalera,
que va a las habitaciones
partidas en dos viviendas.
     Los Alvargonzález moran
con sus mujeres en ellas.
A ambas parejas que hubieron,
sin que lograrse pudieran,
dos hijos, sobrado espacio
les da la casa paterna.
     En una estancia que tiene
luz al huerto, hay una mesa
con gruesa tabla de roble,
dos sillones de vaqueta,
colgado en el muro, un negro
ábaco de enormes cuentas,
y unas espuelas mohosas
sobre un arcón de madera.
     Era una estancia olvidada
donde hoy Miguel se aposenta.
Y era allí donde los padres
veían en primavera
el huerto en flor, y en el cielo
de mayo, azul, la cigüeña
—cuando las rosas se abren
y los zarzales blanquean—
que enseñaba a sus hijuelos
a usar de las alas lentas [44].
     Y en las noches del verano,

---

[44]   La versión definitiva suprimió las cuatro versos que seguían a éste:

              la monótona tijera
              de la cigarra escucharon
              y el son del agua en la acequia;
              o en las noches de bochorno
                         (Macrì, pág. 1170).

cuando la calor desvela,
desde la ventana al dulce
ruiseñor cantar oyeran.

Fue allí donde Alvargonzález,
del orgullo de su huerta
y del amor a los suyos,
sacó sueños de grandeza.

Cuando en brazos de la madre
vio la figura risueña
del primer hijo, bruñida
de rubio sol la cabeza,
del niño que levantaba
las codiciosas, pequeñas
manos a las rojas guindas
y a las moradas ciruelas,
o aquella tarde de otoño,
dorada, plácida y buena,
él pensó que ser podría
feliz el hombre en la tierra.

Hoy canta el pueblo una copla
que va de aldea en aldea:
"¡Oh casa de Alvargonzález,
qué malos días te esperan;
casa de los asesinos,
que nadie llame a tu puerta!"

II

Es una tarde de otoño.
En la alameda dorada
no quedan ya ruiseñores;
enmudeció la cigarra.

Las últimas golondrinas,
que no emprendieron la marcha,
morirán, y las cigüeñas
de sus nidos de retamas,
en torres y campanarios,
huyeron.
            Sobre la casa
de Alvargonzález, los olmos

sus hojas que el viento arranca
van dejando. Todavía
las tres redondas acacias,
en el atrio de la iglesia [45],
conservan verdes sus ramas,
y las castañas de Indias
a intervalos se desgajan
cubiertas de sus erizos;
tiene el rosal rosas grana
otra vez, y en las praderas
brilla la alegre otoñada.

En laderas y en alcores,
en ribazos y en cañadas [46],
el verde nuevo y la hierba,
aún del estío quemada,
alternan; los serrijones
pelados, las lomas calvas,
se coronan de plomizas
nubes apelotonadas;
y bajo el pinar gigante,
entre las marchitas zarzas
y amarillentos helechos,
corren las crecidas aguas
a engrosar el padre río
por canchales y barrancas.

Abunda en la tierra un gris
de plomo y azul de plata,
con manchas de roja herrumbre,
todo envuelto en luz violada.

¡Oh tierras de Alvargonzález,
en el corazón de España,
tierras pobres, tierras tristes,
tan tristes que tienen alma!

Páramo que cruza el lobo
aullando a la luna clara

---

[45]   En *Poesías completas*, 1.ª edic.:
                   frente al atrio de la iglesia...
En *Páginas escogidas:*
                   frente al atrio de la iglesia...
[46]   En *Páginas escogidas*, para más eufonía:
                   en ribazos y cañadas.

de bosque a bosque, baldíos
llenos de peñas rodadas,
donde roída de buitres
brilla una osamenta blanca;
pobres campos solitarios
sin caminos ni posadas,
¡oh pobres campos malditos,
pobres campos de mi patria!

LA TIERRA

I

Una mañana de otoño,
cuando la tierra se labra,
Juan y el indiano aparejan
las dos yuntas de la casa.
Martín se quedó en el huerto
arrancando hierbas malas.

II

Una mañana de otoño,
cuando los campos se aran,
sobre un otero, que tiene
el cielo de la mañana
por fondo, la parda yunta
de Juan lentamente avanza.
Cardos, lampazos y abrojos,
avena loca y cizaña,
llenan la tierra maldita,
tenaz a pico y a escarda.
Del corvo arado de roble
la hundida reja trabaja
con vano esfuerzo; parece,
que al par que hiende la entraña
del campo y hace camino
se cierra otra vez la zanja.
"Cuando el asesino labre
será su labor pesada;

antes que un surco en la tierra,
tendrá una arruga en su cara."

III

Martín, que estaba en la huerta
cavando, sobre su azada
quedó apoyado un momento;
frío sudor le bañaba
el rostro.
        Por el Oriente,
la luna llena, manchada
de un arrebol purpurino,
lucía tras de la tapia
del huerto.
        Martín tenía
la sangre de horror helada.
La azada que hundió en la tierra
teñida de sangre estaba.

IV

En la tierra en que ha nacido
supo afincar el indiano;
por mujer a una doncella
rica y hermosa ha tomado.
La hacienda de Alvargonzález
ya es suya, que sus hermanos
todo le vendieron: casa,
huerto, colmenar y campo.

LOS ASESINOS

I

Juan y Martín, los mayores
de Alvargonzález, un día
pesada marcha emprendieron
con el alba, Duero arriba.

La estrella de la mañana
en el alto azul ardía.
Se iba tiñendo de rosa
la espesa y blanca neblina
de los valles y barrancos,
y algunas nubes plomizas
a Urbión, donde el Duero nace,
como un turbante ponían.
  Se acercaban a la fuente.
El agua clara corría,
sonando cual si contara
una vieja historia, dicha
mil veces y que tuviera
mil veces que repetirla.
  Agua que corre en el campo
dice en su monotonía:
Yo sé el crimen, ¿no es un crimen,
cerca del agua, la vida?
  Al pasar los dos hermanos
relataba el agua limpia:
"A la vera de la fuente
Alvargonzález dormía."

                    II

  —Anoche, cuando volvía
a casa —Juan a su hermano
dijo—, a la luz de la luna
era la huerta un milagro.
  Lejos, entre los rosales,
divisé un hombre inclinado
hacia la tierra; brillaba
una hoz de plata en su mano [47].
  Después irguióse y, volviendo
el rostro, dio algunos pasos
por el huerto, sin mirarme,

---

[47] En otra versión siguen estos versos:

Grité: —"¡Miguel!" Aquel hombre
siguió absorto en su trabajo.
                    (Macrì, pág. 1171).

y a poco lo vi encorvado
otra vez sobre la tierra.
Tenía el cabello blanco.
La luz llena brillaba,
y era la huerta un milagro.

III

Pasado habían el puerto
de Santa Inés, ya mediada
la tarde, una tarde triste
de noviembre, fría y parda.
Hacia la Laguna Negra
silenciosos caminaban.

IV

Cuando la tarde caía,
entre las vetustas hayas,
y los pinos centenarios,
un rojo sol se filtraba.
Era un paraje de bosque
y peñas aborrascadas;
aquí bocas que bostezan
o monstruos de fierras garras;
allí una informe joroba,
allá una grotesca panza,
torvos hocicos de fieras
y dentaduras melladas,
rocas y rocas, y troncos
y troncos, ramas y ramas.
En el hondón del barranco
la noche, el miedo y el agua.

V

Un lobo surgió, sus ojos
lucían como dos ascuas.
Era la noche, una noche
húmeda, oscura y cerrada.

Los dos hermanos quisieron
volver. La selva ululaba.
Cien ojos fieros ardían
en la selva, a sus espaldas.

VI

Llegaron los asesinos
hasta la Laguna Negra,
agua transparente y muda
que enorme muro de piedra,
donde los buitres anidan
y el eco duerme, rodea;
agua clara donde beben
las águilas de la sierra,
donde el jabalí del monte
y el ciervo y el corzo abrevan;
agua pura y silenciosa
que copia cosas eternas;
agua impasible que guarda
en su seno las estrellas.
¡Padre!, gritaron; al fondo
de la laguna serena
cayeron, y el eco ¡padre!
repitió de peña en peña.

CXV

A UN OLMO SECO

Al olmo viejo, hendido por el rayo
y en su mitad podrido,
con las lluvias de abril y el sol de mayo,
algunas hojas verdes le han salido.
¡El olmo centenario en la colina
que lame el Duero! Un musgo amarillento
le mancha la corteza blanquecina
al tronco carcomido y polvoriento.

No será, cual los álamos cantores
que guardan el camino y la ribera,
habitado de pardos ruiseñores.
    Ejército de hormigas en hilera
va trepando por él, y en sus entrañas
urden sus telas grises las arañas.
    Antes que te derribe, olmo del Duero,
con su hacha el leñador, y el carpintero
te convierta en melena de campana,
lanza de carro o yugo de carreta;
antes que rojo en el hogar, mañana,
ardas de alguna mísera caseta,
al borde de un camino;
antes que te descuaje un torbellino
y tronche el soplo de las sierras blancas;
antes que el río hasta la mar te empuje
por valles y barrancas,
olmo, quiero anotar en mi cartera
la gracia de tu rama verdecida.
Mi corazón espera
también, hacia la luz y hacia la vida,
otro milagro de la primavera.

Soria, 1912.

CXVI

RECUERDOS

Oh Soria, cuando miro los frescos naranjales
cargados de perfume, y el campo enverdecido,
abiertos los jazmines, maduros los trigales,
azules las montañas y el olivar florido;
Guadalquivir corriendo al mar entre vergeles;
y al sol de abril los huertos colmados de azucenas,
y los enjambres de oro, para libar sus mieles
dispersos en los campos, huir de sus colmenas;
yo sé la encina roja crujiendo en tus hogares,
barriendo el cierzo helado tu campo empedernido;
y en sierras agrias sueño —¡Urbión, sobre pinares!

¡Moncayo blanco, al cielo aragonés, erguido!—
Y pienso: Primavera, como un escalofrío
irá a cruzar el alto solar del romancero,
ya verdearán de chopos las márgenes del río.
¿Dará sus verdes hojas el olmo aquel del Duero? [48].
Tendrán los campanarios de Soria sus cigüeñas,
y la roqueda parda más de un zarzal en flor;
ya los rebaños blancos, por entre grises peñas,
hacia los altos prados conducirá el pastor.
¡Oh, en el azul, vosotras, viajeras golondrinas
que vais al joven Duero, rebaños de merinos [49],
con rumbo hacia las altas praderas numantinas,
por las cañadas hondas y al sol de los caminos [50];
hayedos y pinares que cruza el ágil ciervo,
montañas, serrijones, lomazos, parameras,
en donde reina el águila, por donde busca el cuervo
su infecto expoliario; menudas sementeras
cual sayos cenicientos, casetas y majadas
entre desnuda roca, arroyos y hontanares
donde a la tarde beben las yuntas fatigadas,
dispersos huertecillos, humildes abejares!...
¡Adiós, tierra de Soria; adiós el alto llano
cercado de colinas y crestas militares,
alcores y roquedas del yermo castellano,
fantasmas de robledos y sombras de encinares!
    En la desesperanza y en la melancolía
de tu recuerdo, Soria, mi corazón se abreva.
Tierra de alma, toda, hacia la tierra mía,
por los floridos valles, mi corazón te lleva.

                                        En el tren, abril, 1913 [51].

---

[48] Vid. poema precedente.
[49] En *Poesías completas*, 1.ª edic.:

            que vais al joven Duero, zagales y merinos...

[50] En *Poesías completas*, 1.ª edic.:

            por mestas y cañadas, veredas y caminos...

[51] Se dató en otras ediciones en 1912, pero Leonor murió el 1.º de agosto
de 1912; por tanto, este poema de *recuerdos* debe ser posterior a ese año,
cuando el poeta ya había vuelto a Andalucía (vid. Macrì, pág. 1191).

CXVII

AL MAESTRO "AZORÍN" POR SU LIBRO
CASTILLA

La venta de Cidones está en la carretera
que va de Soria a Burgos. Leonarda, la ventera,
que llaman la Ruipérez, es una viejecita
que aviva el fuego donde borbolla la marmita.
Ruipérez, el ventero, un viejo diminuto
—bajo las cejas grises, dos ojos de hombre astuto—,
contempla silencioso la lumbre del hogar.
Se oye la marmita al fuego borbollar.
Sentado ante una mesa de pino, un caballero
escribe. Cuando moja la pluma en el tintero,
dos ojos tristes lucen en un semblante enjuto.
El caballero es joven, vestido va de luto.
El viento frío azota los chopos del camino.
Se ve pasar de polvo un blanco remolino.
La tarde se va haciendo sombría. El enlutado,
la mano en la mejilla, medita ensimismado.
Cuando el correo llegue, que el caballero aguarda,
la tarde habrá caído sobre la tierra parda
de Soria. Todavía los grises serrijones,
con ruina de encinares y mellas de aluviones,
las lomas azuladas, las agrias barranqueras,
picotas y colinas, ribazos y laderas
del páramo sombrío por donde cruza el Duero,
darán al sol de ocaso su resplandor de acero.
La venta se oscurece. El rojo lar humea.
La mecha de un mohoso candil arde y chispea.
El enlutado tiene clavado en el fuego
los ojos largo rato; se los enjuga luego
con un pañuelo blanco. ¿Por qué le hará llorar
el son de la marmita, el ascua del hogar?
Cerró la noche. Lejos se escucha el traqueteo
y el galopar de un coche que avanza. Es el correo [52].

---

[52] Sobre este hermoso texto, vid. M. Alvar, *Presentación del 98*, en *De Galdós a Miguel Ángel Asturias*. Madrid, 1976, págs. 41-45.

CXVIII

CAMINOS

De la ciudad moruna
tras las murallas viejas,
yo contemplo la tarde silenciosa,
a solas con mi sombra y con mi pena.
    El río va corriendo,
entre sombrías huertas
y grises olivares,
por los alegres campos de Baeza [53].
    Tienen las vides pámpanos dorados
sobre las rojas cepas.
Guadalquivir, como un alfanje roto
y disperso, reluce y espejea.
    Lejos, los montes duermen
envueltos en la niebla,
niebla de otoño, maternal; descansan
las rudas moles de su ser de piedra
en esta tibia tarde de noviembre,
tarde piadosa, cárdena y violeta.
    El viento ha sacudido
los mustios olmos de la carretera,
levantando en rosados torbellinos
el polvo de la tierra.
La luna está subiendo
amoratada, jadeante y llena.
    Los caminitos blancos
se cruzan y se alejan,
buscando los dispersos caseríos
del valle y de la sierra.

---

[53] Macrì (pág. 1192) señala la interpolación, en una edición de *La Lectura*, de los versos siguientes:

> La vega está bordada de olivares
> y surcada de pardas sementeras.
> [...]
> Aguardaré la hora
> en que la noche cierra
> para volver por el camino blanco
> llorando a la ciudad sin que me vean.

Caminos de los campos...
¡Ay, ya, no puedo caminar con ella!

[Noviembre 1913.]

CXIX

Señor, ya me arrancaste lo que yo más quería.
Oye otra vez, Dios mío, mi corazón clamar.
Tu voluntad se hizo, Señor, contra la mía.
Señor, ya estamos solos mi corazón y el mar.

CXX

Dice la esperanza: un día
la verás, si bien esperas.
Dice la desesperanza:
sólo tu amargura es ella.
Late, corazón... No todo [54]
se lo ha tragado la tierra.

CXXI

Allá, en las tierras altas,
por donde traza el Duero [55]
su curva de ballesta
en torno a Soria, entre plomizos cerros
y manchas de raídos encinares,
mi corazón está vagando, en sueños...
¿No ves, Leonor, los álamos del río
con sus ramajes yertos?
Mira el Moncayo azul y blanco; dame
tu mano y paseemos.

---

[54]   Es adaptación —y no la única que hace Machado— del *Non omnis moriar* horaciano (*Odas*, III, 30,6).

[55]   Éste y los dos versos siguientes están en el texto CXIII, § VII (páginas 152, 172 y 174).

Por estos campos de la tierra mía,
bordados de olivares polvorientos,
voy caminando solo,
triste, cansado, pensativo y viejo.

CXXII

Soñé que tú me llevabas
por una blanca vereda,
en medio del campo verde,
hacia el azul de las sierras,
hacia los montes azules,
una mañana serena.
Sentí tu mano en la mía,
tu mano de compañera,
tu voz de niña en mi oído
como una campana nueva,
como una campana virgen
de un alba de primavera.
¡Eran tu voz y tu mano,
en sueños, tan verdaderas! ...
Vive, esperanza, ¡quién sabe
lo que se traga la tierra! [56].

CXXIII

Una noche de verano
—estaba abierto el balcón
y la puerta de mi casa—
la muerte en mi casa entró.
Se fue acercando a su lecho
—ni siquiera me miró—,
con unos dedos muy finos,
algo muy tenue rompió.
Silenciosa y sin mirarme,
la muerte otra vez pasó
delante de mí. ¿Qué has hecho?

---

[56]   Cfr. número CXX.

La muerte no respondió.
Mi niña quedó tranquila,
dolido mi corazón.
¡Ay, lo que la muerte ha roto
era un hilo entre los dos!

CXXIV

Al borrarse la nieve, se alejaron
los montes de la sierra.
la vega ha verdecido
al sol de abril, la vega
tiene la verde llama,
la vida, que no pesa;
y piensa el alma en una mariposa,
atlas del mundo, y sueña.
Con el ciruelo en flor y el campo verde,
con el glauco vapor de la ribera,
en torno de las ramas,
con las primeras zarzas que blanquean,
con este dulce soplo
que triunfa de la muerte y de la piedra,
esta amargura que me ahoga fluye
en esperanza de Ella...

CXXV

En estos campos de la tierra mía,
y extranjero en los campos de mi tierra
—yo tuve patria donde corre el Duero
por entre grises peñas,
y fantasmas de viejos encinares,
allá en Castilla, mística y guerrera,
Castilla la gentil, humilde y brava,
Castilla del desdén y de la fuerza—,
en estos campos de mi Andalucía,
¡oh tierra en que nací!, cantar quisiera.
Tengo recuerdos de mi infancia, tengo
imágenes de luz y de palmeras,

y en una gloria de oro,
de lueñes campanarios con cigüeñas,
de ciudades con calles sin mujeres
bajo un cielo de añil, plazas desiertas
donde crecen naranjos encendidos
con sus frutas redondas y bermejas;
y en un huerto sombrío, el limonero
de ramas polvorientas
y pálidos limones amarillos,
que el agua clara de la fuente espeja,
un aroma de nardos y claveles
y un fuerte olor de albahaca y hierbabuena,
imágenes de grises olivares
bajo un tórrido sol que aturde y ciega,
y azules y dispersas serranías
con arreboles de una tarde inmensa;
mas falta el hilo que el recuerdo anuda
al corazón, el ancla en su ribera,
o estas memorias no son alma. Tienen,
en sus abigarradas vestimentas,
señal de ser despojos del recuerdo,
la carga bruta que el recuerdo lleva.
Un día tornarán, con luz del fondo ungidos,
los cuerpos virginales a la orilla vieja.

Lora del Río. 4 de abril de 1913.

CXXVI

A JOSÉ MARÍA PALACIO [57]

Palacio, buen amigo,
¿está la primavera
vistiendo ya las ramas de los chopos
del río y los caminos? En la estepa
del alto Duero, Primavera tarda,
¡pero es tan bella y dulce cuando llega!...

---

[57] Cfr. Ricardo Senabre, *Amor y muerte en Antonio Machado. El poema «A José María Palacio»* («Cuadernos Hispanoamericanos», 303-307, 1975, págs. 944-971, y bibliografía que se aduce).

¿Tienen los viejos olmos
algunas hojas nuevas?
Aún las acacias estarán desnudas
y nevados los montes de las sierras.
¡Oh mole del Moncayo blanca y rosa,
allá, en el cielo de Aragón, tan bella!
¿Hay zarzas florecidas
entre las grises peñas,
y blancas margaritas
entre la fina hierba?
Por esos campanarios
ya habrán ido llegando las cigüeñas.
Habrá trigales verdes,
y mulas pardas en las sementeras,
y labriegos que siembran los tardíos
con la lluvias de abril. Ya las abejas
libarán del tomillo y el romero.
¿Hay ciruelos en flor? ¿Quedan violetas?
Furtivos cazadores, los reclamos
de la perdiz bajo las capas luengas,
no faltarán. Palacio, buen amigo,
¿tienen ya ruiseñores las riberas?
Con los primeros lirios
y las primeras rosas de las huertas,
en una tarde azul, sube al Espino,
al alto Espino donde está su tierra...

Baeza, 29 de abril de 1913 [58].

CXXVII

OTRO VIAJE

Ya en los campos de Jaén,
amanece. Corre el tren
por sus brillantes rieles,
devorando matorrales,
alcaceles,
terraplenes, pedregales,

---

[58]   En *Poesías completas*, 1.ª edic., marzo.

olivares, caseríos,
praderas y cardizales,
montes y valles sombríos.
Tras la turbia ventanilla,
pasa la devanadera
del campo de primavera.
La luz en el techo brilla
de mi vagón de tercera.
Entre nubarrones blancos,
oro y grana [59];
la niebla de la mañana
huyendo por los barrancos.
¡Este insomne sueño mío!
¡Este frío
de un amanecer en vela!...
Resonante,
jadeante,
marcha el tren. El campo vuela.
Enfrente de mí, un señor
sobre su manta dormido;
un fraile y un cazador
—el perro a sus pies tendido—.
Yo contemplo mi equipaje,
ni viejo saco de cuero;
y recuerdo otro viaje
hacia las tierras del Duero.
Otro viaje de ayer
por la tierra castellana
—¡pinos del amanecer
entre Almazán y Quintana!—
¡Y alegría
de un viajar en compañía!
¡Y la unión
que ha roto la muerte un día!
¡Mano fría
que aprietas mi corazón!

---

[59] En *Poesías completas*, 1.ª edic., punto en vez de punto y coma. Este poema se titulaba *Viaje* en *Páginas escogidas* y estaba dedicado "A D. Julio Cejador". Sobre la dedicatoria y sus alteraciones me ocupo en las páginas 56-62 del prólogo.

Tren, camina, silba, humea,
acarrea
tu ejército de vagones,
ajetrea
maletas y corazones.
Soledad,
sequedad.
Tan pobre me estoy quedando
que ya ni siquiera estoy
conmigo, ni sé si voy
conmigo a solas viajando.

CXXVIII

POEMA DE UN DÍA

MEDITACIONES RURALES

Heme aquí ya, profesor
de lenguas vivas (ayer
maestro de gay-saber,
aprendiz de ruiseñor),
en un pueblo húmedo y frío,
destartalado y sombrío,
entre andaluz y manchego.
Invierno. Cerca del fuego.
Fuera llueve un agua fina,
que ora se trueca en neblina,
ora se torna aguanieve.
Fantástico labrador,
pienso en los campos. ¡Señor
qué bien haces! Llueve, llueve
tu agua constante y menuda
sobre alcaceles y habares,
tu agua muda,
en viñedos y olivares.
Te bendecirán conmigo
los sembradores del trigo;
los que viven de coger
la aceituna;

los que esperan la fortuna
de comer;
los que hogaño,
como antaño,
tienen toda su moneda
en la rueda,
traidora rueda del año.
¡Llueve, llueve; tu neblina
que se torne en aguanieve,
y otra vez en agua fina!
¡Llueve, Señor, llueve, llueve!
   En mi estancia, iluminada
por esta luz invernal
—la tarde gris tamizada
por la lluvia y el cristal—,
sueño y medito.
             Clarea
el reloj arrinconado,
y su tic-tic, olvidado
por repetido, golpea.
Tic-tic, tic-tic... Ya te he oído.
Tic-tic, tic-tic... Siempre igual,
monótono y aburrido.
Tic-tic, tic-tic, el latido
de un corazón de metal.
En estos pueblos, ¿se escucha
el latir del tiempo? No.
En estos pueblos se lucha
sin tregua con el reló,
con esa monotonía
que mide un tiempo vacío.
Pero ¿tu hora es la mía?
¿Tu tiempo, reloj, el mío?
(Tic-tic, tic-tic...) Era un día
(Tic-tic, tic-tic) que pasó,
y lo que yo más quería
la muerte se lo llevó.
   Lejos suena un clamoreo
de campanas...
Arrecia el repiqueteo
de la lluvia en las ventanas.

Fantástico labrador,
vuelvo a mis campos. ¡Señor,
cuánto te bendecirán
los sembradores del pan!

Señor, ¿no es tu lluvia ley,
en los campos que ara el buey,
y en los palacios del rey?
¡Oh, agua buena, deja vida
en tu huida!

¡Oh, tú, que vas gota a gota,
fuente a fuente y río a río,
como este tiempo de hastío
corriendo a la mar remota,
en cuanto quiere nacer,
cuanto espera
florecer
al sol de la primavera,
sé piadosa,
que mañana
serás espiga temprana,
prado verde, carne rosa,
y más: razón y locura
y amargura
de querer y no poder
creer, creer y creer!

   Anochece;
el hilo de la bombilla
se enrojece,
luego brilla,
resplandece
poco más que una cerilla.

Dios sabe dónde andarán
mis gafas... entre librotes.
revistas y papelotes,
¿quién las encuentra?... Aquí están.

Libros nuevos. Abro uno
de Unamuno.
¡Oh, el dilecto,
predilecto
de esta España que se agita,
porque nace o resucita!

Siempre te ha sido, ¡oh Rector
de Salamanca!, leal
este humilde profesor
de un instituto rural.
Esa tu filosofía
que llamas diletantesca,
voltaria y funambulesca,
gran don Miguel, es la mía.
Agua del buen manantial,
siempre viva,
fugitiva;
poesía, cosa cordial.
¿Constructora?
—No hay cimiento
ni en el alma ni en el viento—.
Bogadora,
marinera,
hacia la mar sin ribera.
Enrique Bergson: *Los datos
inmediatos
de la conciencia.* ¿Esto es
otro embeleco francés?
Este Bergson es un tuno;
¿verdad, maestro Unamuno?
Bergson no da como aquel
Immanuel
el volatín inmortal;
este endiablado judío
ha hallado el libre albedrío
dentro de su mechinal.
No está mal;
cada sabio, su problema,
y cada loco, su tema.
Algo importa [60]
que en la vida mala y corta
que llevamos
libres o siervos seamos:
mas, si vamos

---

[60] En *Poesías completas,* 1.ª edic.:

Mucho importa...

a la mar,
lo mismo nos ha de dar.
¡Oh, estos pueblos! Reflexiones,
lecturas y acotaciones
pronto dan en lo que son:
bostezos de Salomón.

¿Todo es
soledad de soledades.
vanidad de vanidades,
que dijo el Eclesiastés?
Mi paraguas, mi sombrero,
mi gabán... El aguacero
amaina... Vámonos, pues.
    Es de noche. Se platica
al fondo de una botica.
—Yo no sé,
don José,
cómo son los liberales
tan perros, tan inmorales.
—¡Oh, tranquilícese usté!
Pasados los carnavales,
vendrán los conservadores,
buenos administradores
de su casa.
Todo llega y todo pasa.
Nada eterno:
ni gobierno
que perdure,
ni mal que cien años dure.
—Tras estos tiempos vendrán
otros tiempos y otros y otros,
y lo mismo que nosotros
otros se jorobarán.
Así es la vida, don Juan.
—Es verdad, así es la vida.
—La cebada está crecida.
—Con estas lluvias...
                              Y van
las habas que es un primor.
—Cierto; para marzo, en flor.
Pero la escarcha, los hielos...

—Y, además, los olivares
están pidiendo a los cielos
aguas a torrentes.
                    —A mares.
¡Las fatigas, los sudores
que pasan los labradores!
En otro tiempo...
                    Llovía
también cuando Dios quería.
—Hasta mañana, señores.
    Tic-tic, tic-tic... Ya pasó
un día como otro día,
dice la monotonía
del reloj.
    Sobre mi mesa *Los datos
de la conciencia,* inmediatos.
No está mal
este yo fundamental,
contingente y libre, a ratos,
creativo, original;
este yo que vive y siente
dentro la carne mortal
¡ay! por saltar impaciente
las bardas de su corral.

                            Baeza. 1913.

CXXIX

NOVIEMBRE 1913 [61]

    Un año más. El sembrador va echando
la semilla en los surcos de la tierra.
Dos lentas yuntas aran,
mientras pasan la nubes cenicientas
ensombreciendo el campo,
las pardas sementeras,
los grises olivares. Por el fondo
del valle del río el agua turbia lleva.

---

[61]   En *Poesías completas,* 1.ª edic., 1914.

Tiene Cazorla nieve,
y Mágina, tormenta,
su montera, Aznaitín. Hacia Granada,
montes con sol, montes de sol y piedra.

CXXX

LA SAETA

> ¿Quién me presta una
> escalera,
> para subir al madero,
> para quitarle los clavos
> a Jesús el Nazareno?
>
> SAETA POPULAR.

¡Oh, la saeta, el cantar
al Cristo de los gitanos,
siempre con sangre en las manos,
siempre por desenclavar!
¡Cantar del pueblo andaluz,
que todas las primaveras
anda pidiendo escaleras
para subir a la cruz!
¡Cantar de la tierra mía,
que echa flores
al Jesús de la agonía,
y es la fe de mis mayores!
¡Oh, no eres tú mi cantar!
¡No puedo cantar, ni quiero
a ese Jesús del madero,
sino al que anduvo en el mar!

CXXXI

DEL PASADO EFÍMERO

Este hombre del casino provinciano
que vio a Carancha recibir un día,

tiene mustia la tez, el pelo cano,
ojos velados por melancolía;
bajo el bigote gris, labios de hastío,
y una triste expresión, que no es tristeza,
sino algo más y menos: el vacío
del mundo en la oquedad de su cabeza.
Aún luce de corinto terciopelo
chaqueta y pantalón abotinado,
y un cordobés color de caramelo,
pulido y torneado.
Tres veces heredó; tres ha perdido
al monte su caudal; dos ha enviudado.
Sólo se anima ante el azar prohibido,
sobre el verde tapete reclinado,
o al evocar la tarde de un torero,
la suerte de un tahúr, o si alguien cuenta
la hazaña de un gallardo bandolero,
o la proeza de un matón, sangrienta.
Bosteza de política banales
dicterios al gobierno reaccionario,
y augura que vendrán los liberales,
cual torna la cigüeña al campanario.
Un poco labrador, del cielo aguarda
y al cielo teme; alguna vez suspira,
pensando en su olivar, y al cielo mira
con ojo inquieto, si la lluvia tarda.
Lo demás, taciturno, hipocondriaco,
prisionero en la Arcadia del presente,
le aburre; sólo el humo del tabaco
simula algunas sombras en su frente.
Este hombre no es de ayer ni es de mañana,
sino de nunca; de la cepa hispana
no es el fruto maduro ni podrido,
es una fruta vana
de aquella España que pasó y no ha sido,
esa que hoy tiene la cabeza cana.

CXXXII

LOS OLIVOS

A Manolo Ayuso [62].

I

¡Viejos olivos sedientos
bajo el claro sol del día,
olivares polvorientos
del campo de Andalucía!
¡El campo andaluz, peinado
por el sol canicular,
de loma en loma rayado
de olivar y de olivar!
Son las tierras
soleadas,
anchas lomas, lueñes sierras
de olivares recamadas.
Mil senderos. Con sus machos,
abrumados de capachos,
van gañanes y arrieros.
¡De la venta del camino
a la puerta, soplan vino
trabucaires bandoleros!
¡Olivares y olivares
de loma en loma prendidos
cual bordados alamares!
¡Olivares coloridos
de una tarde anaranjada;
olivares rebruñidos
bajo la luna argentada!
¡Olivares centellados
en las tardes cenicientas,
bajo los cielos preñados
de tormentas!...
Olivares, Dios os dé
los eneros

---

[62]   En *Poesías completas*, 1.ª edic.: "A Manuel Ayuso".

de aguaceros,
los agostos de agua al pie,
los vientos primaverales,
vuestras flores racimadas;
y las lluvias otoñales
vuestras olivas moradas.
Olivar, por cien caminos,
tus olivitas irán
caminando a cien molinos.
Ya darán
trabajo en las alquerías
a gañanes y braceros,
¡oh buenas frentes sombrías
bajo los anchos sombreros!...
¡Olivar y olivareros,
bosque y raza,
campo y plaza
de los fieles al terruño
y al arado y al molino,
de los que muestran el puño
al destino,
los benditos labradores,
los bandidos caballeros,
los señores
devotos y matuteros!...
¡Ciudades y caseríos
en la margen de los ríos,
en los pliegues de la sierra!...
¡Venga Dios a los hogares
y a las almas de esta tierra
de olivares y olivares!

II

A dos leguas de Úbeda, la Torre
de Pero Gil, bajo este sol de fuego,
triste burgo de España. El coche rueda
entre grises olivos polvorientos.
Allá, el castillo heroico.
En la plaza, mendigos y chicuelos:
una orgía de harapos...

Pasamos frente al atrio del convento
de la Misericordia.
¡Los blancos muros, los cipreses negros!
¡Agria melancolía
como asperón de hierro
que raspa el corazón! ¡Amurallada
piedad, erguida en este basurero!...
Esta casa de Dios, decid hermanos,
esta casa de Dios, ¿qué guarda dentro?
Y ese pálido joven,
asombrado y atento,
que parece mirarnos con la boca,
será el loco del pueblo,
de quien se dice: es Lucas,
Blas o Ginés, el tonto que tenemos.
Seguimos. Olivares. Los olivos
están en flor. El carricoche lento,
al paso de dos pencos matalones,
camina hacia Peal. Campos ubérrimos.
La tierra da lo suyo; el sol trabaja;
el hombre es para el suelo:
genera, siembra y labra
y su fatiga unce la tierra al cielo.
Nosotros enturbiamos
la fuente de la vida, el sol primero,
con nuestros ojos tristes,
con nuestro amargo rezo,
con nuestra mano ociosa,
con nuestro pensamiento
—se engendra en el pecado,
se vive en el dolor. ¡Dios está lejos!—.
Esta piedad erguida
sobre este burgo sórdido, sobre este basurero,
esta casa de Dios, decid, oh santos
cañones de von Kluck, ¿qué guarda dentro?

CXXXIII

LLANTO DE LAS VIRTUDES Y COPLAS
POR LA MUERTE DE DON GUIDO

Al fin, una pulmonía
mató a don Guido, y están
las campanas todo el día
doblando por él: ¡din-dan!

Murió don Guido, un señor
de mozo muy jaranero,
muy galán y algo torero;
de viejo, gran rezador.

Dicen que tuvo un serrallo
este señor de Sevilla;
que era diestro
en manejar el caballo
y un maestro
en refrescar manzanilla.

Cuando mermó su riqueza,
era su monomanía
pensar que pensar debía
en asentar la cabeza.

Y asentóla
de una manera española,
que fue casarse con una
doncella de gran fortuna;
y repintar sus blasones,
hablar de las tradiciones
de su casa,
escándalos y amoríos
poner tasa,
sordina a sus desvaríos.

Gran pagano,
se hizo hermano
de una santa cofradía;
el Jueves Santo salía,
llevando un cirio en la mano
—¡aquel trueno!—,
vestido de nazareno.
Hoy nos dice la campana
que han de llevarse mañana

al buen don Guido, muy serio,
camino del cementerio.
    Buen don Guido, ya eres ido
y para siempre jamás...
Alguien dirá: ¿Qué dejaste?
Yo pregunto: ¿Qué llevaste
al mundo donde hoy estás?
    ¿Tu amor a los alamares
y a las sedas y a los oros,
y a la sangre de los toros
y al humo de los altares?
    Buen don Guido y equipaje,
¡buen viaje!...
    El acá
y el allá,
caballero,
se ve en tu rostro marchito,
lo infinito:
cero, cero.
    ¡Oh las enjutas mejillas,
amarillas,
y los párpados de cera,
y la fina calavera
en la almohada del lecho!
    ¡Oh fin de una aristocracia!
La barba canosa y lacia
sobre el pecho;
metido en tosco sayal,
las yertas manos en cruz,
¡tan formal!
el caballero andaluz.

CXXXIV

LA MUJER MANCHEGA

    La Mancha y sus mujeres... Argamasilla, Infantes
Esquivias, Valdepeñas, La novia de Cervantes,
y del manchego heroico, el ama y la sobrina
(el patio, la alacena, la cueva y la cocina,

la rueca y la costura, la cuna y la pitanza),
la esposa de don Diego y la mujer de Panza,
la hija del ventero, y tantas como están
bajo la tierra, y tantas que son y que serán
encanto de manchegos y madres de españoles
por tierras de lagares, molinos y arreboles.

Es la mujer manchega garrida y bien plantada,
muy sobre sí doncella, perfecta de casada.

El sol de la caliente llanura vinariega
quemó su piel, mas guarda frescura de bodega
su corazón. Devota, sabe rezar con fe
para que Dios nos libre de cuanto no se ve.
Su obra es la casa —menos celada que en Sevilla,
más gineceo y menos castillo que en Castilla—.
Y es del hogar manchego la musa ordenadora;
alinea los vasares, los lienzos alcanfora;
las cuentas de la plaza anota en su diario,
cuenta garbanzos, cuenta las cuentas del rosario.

¿Hay más? Por estos campos hubo un amor de fuego,
dos ojos abrasaron un corazón manchego.

¿No tuvo en esta Mancha su cuna Dulcinea?
¿No es el Toboso patria de la mujer idea
del corazón, engendro e imán de corazones,
a quien varón no impregna y aun parirá varones?

Por esta Mancha —prados, viñedos y molinos—
que so el igual del cielo iguala sus caminos,
de cepas arrugadas en el tostado suelo
y mustios pastos como raído terciopelo:
por este seco llano de sol y lejanía,
en donde el ojo alcanza su pleno mediodía
(un diminuto bando de pájaros puntea
el índigo del cielo sobre la blanca aldea,
y allá se yergue un soto de verdes alamillos,
tras leguas y más leguas de campos amarillos),
por esta tierra, lejos del mar y la montaña,
el ancho reverbero del claro sol de España,
anduvo un pobre hidalgo ciego de amor un día
—amor nublóle el juicio: su corazón veía—.

Y tú, la cerca y lejos, por el inmenso llano
eterna compañera y estrella de Quijano,

lozana labradora fincada en tus terrones
—oh madre de manchegos y numen de visiones—,
viviste, buena Aldonza, tu vida verdadera,
cuando tu amante erguía su lanza justiciera,
y en tu casona blanca ahechando [63] el rubio trigo.
Aquel amor de fuego era por ti y contigo.
   Mujeres de la Mancha con el sagrado mote
de Dulcinea, os salve la gloria de Quijote.

CXXXV

EL MAÑANA EFÍMERO

A Roberto Castrovido.

   La España de charanga y pandereta,
cerrado y sacristía,
devota de Frascuelo y de María,
de espíritu burlón y de alma inquieta,
ha de tener su mármol y su día,
su infalible mañana y su poeta.
El vano ayer engendrará un mañana
vacío y ¡por ventura! pasajero.
Será un joven lechuzo y tarambana,
un sayón con hechuras de bolero,
a la moda de Francia realista [64],
un poco al uso de París pagano,
y al estilo de España especialista
en el vicio al alcance de la mano.
Esa España inferior que ora y bosteza,
vieja y tahúr, zaragatera y triste;
esa España inferior que ora y embiste,
cuando se digna usar de la cabeza,
aún tendrá luengo parto de varones
amantes de sagradas tradiciones

---

[63] Curiosamente, nadie se fijó en la falta de ortografía de todas la ediciones *(aechando)*.

[64] En *Poesías completas*, 1.ª edic.:

       a la moda de Francia royalista...

y de sagradas formas y maneras;
florecerán las barbas apostólicas,
y otras calvas en otras calaveras
brillarán, venerables y católicas.
El vano ayer engendrará un mañana
vacío y ¡por ventura! pasajero,
la sombra de un lechuzo tarambana,
de un sayón con hechuras de bolero;
el vacuo ayer dará un mañana huero.
Como la náusea de un borracho ahíto
de vino malo, un rojo sol corona
de heces turbias las cumbres de granito;
hay un mañana estomagante escrito
en la tarde pragmática y dulzona.
Mas otra España nace,
la España del cincel y de la maza,
con esa eterna juventud que se hace
del pasado macizo de la raza.
Una España implacable y redentora,
España que alborea
con un hacha en la mano vengadora,
España de la rabia y de la idea.

1913.

CXXXVI

PROVERBIOS Y CANTARES

I

Nunca perseguí la gloria
ni dejar en la memoria
de los hombres mi canción;
yo amo los mundos sutiles,
ingrávidos y gentiles
como pompas de jabón.
Me gusta verlos pintarse
de sol y grana, volar
bajo el cielo azul, temblar
súbitamente y quebrarse.

II

¿Para qué llamar caminos
a los surcos del azar?...
Todo el que camina anda,
como Jesús, sobre el mar.

III

A quien nos justifica nuestra desconfianza
llamamos enemigo, ladrón de una esperanza.
Jamás perdona el necio si ve la nuez vacía
que dio a cascar al diente de la sabiduría.

IV

Nuestras horas son minutos
cuando esperamos saber,
y siglos cuando sabemos
lo que se puede aprender.

V

Ni vale nada el fruto
cogido sin sazón...
Ni aunque te elogie un bruto
ha de tener razón.

VI

De lo que llaman los hombres
virtud, justicia y bondad,
una mitad es envidia,
y la otra no es caridad.

VII

Yo he visto garras fieras en las pulidas manos;
conozco grajos mélicos y líricos marranos...
El más truhán se lleva la mano al corazón,
y el bruto más espeso se carga de razón.

VIII

En preguntar lo que sabes
el tiempo no has de perder...
Y a preguntas sin respuesta
¿quién te podrá responder?

IX

El hombre, a quien el hambre de la rapiña acucia,
de ingénita malicia y natural astucia,
formó la inteligencia y acaparó la tierra.
¡Y aún la verdad proclama! ¡Supremo ardid de guerra!

X

La envidia de la virtud
hizo a Caín criminal.
¡Gloria a Caín! Hoy el vicio
es lo que se envidia más.

XI

La mano del piadoso nos quita siempre honor;
mas nunca ofende al darnos su mano el lidiador.
Virtud es fortaleza, ser bueno es ser valiente;
escudo, espada y maza llevar bajo la frente;
porque el valor honrado de todas armas viste:
no sólo para, hiere, y más que aguarda, embiste.

Que la piqueta arruine y el látigo flagele;
la fragua ablande el hierro, la lima pula y gaste,
y que el buril burile, y que el cincel cincele,
la espada punce y hienda y el gran martillo aplaste.

XII

¡Ojos que a la luz se abrieron
un día para, después,
ciegos tornar a la tierra,
hartos de mirar sin ver!

XIII

Es el mejor de los buenos
quien sabe que en esta vida
todo es cuestión de medida:
un poco más, algo menos...

XIV

Virtud es la alegría que alivia el corazón
más grave y desarruga el ceño de Catón.
El bueno es el que guarda, cual venta del camino,
para el sediento el agua, para el borracho el vino.

XV

Cantad conmigo a coro: Saber, nada sabemos,
de arcano mar venimos, a ignota mar iremos...
Y entre los dos misterios está el enigma grave;
tres arcas cierra una desconocida llave.
La luz nada ilumina y el sabio nada enseña.
¿Qué dice la palabra? ¿Qué el agua de la peña?

XVI

El hombre es por natura la bestia paradójica,
un animal absurdo que necesita lógica.
Creó de nada un mundo y, su obra terminada,
"Ya estoy en el secreto —se dijo—, todo es nada."

XVII

El hombre sólo es rico en hipocresía.
En sus diez mil disfraces para engañar confía;
y con la doble llave que guarda su mansión
para la ajena hace ganzúa de ladrón.

XVIII

¡Ah, cuando yo era niño
soñaba con los héroes de la Ilíada!
Áyax era más fuerte que Diomedes,
Héctor, más fuerte que Áyax,
y Aquiles el más fuerte; porque era
el más fuerte... ¡Inocencias de la infancia!
¡Ah, cuando yo era niño
soñaba con los héroes de la Ilíada!

XIX

El casca-nueces-vacías,
Colón de cien vanidades,
vive de supercherías
que vende como verdades.

XX

¡Teresa, alma de fuego,
Juan de la Cruz, espíritu de llama,
por aquí hay mucho frío, padres, nuestros
corazoncitos de Jesús se apagan!

XXI

Ayer soñé que veía
a Dios y que a Dios hablaba;
y soñé que Dios me oía...
Después soñé que soñaba.

XXII

Cosas de hombres y mujeres,
los amoríos de ayer,
casi los tengo olvidados,
si fueron alguna vez.

XXIII

No extrañéis, dulces amigos,
que esté mi frente arrugada [65]:
yo vivo en paz con los hombres
y en guerra con mis entrañas.

XXIV

De diez cabezas, nueve
embisten y una piensa.
Nunca extrañéis que un bruto
se descuerne luchando por la idea.

XXV

Las abejas de las flores
sacan miel, y melodía
del amor, los ruiseñores:
Dante y yo —perdón, señores—,
trocamos —perdón, Lucía—,
el amor en Teología.

---

[65] En *Poesías completas*, 1.ª edic., este punto y coma es un punto.

XXVI

Poned sobre los campos
un carbonero, un sabio y un poeta.
Veréis cómo el poeta admira y calla,
el sabio mira y piensa...
Seguramente, el carbonero busca
las moras o las setas.
Llevadlos al teatro
y sólo el carbonero no bosteza.
Quien prefiere lo vivo a lo pintado
es el hombre que piensa, canta o sueña.
El carbonero tiene
llena de fantasías la cabeza.

XXVII

¿Dónde está la utilidad
de nuestras utilidades?
Volvamos a la verdad:
vanidad de vanidades.

XXVIII

Todo hombre tiene dos
batallas que pelear:
en sueños lucha con Dios;
y despierto, con el mar.

XXIX

Caminante, son tus huellas
el camino, y nada más;
caminante, no hay camino,
se hace camino al andar.
Al andar se hace camino,
y al volver la vista atrás

se ve la senda que nunca
se ha de volver a pisar.
Caminante, no hay camino,
sino estelas en la mar.

XXX

El que espera desespera,
dice la voz popular.
¡Qué verdad tan verdadera!
La verdad es lo que es,
y sigue siendo verdad
aunque se piense al revés.

XXXI

Corazón, ayer sonoro,
¿ya no suena
tu monedilla de oro?
Tu alcancía,
antes que el tiempo la rompa,
¿se irá quedando vacía?
Confiemos
en que no será verdad
nada de lo que sabemos.

XXXII

¡Oh fe del meditabundo!
¡Oh fe después del pensar!
Sólo si viene un corazón al mundo
rebosa el vaso humano y se hincha el mar.

XXXIII

Soñé a Dios como una fragua
de fuego, que ablanda el hierro,
como un forjador de espadas,
como un bruñidor de aceros,

que iba firmando en las hojas
de luz: Libertad. — Imperio.

XXXIV

Yo amo a Jesús, que nos dijo:
Cielo y tierra pasarán.
Cuando cielo y tierra pasen
mi palabra quedará.
¿Cuál fue, Jesús, tu palabra?
¿Amor? ¿Perdón? ¿Caridad?
Todas tus palabras fueron
una palabra: Velad [66].

XXXV

Hay dos modos de conciencia:
una es luz, y otra, paciencia.
Una estriba en alumbrar
un poquito el hondo mar;
otra, en hacer penitencia
con caña o red, y esperar
el pez, como pescador.
Dime tú: ¿Cuál es mejor?
¿Conciencia de visionario
que mira en el hondo acuario
peces vivos,
fugitivos,
que no se pueden pescar,
o esa maldita faena
de ir arrojando a la arena,
muertos, los peces del mar?

---

[66] En *Poesías completas*, 1.ª edic., el poema sigue:

Como no sabéis la hora
en que os han de despertar,
os despertarán dormidos,
si no veláis; despertad.

XXXVI

Fe empirista. Ni somos ni seremos.
Todo nuestro vivir es emprestado.
Nada trajimos; nada llevaremos.

XXXVII

¿Dices que nada se crea?
No te importe, con el barro
de la tierra, haz una copa
para que beba tu hermano.

XXXVIII

¿Dices que nada se crea?
Alfarero, a tus cacharros.
Haz tu copa y no te importe
si no puedes hacer barro.

XXXIX

Dicen que el ave divina,
trocada en pobre gallina,
por obra de las tijeras
de aquel sabio profesor
(fue Kant un esquilador
de las aves altaneras;
toda su filosofía,
un *sport* de cetrería),
dicen que quiere saltar
las tapias del corralón,
y volar
otra vez, hacia Platón.
¡Hurra! ¡Sea!
¡Feliz será quien lo vea!

XL

Sí, cada uno y todos sobre la tierra iguales:
el ómnibus que arrastran dos pencos matalones,
por el camino, a tumbos, hacia las estaciones,
el ómnibus completo de viajeros banales,
y en medio un hombre mudo, hipocondriaco, austero,
a quien se cuentan cosas y a quien se ofrece vino...
Y allá, cuando se llegue, ¿descenderá un viajero
no más? ¿O habránse todos quedado en el camino?

XLI

Bueno es saber que los vasos
nos sirven para beber;
lo malo es que no sabemos
para qué sirve la sed.

XLII

¿Dices que nada se pierde?
Si esta copa de cristal
se me rompe, nunca en ella
beberé, nunca jamás.

XLIII

Dices que nada se pierde
y acaso dices verdad,
pero todo lo perdemos
y todo nos perderá.

XLIV

Todo pasa y todo queda,
pero lo nuestro es pasar,
pasar haciendo caminos,
caminos sobre la mar.

XLV

Morir... ¿Caer como gota
de mar en el mar inmenso?
¿O ser lo que nunca he sido:
uno, sin sombra y sin sueño,
un solitario que avanza
sin camino y sin espejo?

XLVI

Anoche soñé que oía
a Dios, gritándome: ¡Alerta!
Luego era Dios quien dormía,
y yo gritaba: ¡Despierta!

XLVII

Cuatro cosas tiene el hombre
que no sirven en la mar:
ancla, gobernalle y remos,
y miedo de naufragar.

XLVIII

Mirando mi calavera
un nuevo Hamlet dirá:
He aquí un lindo fósil de una
careta de carnaval.

XLIX

Ya noto, al paso que me torno viejo,
que en el inmenso espejo,
donde orgulloso me miraba un día,
era el azogue lo que yo ponía.

Al espejo del fondo de mi casa
una mano fatal
va rayendo el azogue, y todo pasa
por él como la luz por el cristal.

L

—Nuestro español bosteza.
¿Es hambre? ¿Sueño? ¿Hastío?
Doctor, ¿tendrá el estómago vacío?
—El vacío es más bien en la cabeza.

LI

Luz del alma, luz divina,
faro, antorcha, estrella, sol...
Un hombre a tientas camina;
lleva a la espalda un farol.

LII

Discutiendo están dos mozos
si a la fiesta del lugar
irán por la carretera
o campo traviesa irán.
Discutiendo y disputando
empiezan a pelear.
Ya con las trancas de pino
furiosos golpes se dan;
ya se tiran de las barbas,
ya se las quieren pelar.
Ha pasado un carretero,
que va cantando un cantar:
"Romero, para ir a Roma,
lo que importa es caminar;
a Roma por todas partes,
por todas partes se va."

ANTONIO MACHADO

LIII

Ya hay un español que quiere
vivir y a vivir empieza,
entre una España que muere
y otra España que bosteza.
Españolito que vienes
al mundo, te guarde Dios.
Una de las dos Españas
ha de helarte el corazón [67].

CXXXVII

PARÁBOLAS

I

Era un niño que soñaba
un caballo de cartón.
Abrió los ojos el niño
y el caballito no vio.
Con un caballito blanco
el niño volvió a soñar;
y por la crin lo cogía…
¡Ahora no te escaparás!
Apenas lo hubo cogido,
el niño se despertó.
Tenía el puño cerrado.
¡El caballito voló!
Quedóse el niño muy serio
pensando que no es verdad
un caballito soñado.

---

[67] En *Poesías completas*, 1.ª edic., con el número LII, que debe ser LIII, porque el poema que va en undécimo lugar se confunde con el X, se lee:

En esta España de los pantalones
lleva la voz el macho;
mas si un negocio importa
lo resuelven las faldas a escobazos.

Y ya no volvió a soñar.
Pero el niño se hizo mozo
y el mozo tuvo un amor,
y a su amada le decía:
¿Tú eres de verdad o no?
Cuando el mozo se hizo viejo
pensaba: Todo es soñar,
el caballito soñado
y el caballo de verdad.
Y cuando vino la muerte,
el viejo a su corazón
preguntaba: ¿Tú eres sueño?
¡Quién sabe si despertó!

II

A D. Vicente Ciurana.

Sobre la limpia arena, en el tartesio llano
por donde acaba España y sigue el mar,
hay dos hombres que apoyan la cabeza en la mano;
uno duerme, y el otro parece meditar.
El uno, en la mañana de tibia primavera,
junto a la mar tranquila,
ha puesto entre sus ojos y el mar que reverbera,
los párpados, que borran el mar en la pupila.
Y se ha dormido, y sueña con el pastor Proteo,
que sabe los rebaños del marino guardar;
y sueña que le llaman las hijas de Nereo,
y ha oído a los caballos de Poseidón hablar.
El otro mira al agua. Su pensamiento flota:
hijo del mar, navega —o se pone a volar—.
Su pensamiento tiene un vuelo de gaviota,
que ha visto un pez de plata en el agua saltar.
Y piensa: "Es esta vida una ilusión marina
de un pescador que un día ya no puede pescar."
El soñador ha visto que el mar se le ilumina,
y sueña que es la muerte una ilusión del mar.

III

Érase de un marinero
que hizo un jardín junto al mar,
y se metió a jardinero.
Estaba el jardín en flor,
y el jardinero se fue
por esos mares de Dios.

IV

CONSEJOS

Sabe esperar, aguarda que la marea fluya
—así en la costa un barco— sin que al partir te inquiete.
Todo el que aguarda sabe que la victoria es suya;
porque la vida es larga y el arte es un juguete.
Y si la vida es corta
y no llega la mar a tu galera,
aguarda sin partir y siempre espera,
que el arte es largo y, además, no importa.

V

PROFESIÓN DE FE

Dios no es el mar, está en el mar, riela
como luna en el agua, o aparece
como una blanca vela;
en el mar se despierta o se adormece.
Creó la mar, y nace
de la mar cual la nube y la tormenta;
es el Criador y la criatura lo hace [68];
su aliento es alma, y por el alma alienta.
Yo he de hacerte, mi Dios, cual tú me hiciste,
y para darte el alma que me diste

---

[68] En *Poesías completas*, 1.ª edic.:

es el Creador y la criatura lo hace...

en mí te he de crear. Que el puro río
de caridad que fluye eternamente,
fluya en mi corazón. ¡Seca, Dios mío,
de una fe sin amor la turbia fuente!

VI

El Dios que todos llevamos,
el Dios que todos hacemos,
el Dios que todos buscamos
y que nunca encontraremos.
Tres dioses o tres personas
del solo Dios verdadero.

VII

Dice la razón: Busquemos
la verdad.
Y el corazón: Vanidad.
La verdad ya la tenemos.
La razón: ¡Ay, quién alcanza
la verdad!
El corazón: Vanidad.
La verdad es la esperanza.
Dice la razón: Tú mientes.
Y contesta el corazón:
Quien miente eres tú, razón,
que dices lo que no sientes.
La razón: Jamás podremos
entendernos, corazón.
El corazón: Lo veremos.

VIII

Cabeza meditadora,
¡qué lejos se oye el zumbido
de la abeja libadora!

Echaste un velo de sombra
sobre el bello mundo y vas
creyendo ver, porque mides
la sombra con un compás.
    Mientras la abeja fabrica,
melifica,
con jugo de campo y sol,
yo voy echando verdades
que nada son, vanidades
al fondo de mi crisol.
De la mar al percepto,
del percepto al concepto,
del concepto a la idea
—¡oh, la linda tarea!—,
de la idea a la mar.
¡Y otra vez a empezar!

CXXXVIII

MI BUFÓN

El demonio de mis sueños
ríe con sus labios rojos,
sus negros y vivos ojos,
sus dientes finos, pequeños.
Y jovial y picaresco
se lanza a un baile grotesco,
luciendo el cuerpo deforme
y su enorme
joroba. Es feo y barbudo,
y chiquitín y panzudo.
Yo no sé por qué razón,
de mi tragedia, bufón,
te ríes... Mas tú eres vivo
por tu danzar sin motivo.

ELOGIOS

CXXXIX

A DON FRANCISCO GINER DE LOS RÍOS

Como se fue el maestro,
la luz de esta mañana
me dijo: Van tres días
que mi hermano Francisco no trabaja.
¿Murió?... Sólo sabemos
que se nos fue por una senda clara,
diciéndonos: Hacedme
un duelo de labores y esperanzas.
Sed buenos y no más, sed lo que he sido
entre vosotros: alma.
Vivid, la vida sigue,
los muertos mueren y las sombras pasan,
lleva quien deja y vive el que ha vivido.
¡Yunques, sonad; enmudeced, campanas!

Y hacia otra luz más pura
partió el hermano de la luz del alba,
del sol de los talleres,
el viejo alegre de la vida santa.
... ¡Oh, sí!, llevad, amigos,
su cuerpo a la montaña,
a los azules montes
del ancho Guadarrama.
Allí hay barrancos hondos
de pinos verdes donde el viento canta.
Su corazón repose
bajo una encina casta,

en tierra de tomillos, donde juegan
mariposas doradas...
Allí el maestro un día
soñaba un nuevo florecer de España.

Baeza, 21 de febrero de 1915.

CXL

AL JOVEN MEDITADOR JOSÉ ORTEGA Y GASSET

A ti laurel y yedra
corónente, dilecto
de Sofía, arquitecto.
Cincel, martillo y piedra
y masones te sirvan; las montañas
de Guadarrama frío
te brinden el azul de sus entrañas,
meditador de otro Escorial sombrío.
Y que Felipe austero,
al borde de su regia sepultura,
asome a ver la nueva arquitectura,
y bendiga la prole de Lutero.

CXLI

A XAVIER VALCARCE

... En el intermedio de la primavera.

Valcarce, dulce amigo, si tuviera
la voz que tuve antaño, cantaría
el intermedio de tu primavera
—porque aprendiz he sido de ruiseñor un día—.
Y el rumor de tu huerto —entre las flores
el agua oculta corre, pasa y suena
por acequias, regatos y atanores—,
y el inquieto bullir de tu colmena,

y esa doliente juventud que tiene
ardores de faunalias,
que pisando viene
la huella a mis sandalias.
    Mas hoy... ¿será porque el enigma grave
me tentó en la desierta galería,
y abrí con una diminuta llave
el ventanal del fondo que da a la mar sombría?
¿Será porque se ha ido
quien asentó mis pasos en la tierra,
y en este nuevo ejido
sin rubia mies, la soledad me aterra?
    No sé, Valcarce, mas cantar no puedo;
se ha dormido la voz en mi garganta,
y tiene el corazón un salmo quedo.
Ya sólo reza el corazón, no canta.
    Mas hoy, Valcarce, como un fraile viejo
puedo hacer confesión, que es dar consejo.
    En este día claro, en que descansa
tu carne de quimeras y amoríos
—así en amplio silencio se remansa
el agua bullidora de los ríos—,
no guardes en tu cofre la galana
veste dominical, el limpio traje,
para llenar de lágrimas mañana
la mustia seda y el marchito encaje,
sino viste, Valcarce, dulce amigo,
gala de fiesta para andar contigo.
    Y cíñete la espada rutilante,
y lleva tu armadura,
el peto de diamante
debajo de la blanca vestidura.
¡Quién sabe! Acaso tu domingo sea
la jornada guerrera y laboriosa,
el día del Señor, que no reposa,
el claro día en que el Señor pelea.

CXLII

MARIPOSA DE LA SIERRA

A Juan Ramón Jiménez, por su libro
Platero y yo.

¿No eres tú, mariposa,
el alma de estas sierras solitarias,
de sus barrancos hondos,
y de sus cumbres agrias?
Para que tú nacieras,
con su varita mágica
a las tormentas de la piedra, un día,
mandó callar un hada,
y encadenó los montes
para que tú volaras.
Anaranjada y negra,
morenita y dorada,
mariposa montés, sobre el romero
plegadas las alillas o, voltarias,
jugando con el sol, o sobre un rayo
de sol crucificadas.
¡Mariposa montés y campesina,
mariposa serrana,
nadie ha pintado tu color; tú vives
tu color y tus alas
en el aire, en el sol, sobre el romero,
tan libre, tan salada!...
Que Juan Ramón Jiménez
pulse por ti su lira franciscana.

Sierra de Cazorla, 28 de mayo de 1915.

CXLIII

DESDE MI RINCÓN [69]

ELOGIOS

Al libro *Castilla*, del maestro «Azorín»
con motivos del mismo.

Con este libro de melancolía
toda Castilla a mi rincón me llega;
Castilla la gentil y la bravía,
la parda y la manchega.
¡Castilla, España de los largos ríos
que el mar no ha visto y corre hacia los mares;
Castilla de los páramos sombríos,
Castilla de los negros encinares!
Labriegos transmarinos y pastores
trashumantes —arados y merinos—,
labriegos con talante de señores,
pastores del color de los caminos.
Castilla de grisientos peñascales,
pelados y serrijones,
barbechos y trigales,
malezas y cambrones.
Castilla azafranada y polvorienta,
sin montes, de arreboles purpurinos,
Castilla visionaria y soñolienta
de llanuras, viñedos y molinos.
Castilla —hidalgos de semblante enjuto,
rudos jaques y orondos bodegueros—,
Castilla —trajinantes y arrieros
de ojos inquietos, de mirar astuto—,
mendigos rezadores,
y frailes pordioseros,
boteros, tejedores,

---

[69] Vid. Alonso Zamora, *Apostillas a un poema de Antonio Machado*. Universidad de Salamanca, 1975, págs. 315-331.

arcadores, perailes, chicarreros,
lechuzos y rufianes,
fulleros y truhanes,
caciques y tahúres y logreros.
¡Oh venta de los montes! —Fuencebada,
Fonfría, Oncala, Manzanal, Robledo—.

¡Mesón de los caminos y posada
de Esquivias, Salas, Almazán, Olmedo!
La ciudad diminuta y la campana
de las monjas que tañe, cristalina...
¡Oh dueña doñeguil tan de mañana
y amor de Juan Ruiz a doña Endrina!
Las comadres —Gerarda y Celestina—.
Los amantes —Fernando y Dorotea—.
¡Oh casa, oh huerto, oh sala silenciosa!
¡Oh divino vasar en donde posa
sus dulces ojos verdes Melibea!
¡Oh jardín de cipreses y rosales,
donde Calisto ensimismado piensa
que tornan con las nubes inmortales
las mismas olas de la mar inmensa!
¡Y este hoy que mira a ayer; y este mañana
que nacerá tan viejo!

¡Y esta esperanza vana
de romper el encanto del espejo!
¡Y esta agua amarga de la fuente ignota!
¡Y este filtrar la gran hipocondría
de España siglo a siglo y gota a gota!
¡Y esta alma de *Azorín*... y esta alma mía
que está viendo pasar, bajo la frente,
de una España la inmensa galería,
cual pasa del ahogado en la agonía
todo su ayer, vertiginosamente!
Basta, *Azorín,* yo creo
en el alma sutil de tu Castilla,
y en esa maravilla
de tu hombre triste del balcón, que veo
siempre añorar, la mano en la mejilla.
Contra el gesto del persa, que azotaba
la mar con su cadena;
contra la flecha que el tahúr tiraba

al cielo [70], creo en la palabra buena [71].
Desde un pueblo que ayuna y se divierte,
ora y eructa, desde un pueblo impío
que juega al mus, de espaldas a la muerte,
creo en la libertad y en la esperanza,
y en una fe que nace
cuando se busca a Dios y no se le alcanza,
y en el Dios que se lleva y que se hace.

ENVÍO

¡Oh, tú, *Azorín,* que de la mar de Ulises
viniste al ancho llano
en donde el gran Quijote, el buen Quijano,
soñó con Esplandianes y Amadises;
buen *Azorín,* por adopción manchego,
que guardas tu alma ibera,
tu corazón de fuego
bajo el regio almidón de tu pechera
—un poco libertario
de cara a la doctrina,
¡admirable *Azorín,* el reaccionario
por asco de la greña jacobina!—;
pero tranquilo, varonil —la espada
ceñida a la cintura
y con santo rencor acicalada—,
sereno en el umbral de tu aventura!
¡Oh, tú, *Azorín,* escucha: España quiere
surgir, brotar, toda una España empieza!

---

[70] Cfr. número CI.
[71] Macrì (pág. 1214) transcribe unos versos que figuraron a continuación de éste:

> Malgrado de mi porte jacobino,
> y mi asco de las juntas apostólicas
> y las damas católicas,
> creo en la voluntad contra el destino.
> A pesar de la turba milagrera
> y sus mastines fieros,
> y de esa clerigalla vocinglera,
> ¡corazoncitos de Jesús tan buenos!,
> creo en tu Dios y en el mío.

¿Y ha de helarse en la España que se muere?
¿Ha de ahogarse en la España que bosteza?
Para salvar la nueva epifanía
hay que acudir, ya es hora,
con el hacha y el fuego al nuevo día.
Oye cantar los gallos de la aurora.

Baeza, 1913.

CXLIV

UNA ESPAÑA JOVEN

... Fue un tiempo de mentira, de infamia. A España toda,
la malherida España, de Carnaval vestida
nos la pusieron, pobre y escuálida y beoda,
para que no acertara la mano con la herida.

Fue ayer; éramos casi adolescentes; era
con tiempo malo, encinta de lúgubres presagios,
cuando montar quisimos en pelo una quimera,
mientras la mar dormía ahíta de naufragios.

Dejamos en el puerto la sórdida galera,
y en una nave de oro nos plugo navegar
hacia los altos mares, sin aguardar ribera,
lanzando velas y anclas y gobernalle al mar.

Ya entonces, por el fondo de nuestro sueño —herencia
de un siglo que vencido sin gloria se alejaba—
un alba entrar quería; con nuestra turbulencia
la luz de las divinas ideas batallaba.

Mas cada cual el rumbo siguió de su locura;
agilitó su brazo, acreditó su brío;
dejó como un espejo bruñida su armadura
y dijo: "El hoy es malo, pero el mañana... es mío."

Y es hoy aquel mañana de ayer... Y España toda,
con sucios oropeles de Carnaval vestida
aún la tenemos: pobre y escuálida y beoda;
mas hoy de un vino malo: la sangre de su herida.

Tú, juventud más joven, si de más alta cumbre
la voluntad te llega, irás a tu aventura

despierta y transparente a la divina lumbre,
como el diamante clara, como el diamante pura.

1914 [72]

CXLV

ESPAÑA, EN PAZ

En mi rincón moruno, mientras repiquetea
el agua de la siembra bendita en los cristales,
yo pienso en la lejana Europa que pelea,
el fiero Norte, envuelto en lluvias otoñales.

Donde combaten galos, ingleses y teutones,
allá, en la vieja Flandes y en una tarde fría,
sobre jinetes, carros, infantes y cañones
pondrá la lluvia el velo de su melancolía.

Envolverá la niebla el rojo expoliario
—sordina gris al férreo claror del campamento—,
las brumas de la Mancha caerán como un sudario de la
flamenca duna sobre el fangal sangriento.

Un César ha ordenado las tropas de Germania
contra el francés avaro y el triste moscovita,
y osó hostigar la rubia pantera de Britania.
Medio planeta en armas contra el teutón milita.

¡Señor! La guerra es mala y bárbara; la guerra,
odiada por las madres, las almas entigrece;
mientras la guerra pasa, ¿quién sembrará la tierra?
¿Quién segará la espiga que junio amarillece?

Albión acecha y caza las quillas en los mares;
Germania arruina templos, moradas y talleres;
la guerra pone un soplo de hielo en los hogares,
y el hambre en los caminos, y el llanto en las mujeres.

Es bárbara la guerra y torpe y regresiva;
¿por qué otra vez a Europa esta sangrienta racha
que siega el alma y esta locura acometiva?
¿Por qué otra vez el hombre de sangre se emborracha?

---

[72]   En *Poesías completas*, 1.ª edic.: Enero, 1915.

La guerra nos devuelve las podres y las pestes
del Ultramar cristiano; el vértigo de horrores
que trajo Atila a Europa con sus feroces huestes [73];
las hordas mercenarias, los púnicos rencores;
la guerra nos devuelve los muertos milenarios
de cíclopes, centauros, Heracles y Teseos;
la guerra resucita los sueños cavernarios
del hombre con peludos mammuthes giganteos.

¿Y bien? El mundo en guerra y en paz España sola.
¡Salud, oh buen Quijano! Por si este gesto es tuyo,
yo te saludo. ¡Salve! Salud, paz española,
si no eres paz cobarde, sino desdén y orgullo.

Si eres desdén y orgullo, valor de ti, si bruñes
en esa paz, valiente, la enmohecida espada,
para tenerla limpia, sin tacha, cuando empuñes
el arma de tu vieja panoplia arrinconada;
si pules y acicalas tus hierros para, un día,
vestir de luz, y erguida: *heme aquí, pues España,*
en alma y cuerpo, toda, para una guerra mía,
heme aquí, pues, vestida para la propia hazaña,
decir, para que diga quien oiga: *es voz, no es eco,*
el buen manchego habla palabras de cordura;
parece que el hidalgo amojamado y seco
entró en razón, y tiene espada a la cintura;
entonces, paz de España, yo te saludo.
                                                           Si eres
vergüenza humana de esos rencores cabezudos
con que se matan miles de avaros mercaderes,
sobre la madre tierra que los parió desnudos;
si sabes cómo Europa entera se anegaba
en una paz sin alma, en un afán sin vida,
y que una calentura cruel la aniquilaba,
que es hoy la fiebre de esta pelea fratricida;
si sabes que esos pueblos arrojan sus riquezas
al mar y al fuego —todos— para sentirse hermanos
un día ante el divino altar de la pobreza,
gabachos y tudescos, latinos y britanos,
entonces, paz de España, también yo te saludo,
y a ti, la España fuerte, si, en esta paz bendita,

---

[73] En *Poesías completas*, 1.ª edic.: "tartáreas huestes".

en tu desdeño esculpes, como sobre un escudo,
dos ojos que avizoran y un ceño que medita.

Baeza, 10 de noviembre de 1914.

CXLVI

Flor de santidad.—Novela milenaria,
por D. Ramón del Valle-Inclán.

Esta leyenda en sabio romance campesino,
ni arcaico ni moderno, por Valle-Inclán escrita,
revela en los halagos de un viento vespertino,
la santa flor de alma que nunca se marchita.
  Es la leyenda campo y campo. Un peregrino
que vuelve solitario de la sagrada tierra
donde Jesús morara, camina sin camino,
entre los agrios montes de la galaica sierra.
  Hilando, silenciosa, la rueca a la cintura.
Adega, en cuyos ojos la llama azul fulgura
de la piedad humilde, en el romero ha visto,
  al declinar la tarde, la pálida figura,
la frente gloriosa de luz y la amargura
de amor que tuvo un día el SALVADOR DOM. CRISTO.

CXLVII

AL MAESTRO RUBÉN DARÍO

Este noble poeta, que ha escuchado
los ecos de la tarde y los violines
del otoño en Verlaine, y que ha cortado
las rosas de Ronsard en los jardines
de Francia, hoy, peregrino
de un Ultramar de Sol, nos trae el oro
de su verbo divino.
¡Salterios del loor vibran en coro!
La nave bien guarnida,
con fuerte casco y acerada prora,

de viento y luz la blanca vela henchida
surca, pronta a arribar, la mar sonora.
Y yo le grito: ¡Salve! a la bandera
flamígera que tiene
esta hermosa galera,
que de una nueva España a España viene.

1904.

CXLVIII

A LA MUERTE DE RUBÉN DARÍO

Si era toda en tu verso la armonía del mundo,
¿dónde fuiste, Darío, la armonía a buscar?
Jardinero de Hesperia, ruiseñor de los mares,
corazón asombrado de la música astral,
¿te ha llevado Dionysos de su mano al infierno
y con las nuevas rosas triunfantes volverás?
¿Te han herido buscando la soñada Florida,
la fuente de la eterna juventud, capitán?
Que en esta lengua madre la clara historia quede;
corazones de todas las Españas, llorad.
Rubén Darío ha muerto en sus tierras de Oro,
esta nueva nos vino atravesando el mar.
Pongamos, españoles, en un severo mármol,
su nombre, flauta y lira, y una inscripción no más:
Nadie esta lira pulse, si no es el mismo Apolo,
nadie esta flauta suene, si no es el mismo Pan.

1916.

CXLIX

A NARCISO ALONSO CORTÉS, POETA
DE CASTILLA

"Jam senior, sed cruda deo viridisque senectu."
VIRGILIO, *Eneida.*

Tus versos me han llegado a este rincón manchego,
regio presente en arcas de rica taracea,
que guardan, entre ramos de castellano espliego,
narciso de Citeres y lirios de Judea.
　　En tu árbol viejo anida un canto adolescente,
del ruiseñor de antaño la dulce melodía.
Poeta, que declaras arrugas en tu frente,
tu musa es la más noble: se llama Todavía.
　　Al corazón del hombre con red sutil envuelve
el tiempo, como niebla de río una arboleda.
¡No mires; todo pasa; olvida: nada vuelve!
Y el corazón del hombre se angustia... ¡Nada queda!
　　El tiempo rompe el hierro y gasta los marfiles.
Con limas y barrenas, buriles y tenazas,
el tiempo lanza obreros a trabajar febriles,
enanos con punzones y cíclopes con mazas.
　　El tiempo lame y roe y pule y mancha y muerde;
socava el alto muro, la piedra agujerea;
apaga la mejilla y abrasa la hoja verde;
sobre las frentes cava los surcos de la idea.
　　Pero el poeta afronta el tiempo inexorable,
como David al fiero gigante filisteo;
de su armadura busca la pieza vulnerable,
y quiere obrar la hazaña a que no osó Teseo.
　　Vencer al tiempo quiere. ¡Al tiempo! ¿Hay un seguro
donde afincar la lucha? ¿Quién lanzará el venablo
que cace esta alimaña? ¿Se sabe de un conjuro
que ahuyente ese enemigo, como la cruz al diablo?
　　El alma. El alma vence —¡la pobre cenicienta,
que en este siglo vano, cruel, empedernido,
por esos mundos vaga escuálida y hambrienta!—
al ángel de la muerte y al agua del olvido.
　　Su fortaleza opone al tiempo, como el puente
al ímpetu del río sus pétreos tajamares;

bajo ella el tiempo lleva bramando su torrente,
sus aguas cenagosas huyendo hacia los mares.
    Poeta, el alma sólo es ancha en la ribera,
dardo cruel y doble escudo adamantino;
y en el diciembre helado, rosal de primavera;
y sol del caminante y sombra del camino.
    Poeta, que declaras arrugas en tu frente,
tu noble verso sea más joven cada día;
que en tu árbol viejo suene el canto adolescente,
del ruiseñor eterno la dulce melodía.

Venta de Cárdenas, 24 de octubre.

CL

MIS POETAS

El primero es Gonzalo de Berceo llamado,
Gonzalo de Berceo, poeta y peregrino,
que yendo en romería acaeció en un prado,
y a quien los sabios pintan copiando un pergamino.
    Trovó a Santo Domingo, trovó a Santa María,
y a San Millán, y a San Lorenzo y Santa Oria,
y dijo: Mi dictado non es de juglaría;
escrito lo tenemos; es verdadera historia.
    Su verso es dulce y grave; monótonas hileras
de chopos invernales en donde nada brilla;
renglones como surcos en pardas sementeras,
y lejos, las montañas azules de Castilla.
    Él nos cuenta el repaire del romeo cansado;
leyendo en santorales y libros de oración,
copiando historias viejas, nos dice su dictado,
mientras le sale afuera la luz del corazón.

CLI

A DON MIGUEL DE UNAMUNO

Por su libro *Vida de Don Quijote y Sancho*.

Este donquijotesco
don Miguel de Unamuno, fuerte vasco,
lleva el arnés grotesco
y el irrisorio casco
del buen manchego. Don Miguel camina,
jinete de quimérica montura,
metiendo espuela de oro a su locura,
sin miedo de la lengua que malsina.
    A un pueblo de arrieros,
lechuzos y tahúres y logreros
dicta lecciones de Caballería.
Y el alma desalmada de su raza,
que bajo el golpe de su férrea maza
aún durme, puede que despierte un día.
    Quiere enseñar el ceño de la duda,
antes de que cabalgue, el caballero;
cual nuevo Hamlet, a mirar desnuda
cerca del corazón la hoja de acero.
    Tiene el aliento de una estirpe fuerte
que soñó más allá de sus hogares,
y que el oro buscó tras de los mares.
Él señala la gloria tras la muerte.
Quiere ser fundador, y dice: Creo;
Dios y adelante el ánima española...
Y es tan bueno y mejor que fue Loyola:
sabe a Jesús y escupe al fariseo.

CLII

A JUAN RAMÓN JIMÉNEZ

Por su libro *Arias tristes*.

Era una noche del mes
de mayo, azul y serena.

Sobre el agudo ciprés
brillaba la luna llena,
   iluminando la fuente
en donde el agua surtía
sollozando intermitente.
Sólo la fuente se oía.
   Después, se escuchó el acento
de un oculto ruiseñor.
Quebró una racha de viento
la curva del surtidor.
   Y una dulce melodía
vagó por todo el jardín:
entre los mirtos tañía
un músico su violín.
   Era un acorde lamento
de juventud y de amor
para la luna y el viento,
el agua y el ruiseñor.
   "El jardín tiene una fuente
y la fuente una quimera..."
Cantaba una voz doliente,
alma de la primavera.
   Calló la voz y el violín
apagó su melodía.
Quedó la melancolía
vagando por el jardín.
Sólo la fuente se oía.

NUEVAS CANCIONES (1917-1930)

CLIII

OLIVO DEL CAMINO

A la memoria de D. Cristóbal Torres.

I

Parejo de la encina castellana
crecida sobre el páramo, señero
en los campos de Córdoba la llana
que dieron su caballo al Romancero,
lejos de tus hermanos
que vela el ceño campesino —enjutos
pobladores de lomas y altozanos,
horros de sombra, grávidos de frutos—,
sin caricia de mano labradora
que limpie tu ramaje, y por olvido,
viejo olivo, del hacha leñadora,
¡cuán bello estás junto a la fuente erguido,
bajo este azul cobalto,
como un árbol silvestre, espeso y alto!

II

Hoy, a tu sombra, quiero
ver estos campos de mi Andalucía,
como a la vera ayer del Alto Duero
la hermosa tierra de encinar veía.

Olivo solitario,
lejos de olivar, junto a la fuente,
olivo hospitalario
que das tu sombra a un hombre pensativo
y a un agua transparente,
al borde del camino que blanquea,
guarde tus verdes ramas, viejo olivo,
la diosa de ojos glaucos, Atenea.

III

Busque tu rama verde el suplicante
para el templo de un dios, árbol sombrío;
Deméter jadeante
pose a tu sombra, bajo el sol de estío.
Que reflorezca el día
en que la diosa huyó del ancho Urano,
cruzó la espalda de la mar bravía,
llegó a la tierra en que madura el grano.
Y en su querida Eleusis, fatigada,
sentóse a reposar junto al camino,
ceñido el peplo, yerta la mirada,
lleno de angustia el corazón divino...
Bajo tus ramas, viejo olivo, quiero
un día recordar del sol de Homero.

IV

Al palacio de un rey llegó la dea,
sólo divina en el mirar sereno,
ocultando su forma gigantea
de joven talle y redondo seno,
trocado el manto azul por burda lana,
como sierva propicia a la tarea
de humilde oficio con que el pan se gana.
De Keleos la esposa venerable,
que daba al hijo en su vejez nacido,
a Demofón, un pecho miserable,
la reina de los bucles de ceniza,

del niño bien amado
a Deméter tomó para nodriza.
Y el niño floreció como criado
en brazos de una diosa,
o en las selvas feraces
—así el bastardo de Afrodita hermosa—
al seno de las ninfas montaraces.

V

Mas siempre el ceño maternal espía,
y una noche, celando a la extranjera,
vio la reina una llama. En roja hoguera
a Demofón, el príncipe lozano,
Deméter impasible revolvía,
y al cuello, al torso, al vientre, con su mano
una sierpe de fuego le ceñía.
Del regio lecho, en la aromada alcoba,
saltó la madre; al corredor sombrío
salió gritando, aullando, como loba
herida en las entrañas: ¡hijo mío!

VI

Deméter la miró con faz severa.
—Tal es, raza mortal, tu cobardía.
Mi llama el fuego de los dioses era.
Y al niño, que en sus brazos sonreía:
—Yo soy Deméter que los frutos grana,
¡oh príncipe nutrido por mi aliento,
y en mis brazos más rojo que manzana
madurada en otoño al sol y al viento!...
Vuelve al halda materna, y tu nodriza
no olvides, Demofón, que fue una diosa;
ella trocó en maciza
tu floja carne y la tiñó de rosa,
y te dio el ancho torso, el brazo fuerte,
y más te quiso dar y más te diera:

con la llama que libra de la muerte,
la eterna juventud por compañera.

VII

La madre de la bella Proserpina
trocó en moreno grano,
para el sabroso pan de blanca harina,
aguas de abril y soles de verano.
Trigales y trigales ha corrido
la rubia diosa de la hoz dorada,
y del campo a las eras del ejido,
con sus montes de mies agavillada,
llegaron los huesudos bueyes rojos,
la testa dolorida al yugo atada,
y con la tarde ubérrima en los ojos.
De segados trigales y alcaceles
hizo el fuego sequizos rastrojales;
en el huerto rezuma el higo mieles,
cuelga la oronda pera en los perales,
hay en las vides rubios moscateles,
y racimos de rosa en los parrales
que festonan la blanca almacería
de los huertos. Ya irá de glauca a bruna,
por llano, loma, alcor y serranía,
de los verdes olivos la aceituna...
Tu fruto, ¡oh polvoriento del camino
árbol ahíto de la estiva llama!,
no estrujarán las piedras del molino,
aguardará la fiesta, en la alta rama,
del alegre zorzal, o el estornino
lo llevará en su pico, alborozado.
Que en tu ramaje luzca, árbol sagrado,
bajo la luna llena,
el ojo encandilado
del búho insomne de la sabia Atena.
Y que la diosa de la hoz bruñida
y de la adusta frente
materna sed y angustia de uranida
traiga a tu sombra, olivo de la fuente.

Y con tus ramas la divina hoguera
encienda en un hogar del campo mío,
por donde tuerce perezoso un río
que toda la campiña hace ribera
antes que un pueblo, hacia la mar, navío.

CLIV

APUNTES

I

Desde mi ventana,
¡campo de Baeza,
a la luna clara!
    ¡Montes de Cazorla,
Aznaitín y Mágina!
    ¡De luna y de piedra
también los cachorros
de Sierra Morena!

II

Sobre el olivar,
se vio a la lechuza
volar y volar.
    Campo, campo, campo.
Entre los olivos,
los cortijos blancos.
    Y la encina negra,
a medio camino
de Úbeda a Baeza.

III

Por un ventanal,
entró la lechuza
en la catedral.

San Cristobalón
la quiso espantar,
al ver que bebía
del velón de aceite
de Santa María.
     La Virgen habló:
Déjala que beba,
San Cristobalón.

IV

     Sobre el olivar,
se vio a la lechuza
volar y volar.
     A Santa María
un ramito verde
volando traía.
     ¡Campo de Baeza,
soñaré contigo
cuando no te vea!

V

     Dondequiera vaya,
José de Mairena
lleva su guitarra.
     Su guitarra lleva,
cuando va a caballo,
a la bandolera.
     Y lleva el caballo
con la rienda corta,
la cerviz en alto.

VI

     ¡Pardos borriquillos
de ramón cargados,
entre los olivos!

VII

¡Tus sendas de cabras
y tus madroñeras,
Córdoba serrana!

VIII

¡La del Romancero,
Córdoba la llana!...
Guadalquivir hace vega,
el campo relincha y brama.

IX

Los olivos grises,
los caminos blancos.
El sol ha sorbido
la calor del campo;
y hasta tu recuerdo
me lo va secando
este alma de polvo
de los días malos.

CLV

HACIA TIERRA BAJA

I

Rejas de hierro; rosas de grana.
¿A quién esperas,
con esos ojos y esas ojeras,
enjauladita como las fieras,
tras de los hierros de tu ventana?
Entre las rejas y los rosales,
¿sueñas amores
de bandoleros galanteadores,
fieros amores entre puñales?

Rondar tu calle nunca verás
ese que esperas; porque se fue
toda la España de Mérimée.
    Por esta calle —tú elegirás—
pasa un notario
que va al tresillo del boticario,
y un usurero, a su rosario.
    También yo paso, viejo y tristón.
Dentro del pecho llevo un león.

II

    Aunque me ves por la calle,
también yo tengo mis rejas,
mis rejas y mis rosales.

III

    Un mesón de mi camino.
Con un gesto de vestal,
tú sirves el rojo vino
de una orgía de arrabal.
    Los borrachos
de los ojos vivarachos
y la lengua fanfarrona
te requiebran, ¡oh varona!
    Y otros borrachos suspiran
por tus ojos de diamante,
tus ojos que a nadie miran.
    A la altura de tus senos,
la batea rebosante
llega en tus brazos morenos.
    ¡Oh mujer,
dame también de beber!

IV

    Una noche de verano.
El tren hacia el puerto va,

devorando aire marino.
Aún no se ve la mar.

*

Cuando lleguemos al puerto,
niña, verás
un abanico de nácar
que brilla sobre la mar.

*

A una japonesa
le dijo Sokán:
con la blanca luna
te abanicarás,
con la blanca luna,
a orillas del mar.

V

Una noche de verano,
en la playa de Sanlúcar,
oí una voz que cantaba:
Antes que salga la luna.
Antes que salga la luna,
a la vera de la mar,
dos palabritas a solas
contigo tengo de hablar.
¡Playa de Sanlúcar,
noche de verano,
copla solitaria
junto al mar amargo!
¡A la orillita del agua,
por donde nadie nos vea,
antes que la luna salga!

CLVI

GALERÍAS

I

En el azul la banda
de unos pájaros negros
que chillan, aletean y se posan
en el álamo yerto.
    ... En el desnudo álamo,
las graves chovas quietas y en silencio,
cual negras, frías notas
escritas en la pauta de febrero.

II

El monte azul, el río, las erectas
varas cobrizas de los finos álamos,
y el blanco del almendro en la colina,
¡oh nieve en flor y mariposa en árbol!
Con el aroma del habar, el viento
corre en la alegre soledad del campo.

III

Una centella blanca
en la nube de plomo culebrea.
¡Los asombrados ojos
del niño, y juntas cejas
—está el salón oscuro— de la madre!...
¡Oh cerrado balcón a la tormenta!
El viento aborrascado y el granizo
en el limpio cristal repiquetean.

IV

El iris y el balcón.
                    Las siete cuerdas
de la lira del sol vibran en sueños.

Un tímpano infantil da siete golpes
—agua y cristal—.
                                   Acacias con jilgueros.
Cigüeñas en las torres.
                                   En la plaza,
lavó la lluvia el mirto polvoriento.
En el amplio rectángulo ¿quién puso
ese grupo de vírgenes risueño,
y arriba ¡hosanna! entre la rota nube,
la palma de oro y el azul sereno?

V

Entre montes de almagre y peñas grises,
el tren devora su raíl de acero.
La hilera de brillantes ventanillas
lleva un doble perfil de camafeo,
tras el cristal de plata, repetido...
¿Quién ha punzado el corazón del tiempo?

VI

¿Quién puso, entre las rocas de ceniza,
para la miel del sueño,
esas retamas de oro
y esas azules flores del romero?
La sierra de violeta
y, en el poniente, el azafrán del cielo,
¿quién ha pintado? ¡El abejar, la ermita,
el tajo sobre el río, el sempiterno
rodar del agua entre las hondas peñas,
y el rubio verde de los campos nuevos,
y todo, hasta la tierra blanca y rosa
al pie de los almendros!

VII

En el silencio sigue
la lira pitagórica vibrando,

el iris en la luz, la luz que llena
mi estereoscopio vano.
Han cegado mis ojos las cenizas
del fuego heraclitano.
El mundo es, un momento,
transparente, vacío, ciego, alado.

CLVII

LA LUNA, LA SOMBRA Y EL BUFÓN

I

Fuera, la luna platea
cúpulas, torres, tejados;
dentro, mi sombra pasea
por los muros encalados.
Con esta luna, parece
que hasta la sombra envejece.
Ahorremos la serenata
de una cenestesia ingrata,
y una vejez intranquila,
y una luna de hojalata.
Cierra tu balcón, Lucila.

II

Se pinta panza y joroba
en la pared de mi alcoba.
Canta el bufón:
                    ¡Qué bien van,
en un rostro de cartón,
unas barbas de azafrán!
Lucila, cierra el balcón.

CLVIII

CANCIONES DE TIERRAS ALTAS

I

Por la sierra blanca...
La nieve menuda
y el viento de cara.
Por entre los pinos...
con la blanca nieve
se borra el camino.
Recio viento sopla
de Urbión a Moncayo.
¡Páramos de Soria!

II

Ya habrá cigüeñas al sol,
mirando la tarde roja,
entre Moncayo y Urbión.

III

Se abrió la puerta que tiene
gonces en mi corazón,
y otra vez la galería
de mi historia apareció.
Otra vez la plazoleta
de las acacias en flor,
y otra vez la fuente clara
cuenta un romance de amor.

IV

Es la parda encina
y el yermo de piedra.
Cuando el sol tramonta,
el río despierta.

¡Oh montes lejanos
de malva y violeta!
En el aire en sombra
sólo el río suena.
    ¡Luna amoratada
de una tarde vieja,
en un campo frío,
más luna que tierra! [74].

V

    Soria de montes azules
y de yermos de violeta,
¡cuántas veces te he soñado
en esta florida vega
por donde se va,
entre naranjos de oro,
Guadalquivir a la mar!

VI

    ¡Cuántas veces me borraste,
tierra de ceniza,
estos limonares verdes
con sombras de tus encinas!
    ¡Oh campos de Dios,
entre Urbión el de Castilla
y Moncayo el de Aragón!

VII

    En Córdoba, la serrana,
en Sevilla, marinera
y labradora, que tiene
hinchada, hacia el mar, la vela;

---

[74] Este poema procede de otros dos de *Los complementarios* (pág. 197, I
y III).

y en el ancho llano
por donde la arena sorbe
la baba del mar amargo,
hacia la fuente del Duero
mi corazón —¡Soria pura!—
se tornaba... ¡Oh, fronteriza
entre la tierra y la luna!
    ¡Alta paramera
donde corre el Duero niño [75],
tierra donde está su tierra!

VIII

    El río despierta.
En el aire obscuro,
sólo el río suena.
    ¡Oh canción amarga
del agua en la piedra!
... Hacia el alto Espino [76],
bajo las estrellas.
    Sólo suena el río
al fondo del valle,
bajo el alto Espino [77].

IX

    En medio del campo,
tiene la ventana abierta
la ermita sin ermitaño.
Un tejadillo verdoso.
Cuatro muros blancos.
    Lejos relumbra la piedra
del áspero Guadarrama.
Agua que brilla y no suena.

---

[75]   Cfr. verso último de CXXVI.
[76]   *Alto Espino* en el final de CXXVI.
[77]   Esta cancioncilla se copió incompleta en *Los complementarios* (página 198, IV).

En el aire claro,
¡los alamillos del soto,
sin hojas, liras de marzo!

X

IRIS DE LA NOCHE

A D. Ramón del Valle-Inclán.

Hacia Madrid, una noche,
va el tren por el Guadarrama.
En el cielo, el arco iris
que hacen la luna y el agua.
¡Oh luna de abril, serena,
que empuja las nubes blancas!
La madre lleva a su niño,
dormido, sobre la falda.
Duerme el niño y, todavía,
ve el campo verde que pasa,
y arbolillos soleados,
y mariposas doradas.
La madre, ceño sombrío
entre un ayer y un mañana,
ve unas ascuas mortecinas
y una hornilla con arañas.
Hay un trágico viajero,
que debe ver cosas raras,
y habla solo y, cuando mira,
nos borra con la mirada.
Yo pienso en campos de nieve
y en pinos de otras montañas.
Y tú, Señor, por quien todos
vemos y que ves las almas,
dinos si todos, un día,
hemos de verte la cara.

CLIX

CANCIONES

I

Junto a la sierra florida,
bulle el ancho mar.
El panal de mis abejas
tiene granitos de sal.

II

Junto al agua negra.
Olor de mar y jazmines.
Noche malagueña.

III

La primavera ha venido.
Nadie sabe cómo ha sido.

IV

La primavera ha venido.
¡Aleluyas blancas
de los zarzales floridos!

V

¡Luna llena, luna llena,
tan oronda, tan redonda
en esta noche serena
de marzo, panal de luz
que labran blancas abejas!

VI

Noche castellana;
la canción se dice,
o, mejor, se calla.
Cuando duerman todos,
saldré a la ventana.

VII

Canta, canta en claro ritmo,
el almendro en verde rama
y el doble sauce del río.
Canta de la parda encina
la rama que el hacha corta
y la flor que nadie mira.
De los perales del huerto
la blanca flor, la rosada
flor del melocotonero.
Y este olor
que arranca el viento mojado
a los habares en flor.

VIII

La fuente y las cuatro
acacias en flor
de la plazoleta.
Ya no quema el sol.
¡Tardecita alegre!
Canta, ruiseñor.
Es la misma hora
de mi corazón.

IX

¡Blanca hospedería,
celda de viajero,
con la sombra mía!

X

El acueducto romano
—canta una voz de mi tierra—
y el querer que nos tenemos,
chiquilla, ¡vaya firmeza!

XI

A las palabras de amor
les sienta bien su poquito
de exageración.

XII

En Santo Domingo,
la misa mayor.
Aunque me decían
hereje y masón,
rezando contigo,
¡cuánta devoción!

XIII

Hay fiesta en el prado verde
—pífano y tambor—.
Con su cayado florido
y abarcas de oro vino un pastor.
Del monte bajé,
sólo por bailar con ella;
al monte me tornaré.
En los árboles del huerto
hay un ruiseñor;
canta de noche y de día,
canta a la luna y al sol.
Ronco de cantar:
al huerto vendrá la niña
y una rosa cortará.

Entre las negras encinas
hay una fuente de piedra,
y un cantarillo de barro
que nunca se llena.
  Por el encinar,
con la blanca luna,
ella volverá.

XIV

Contigo en Valonsadero,
fiesta de San Juan,
mañana en la Pampa,
del otro lado del mar.
Guárdame la fe,
que yo volveré.
  Mañana seré pampero,
y se me irá el corazón
a orillas del Alto Duero.

XV

Mientras danzáis en corro,
niñas, cantad:
Ya están los prados verdes,
ya vino Abril galán [78].

---

[78] Otra versión añade, tras éste, los versos siguientes:

Sus abarcas de plata
hemos visto brillar.
Se llevó a una mocita
por el negro encinar.
  Cantad, niñas en corro:
  Ya vino Abril galán.
Agua abajo del río
se les ve navegar,
en el barco de oro
con remos de coral.
  Ya están los prados verdes,
  ya vino Abril galán.
                    (Macrì, pág. 1228).

A la orilla del río,
por el negro encinar,
sus abarcas de plata
hemos visto brillar.
Ya están los prados verdes,
ya vino Abril galán.

CLX

CANCIONES DEL ALTO DUERO

Canción de mozas.

I

Molinero es mi amante,
tiene un molino
bajo los pinos verdes,
cerca del río.
Niñas, cantad:
"Por las tierras de Soria
yo quisiera pasar."

II

Por las tierras de Soria
va mi pastor.
¡Si yo fuera una encina
sobre un alcor!
Para la siesta,
si yo fuera una encina
sombra le diera.

III

Colmenero es mi amante,
y, en su abejar,
abejicas de oro

vienen y van.
De tu colmena,
colmenero del alma,
yo colmenera.

IV

En las sierras de Soria,
azul y nieve,
leñador es mi amante
de pinos verdes.
¡Quién fuera el águila
para ver a mi dueño
cortando ramas!

V

Hortelano es mi amante,
tiene su huerto,
en la tierra de Soria,
cerca del Duero.
¡Linda hortelana!
Llevaré saya verde,
monjil de grana.

VI

A la orilla del Duero,
lindas peonzas,
bailad, coloraditas
como amapolas.
¡Ay, garabí!...
Bailad, suene la flauta
y el tamboril.

CLXI

PROVERBIOS Y CANTARES

A José Ortega y Gasset.

I

El ojo que ves no es
ojo porque tú lo veas;
es ojo porque te ve.

II

Para dialogar,
preguntad primero;
después... escuchad.

III

Todo narcisismo
es un vicio feo,
y ya viejo vicio.

IV

Mas busca en tu espejo al otro,
al otro que va contigo.

V

Entre el vivir y el soñar
hay una tercera cosa.
Adivínala [79].

---

[79] En *Los complementarios* (pág. 200. VII) se lee:

Entre el vivir y el soñar
está lo que más importa.

VI

Ese tu Narciso
ya no se ve en el espejo
porque es el espejo mismo.

VII

¿Siglo nuevo? ¿Todavía
llamea la misma fragua?
¿Corre todavía el agua
por el cauce que tenía?

VIII

Hoy es siempre todavía.

IX

Sol en Aries. Mi ventana
está abierta al aire frío.
—¡Oh rumor de agua lejana!—.
La tarde despierta al río.

X

En el viejo caserío
—¡oh anchas torres con cigüeñas!—
enmudece el son gregario,
y en el campo solitario
suena el agua entre las peñas.

XI

Como otra vez, mi atención
está del agua cautiva;
pero del agua en la viva
roca de mi corazón.

XII

¿Sabes, cuando el agua suena,
si es agua de cumbre o valle,
de plaza, jardín o huerta?

XIII

Encuentro lo que no busco:
las hojas del toronjil
huelen a limón maduro.

XIV

Nunca traces tu frontera,
ni cuides de tu perfil;
todo eso es cosa de fuera.

XV

Busca a tu complementario,
que marcha siempre contigo,
y suele ser tu contrario.

XVI

Si vino la primavera,
volad a las flores;
no chupéis cera.

XVII

En mi soledad
he visto cosas muy claras,
que no son verdad.

XVIII

Buena es el agua y la sed;
buena es la sombra y el sol;
la miel de flor de romero,
la miel de campo sin flor.

XIX

A la vera del camino
hay una fuente de piedra,
y un cantarillo de barro
—gluglú— que nadie se lleva.

XX

Adivina adivinanza,
qué quieren decir la fuente,
el cantarillo y el agua.

XXI

... Pero yo he visto beber
hasta en los charcos del suelo.
Caprichos tiene la sed.

XXII

Sólo quede un símbolo:
quod elixum est ne asato.
No aséis lo que está cocido.

XXIII

Canta, canta, canta,
junto a su tomate,
el grillo en su jaula.

XXIV

Despacito y buena letra:
el hacer las cosas bien
importa más que el hacerlas.

XXV

Sin embargo...
                    ¡Ah!, sin embargo,
importa avivar los remos,
dijo el caracol al galgo.

XXVI

¡Ya hay hombres activos!
Soñaba la charca
con sus mosquitos.

XXVII

¡Oh calavera vacía!
¡Y pensar que todo era
dentro de ti, calavera!,
otro Pandolfo decía.

XXVIII

Cantores, dejad
palmas y jaleo
para los demás.

XXIX

Despertad, cantores:
acaben los ecos,
empiecen las voces.

XXX

Mas no busquéis disonancias;
porque, al fin, nada disuena,
siempre al son que tocan bailan.

XXXI

Luchador superfluo,
ayer lo más noble,
mañana lo más plebeyo.

XXXII

Camorrista, boxeador,
zúrratelas con el viento.

XXXIII

Sin embargo...
                    ¡Oh!, sin embargo,
queda fetiche que aguarda
ofrenda de puñetazos.

XXXIV

O *rinnovarsi* o *perire*...
No me suena bien
Navigare è necessario...
    Mejor: ¡vivir para ver!

XXXV

Ya maduró un nuevo cero,
que tendrá su devoción:
un ente de acción tan huero
como un ente de razón.

XXXVI

No es el yo fundamental
eso que busca el poeta,
sino el tú esencial.

XXXVII

Viejo como el mundo es
—dijo un doctor—, olvidado,
por sabido, y enterrado
cual la momia de Ramsés.

XXXVIII

Mas el doctor no sabía
que hoy es siempre todavía [80].

XXXIX

Busca en tu prójimo espejo;
pero no para afeitarte,
ni para teñirte el pelo.

XL

Los ojos por que suspiras,
sábelo bien,
los ojos en que te miras
son ojos porque te ven [81].

---

[80] Cfr. número CLXI, § VIII.
[81] Cfr. número CLXI, § I.

XLI

—Ya se oyen palabras viejas.
—Pues aguzad las orejas.

XLII

Enseña el Cristo: a tu prójimo
amarás como a ti mismo,
mas nunca olvides que es otro.

XLIII

Dijo otra verdad:
busca el tú que nunca es tuyo
ni puede serlo jamás.

XLIV

No desdeñéis la palabra;
el mundo es ruidoso y mudo,
poetas, sólo Dios habla.

XLV

¿Todo para los demás?
Mancebo, llena tu jarro,
que ya te lo beberán.

XLVI

Se miente más de la cuenta
por falta de fantasía:
también la verdad se inventa.

XLVII

Autores, la escena acaba
con un dogma de teatro:
En el principio era la máscara.

XLVIII

Será el peor de los malos
bribón que olvide
su vocación de diablo.

XLIX

¿Dijiste media verdad?
Dirán que mientes dos veces
si dices la otra mitad.

L

Con el tú de mi canción
no te aludo, compañero;
ese tú soy yo.

LI

Demos tiempo al tiempo:
para que el vaso rebose
hay que llenarlo primero.

LII

Hora de mi corazón:
la hora de una esperanza
y una desesperación.

LIII

Tras el vivir y el soñar,
está lo que más importa:
despertar.

LIV

Le tiembla al cantar la voz.
Ya no le silban sus coplas,
que silba su corazón.

LV

Ya hubo quien pensó:
cogito ergo non sum.
¡Qué exageración!

LVI

Conversación de gitanos:
—¿Cómo vamos, compadrito?
—Dando vueltas al atajo.

LVII

Algunos desesperados
sólo se curan con soga;
otros con siete palabras:
la fe se ha puesto de moda.

LVIII

Creí mi hogar apagado,
y revolví la ceniza...
Me quemé la mano.

LIX

¡Reventó de risa!
¡Un hombre tan serio!
… Nadie lo diría.

LX

Que se divida el trabajo:
los malos unten la flecha;
los buenos tiendan el arco.

LXI

Como don San Tob,
se tiñe las canas,
y con más razón.

LXII

Por dar al viento trabajo,
cosía con hilo doble
las hojas secas del árbol.

LXIII

Sentía los cuatro vientos,
en la encrucijada
de su pensamiento.

LXIV

¿Conoces los invisibles
hiladores de los sueños?
Son dos: la verde esperanza
y el torvo miedo.

Apuesta tienen de quién
hile más y más ligero,
ella, su copo dorado;
él, su copo negro.
    Con el hilo que nos dan
tejemos, cuando tejemos.

LXV

Siembra la malva:
pero no la comas,
dijo Pitágoras.
    Responde al hachazo
—ha dicho el Buda ¡y el Cristo!—
con tu aroma, como el sándalo.
    Bueno es recordar
las palabras viejas
que han de volver a sonar.

LXVI

Poned atención:
un corazón solitario
no es un corazón.

LXVII

Abejas, cantores,
no a la miel, sino a las flores.

LXVIII

Todo necio
confunde valor y precio.

LXIX

Lo ha visto pasar en sueños...
Buen cazador de sí mismo,
siempre en acecho.

LXX

Cazó a su hombre malo,
el de los días azules,
siempre cabizbajo.

LXXI

Da doble luz a tu verso,
para leído de frente
y al sesgo.

LXXII

Mas no te importe si rueda
y pasa de mano en mano:
del oro se hace moneda.

LXXIII

De un *Arte de Bien Comer*,
primera lección:
No has de coger la cuchara
con el tenedor.

LXXIV

Señor San Jerónimo,
suelte usted la piedra
con que se machaca.
Me pegó con ella.

LXXV

Conversación de gitanos:
—Para rodear,
toma la calle de en medio;
nunca llegarás.

LXXVI

El tono lo da la lengua,
ni más alto ni más bajo;
sólo acompáñate de ella.

LXXVII

¡Tartarín en Kœnigsberg!
Con el puño en la mejilla,
todo lo llegó a saber.

LXXVIII

Crisolad oro en copela,
y burilad lira y arco
no en joya, sino en moneda.

LXXIX

Del romance castellano
no busques la sal castiza;
mejor que romance viejo,
poeta, cantar de niñas.
Déjale lo que no puedes
quitarle: su melodía
de cantar que canta y cuenta
un ayer que es todavía.

LXXX

Concepto mondo y lirondo
suele ser cáscara hueca;
puede ser caldera al rojo.

LXXXI

Si vivir es bueno,
es mejor soñar,
y mejor que todo,
madre, despertar.

LXXXII

No el sol, sino la campana,
cuando te despierta, es
lo mejor de la mañana.

LXXXIII

¡Qué gracia! En la Hesperia triste,
promontorio occidental,
en este cansino rabo
de Europa, por desollar,
y en una ciudad antigua,
chiquita como un dedal,
¡el hombrecillo que fuma
y piensa, y ríe al pensar:
cayeron las altas torres;
en un basurero están
la corona de Guillermo,
la testa de Nicolás!

Bacza, 1919.

LXXXIV

Entre las brevas soy blando;
entre las rocas, de piedra.
¡Malo!

LXXXV

¿Tu verdad? No, la Verdad,
y ven conmigo a buscarla.
La tuya, guárdatela.

LXXXVI

Tengo a mis amigos
en mi soledad;
cuando estoy con ellos
¡qué lejos están!

LXXXVII

¡Oh Guadalquivir!
Te vi en Cazorla nacer;
hoy, en Sanlúcar morir.
Un borbollón de agua clara,
debajo de un pino verde,
eras tú, ¡qué bien sonabas!
Como yo, cerca del mar,
río de barro salobre,
¿sueñas con tu manantial?

LXXXVIII

El pensamiento barroco
pinta virutas de fuego,
hincha y complica el decoro.

LXXXIX

Sin embargo...
        —Oh, sin embargo,
hay siempre un ascua de veras
en su incendio de teatro.

XC

¿Ya de su color se avergüenzan
las hojas de la albahaca,
salvias y alhucemas?

XCI

Siempre en alto, siempre en alto,
¿Renovación? Desde arriba.
Dijo la cucaña al árbol.

XCII

Dijo el árbol: Teme al hacha,
palo clavado en el suelo:
contigo la poda es tala.

XCIII

¿Cuál es la verdad? ¿El río
que fluye y pasa
donde el barco y barquero
son también ondas del agua?
¿O este soñar del marino
siempre con ribera y ancla?

XCIV

Doy consejo, a fuer de viejo:
nunca sigas mi consejo.

XCV

Pero tampoco es razón
desdeñar
consejo que es confesión.

XCVI

¿Ya sientes la savia nueva?
Cuida, arbolillo,
que nadie lo sepa.

XCVII

Cuida de que no se entere
la cucaña seca
de tus ojos verdes.

XCVIII

Tu profecía, poeta.
—Mañana hablarán los mudos:
el corazón y la piedra.

XCIX

—¿Mas el arte?...
                              —Es puro juego,
que es igual a pura vida,
que es igual a puro fuego.
Veréis el ascua encendida.

CLXII

PARERGÓN

> Al gigante ibérico Miguel de Una-
> muno, por quien la España actual al-
> canza proceridad en el mundo.

LOS OJOS

I

Cuando murió su amada
pensó en hacerse viejo
en la mansión cerrada,
solo, con su memoria y el espejo
donde ella se miraba un claro día.
Como el oro en el arca del avaro,
pensó que no guardaría
todo un ayer en el espejo claro.
Ya el tiempo para él no correría.

II

Mas, pasado el primer aniversario,
¿cómo eran —preguntó—, pardos o negros,
sus ojos? ¿Glaucos?... ¿Grises?
¿Cómo eran, ¡Santo Dios!, que no recuerdo?...

III

Salió a la calle un día
de primavera, y paseó en silencio
su doble luto, el corazón cerrado...
De una ventana en el sombrío hueco
vio unos ojos brillar. Bajó los suyos
y siguió su camino... ¡Como ésos!

CLXIII

EL VIAJE

—Niña, me voy a la mar.
—Si no me llevas contigo
te olvidaré, capitán.
    En el puente de su barco
quedó el capitán dormido;
durmió soñando con ella;
¡Si no me llevas contigo!...
    Cuando volvió de la mar
trajo un papagayo verde.
¡Te olvidaré, capitán!
    Y otra vez la mar cruzó
con su papagayo verde,
¡Capitán, ya te olvidó!

CLXIV

GLOSANDO A RONSARD Y OTRAS RIMAS [82]

> Un poeta manda su retrato a una
> bella dama, que le había enviado el
> suyo.

I

    Cuando veáis esta sumida boca
que ya la sed ni inquieta, la mirada
tan desvalida (su mitad, guardada
en viejo estuche, es de cristal de roca),
    la barba que platea, y el estrago
del tiempo en la mejilla, hermosa dama,
diréis: ¿a qué volver sombra por llama,
negra moneda de joyel en pago?
    ¿Y qué esperáis de mí? Cuando a deshora
pasa un alba, yo sé que bien quisiera

---

[82] Vid. Luis Cortés, *Ronsard y Machado* (en «Strenae». Salamanca. 1962,
págs. 121-129).

el corazón su flecha más certera
    arrancar de la aljaba vengadora.
¿No es mejor saludar la primavera,
y devolver sus alas a la aurora?

II

    Como fruta arrugada, ayer madura,
o como mustia rama, ayer florida,
y aun menos, en el árbol de mi vida,
es la imagen que os lleva esa pintura.
    Porque el árbol ahonda en tierra dura,
en roca tiene su raíz prendida,
y si al labio no da fruta sabrida,
aún quiere dar al sol la que perdura.
    Ni vos gritéis desilusión, señora,
negando al día ese carmín risueño,
ni a la manera usada, en el ahora
    pongáis, cual negra tacha, el turbio ceño.
Tomad arco y aljaba —¡oh cazadora!—
que ya es el alba: despertad del sueño.

III

    Pero si os place amar vuestro poeta,
que vive en la canción, no en el retrato,
¿no encontraréis en su perfil beato
conjuro de esa fúnebre careta?
    Buscad del hondo cauce agua secreta,
del campanil que enronqueció a rebato
la víspera dormida, el timorato
pensando amor en hora recoleta.
    Desdeñad lo que soy; de lo que he sido
trazad con firme mano la figura:
galán de amor soñado, amor fingido,
    por anhelo inventor de la aventura.
Y en vuestro sabio espejo —luz y olvido—
algo seré también vuestra criatura.

ESTO SOÑÉ

Que el caminante es suma del camino,
y en el jardín, junto del mar sereno,
le acompaña el aroma montesino,
ardor de seco henil en campo ameno;
  que de luenga jornada peregrino
ponía al corazón un duro freno,
para aguardar el verso adamantino
que maduraba el alma en su hondo seno.
  Esto soñé. Y del tiempo, el homicida,
que nos lleva a la muerte o fluye en vano,
que era un sueño no más del adanida.
  Y un hombre vi que en la desnuda mano
mostraba al mundo el ascua de la vida,
sin cenizas el fuego heraclitano.

EL AMOR Y LA SIERRA

Cabalgaba por agria serranía,
una tarde, entre roca cenicienta.
El plomizo balón de la tormenta
de monte en monte rebotar se oía.
  Súbito, al vivo resplandor del rayo,
se encabritó, bajo de un alto pino,
al borde de una peña, su caballo.
A dura rienda le tornó al camino.
  Y hubo visto la nube desgarrada,
y, dentro, la afilada crestería
de otra sierra más lueñe y levantada
  —relámpago de piedra parecía—.
¿Y vio el rostro de Dios? Vio el de su amada.
Gritó: ¡Morir en esta sierra fría!

PÍO BAROJA

En Londres o Madrid, Ginebra o Roma,
ha sorprendido, ingenuo paseante,
el mismo *taedium vitae* en vario idioma,
en múltiple careta igual semblante.

Atrás las manos enlazadas lleva,
y hacia la tierra, al pasear, se inclina;
todo el mundo a su paso es senda nueva,
camino por desmonte o por rüina.
　　Dio, aunque tardío, el siglo diecinueve
un ascua de su fuego al gran Baroja,
y otro siglo, al nacer, guerra le mueve,
　　que enceniza su cara pelirroja.
De la rosa romántica, en la nieve,
él ha visto caer la última hoja.

AZORÍN

La roja tierra del trigal de fuego,
y del habar florido la fragancia,
y el lindo cáliz de azafrán manchego
amó, sin mengua de la lis de Francia.
　　¿Cúya es la doble faz, candor y hastío,
y la trémula voz y el gesto llano,
y esa noble apariencia de hombre frío
que corrige la fiebre de la mano?
　　No le pongáis, al fondo, la espesura
de aborrascado monte o selva huraña,
sino, en la luz de una mañana pura,
　　lueñe espuma de piedra, la montaña,
y el diminuto pueblo en la llanura,
¡la aguda torre en el azul de España!

RAMÓN PÉREZ DE AYALA

Lo recuerdo... Un pintor me lo retrata,
no en el lino, en el tiempo. Rostro enjuto,
sobre el rojo manchón de la corbata,
bajo el amplio sombrero; resoluto
　　el ademán, y el gesto petulante
—un si es no es— de mayorazgo en corte;
de bachelor en Oxford, o estudiante
en Salamanca, señoril el porte.
　　Gran poeta, el pacífico sendero

cantó que lleva a la asturiana aldea;
el mar polisonoro y sol de Homero
   le dieron ancho ritmo, clara idea;
su innúmero camino el mar ibero,
su propio navegar, propia Odisea.

EN LA FIESTA DE GRANDMONTAGNE

Leído en el Mesón del Segoviano.

I

   Cuenta la historia que un día,
buscando mejor España,
Grandmontagne se partía
de una tierra de montaña.
de una tierra
de agria sierra.
¿Cuál? No sé. ¿La serranía
de Burgos? ¿El Pirineo?
¿Urbión donde el Duero nace?
Averiguadlo. Yo veo
un prado en que el negro toro
reposa, y la oveja pace
entre ginestas de oro;
y unos altos, verdes pinos;
más arriba, peña y peña,
y un rubio mozo que sueña
con caminos,
en el aire, de cigüeña,
entre montes, de merinos,
con rebaños trashumantes
y vapores de emigrantes
a pueblos ultramarinos.

II

   Grandmontagne saludaba
a los suyos, en la popa
de un barco que se alejaba
del triste rabo de Europa.

Tras de mucho devorar
caminos de mar profundo,
vio las estrellas brillar
sobre la panza del mundo.
Arribado a un ancho estuario,
dio en la argentina Babel.
Él llevaba un diccionario
y siempre leía en él:
era su devocionario.
Y en la ciudad —no en el hampa—
y en la Pampa
hizo su propia conquista.
El cronista
en dos mundos, bajo el sol,
el duro pan se ganaba
y, de noche, fabricaba
su magnífico español.
La faena trabajosa,
y la mar y la llanura,
caminata o singladura,
siempre larga,
diéronle, para su prosa,
viento recio, sal amarga,
y la amplia línea armoniosa
del horizonte lejano.
Llevó del monte dureza,
calma le dio el oceano
y grandeza;
y de un pueblo americano
donde florece la hombría
nos trae la fe y la alegría
que ha perdido el castellano.

III

En este remolino de España, rompeolas
de las cuarenta y nueve provincias españolas
(Madrid del cucañista, Madrid del pretendiente)
y en un mesón antiguo, y entre la poca gente

—¡tan poca!— sin librea, que sufre y que trabaja,
y aún corta solamente su pan con su navaja,
por Grandmontagne alcemos la copa. Al suelo indiano,
ungido de las letras embajador hispano,
"ayant pour tout laquais votre ombre seulement"
os vais, buen caballero... Que Dios os dé su mano,
que el mar y el cielo os sean propicios, capitán.

A DON RAMÓN DEL VALLE-INCLÁN

Yo era en mis sueños, don Ramón, viajero
del áspero camino, y tú, Caronte
de ojos de llama, el fúnebre barquero
de las revueltas aguas de Aqueronte.
   Plúrima barba al pecho te caía.
(Yo quise ver tu manquedad en vano.)
Sobre la negra barca aparecía
tu verde senectud de dios pagano.
   Habla, dijiste, y yo: cantar quisiera
loor de tu Don Juan y tu paisaje,
en esta hora de verdad sincera.
   Porque faltó mi voz en tu homenaje,
permite que en la pálida ribera
te pague en áureo verso mi barcaje.

AL ESCULTOR EMILIANO BARRAL

... Y tu cincel me esculpía
en una piedra rosada,
que lleva una aurora fría
eternamente encantada.
Y la agria melancolía
de una soñada grandeza,
que es lo español (fantasía
con que adobar la pereza),
fue surgiendo de esa roca,
que es mi espejo,
línea a línea, plano a plano,
y mi boca de sed poca,

y, so el arco de mi cejo,
dos ojos de un ver lejano,
que yo quisiera tener
como están en tu escultura:
cavados en piedra dura,
en piedra, para no ver.

Madrid, 1922.

A JULIO CASTRO

Desde las altas tierras donde nace
un largo río de la triste Iberia,
del ancho promontorio de Occidente
—vasta lira, hacia el mar, de sol y piedra—,
con el milagro de tu verso, he visto
mi infancia marinera,
que yo también, de niño, ser quería
pastor de olas, capitán de estrellas.
Tú vives, yo soñaba;
pero a los dos, hermano, el mar nos tienta.
En cada verso tuyo
hay un golpe de mar, que me despierta
a sueños de otros días,
con regalo de conchas y de perlas.
Estrofa tienes como vela hinchada
de viento y luz, y copla donde suena
la caracola de un tritón, y el agua
que le brota al delfín en la cabeza.
¡Roncas sirenas en la bruma! ¡Faros
de puerto que en la noche parpadean!
¡Trajín de muelle y algo más! Tu libro
dice lo que la mar nunca revela:
la historia de riberas florecidas
que cuenta el río al anegarse en ella.
De buen marino, ¡oh Julio!
—no de marino en tierra.
sino a bordo—, bitácora es tu verso
donde sonríe el norte a la tormenta.
Dios a tu copla y a tu barco guarde
seguro el ritmo, firmes las cuadernas,

y que del mar y del olvido triunfen,
poeta y capitán, nave y poema.

EN TREN

FLOR DE VERBASCO

A los jóvenes poetas que me
honraron con su visita en Segovia.

Sanatorio del alto Guadarrama,
más allá de la roca cenicienta
donde el chivo barbudo se encarama,
mansión de noche larga y fiebre lenta,
¿guardas mullida cama,
bajo seguro techo,
donde repose el huésped dolorido
del labio exangüe y el angosto pecho,
amplio balcón al campo florecido?
¡Hospital de la sierra!...
                              El tren, ligero,
rodea el monte y el pinar; emboca
por un desfiladero,
ya pasa al borde de tajada roca,
ya enarca, enhila o su convoy ajusta
al serpear de su carril de acero.
Por donde el tren avanza, sierra augusta,
yo te sé peña a peña y rama a rama;
conozco el agrio olor de tu romero,
vi la amarilla flor de tu retama;
los cantuesos morados, los jarales
blancos de primavera; muchos soles
incendiar tus desnudos berrocales,
reverberar en tus macizas moles.
Mas hoy, mientras camina
el tren, en el saber de tus pastores
pienso no más y —perdonad, doctores—
rememoro la vieja medicina.
¿Ya no se cuecen flores de verbasco?
¿No hay milagros de hierba montesina?
¿No brota el agua santa del peñasco?

Hospital de la sierra, en tus mañanas
de auroras sin campanas,
cuando la niebla va por los barrancos
o, desgarrada en el azul, enreda
sus guedejones blancos
en los picos de la áspera roqueda;
cuando el doctor —sienes de plata— advierte
los gráficos del muro y examina
los diminutos pasos de la muerte,
del áureo microscopio en la platina,
oirán en tus alcobas ordenadas,
orejas bien sutiles,
hundidas en las tibias almohadas,
el trajinar de estos ferrocarriles.
....

Lejos, Madrid se otea.
Y la locomotora
resuella, silba, humea
y su riel metálico devora,
ya sobre el ancho campo que verdea.
Mariposa montés, negra y dorada,
al azul de la abierta ventanilla
ha asomado un momento, y remozada,
una encina, de flor verdiamarilla...
Y pasan chopo y chopo en larga hilera,
los almendros del huerto junto al río...
Lejos quedó la amarga primavera
de la alta casa en Guadarrama frío.

BODAS DE FRANCISCO ROMERO

Porque leídas fueron
las palabras de Pablo,
y en este claro día
hay ciruelos en flor y almendros rosados
y torres con cigüeñas,
y es aprendiz de ruiseñor todo pájaro,
y porque son las bodas de Francisco Romero,
cantad conmigo: *¡Gaudeamus!*
Ya el ceño de la turbia soltería

se borrará en dos frentes *¡fortunati ambo!*
De hoy más sabréis, esposos,
cuánto la sed apaga el limpio jarro,
y cuánto lienzo cabe
dentro de un cofre, y cuántos
son minutos de paz, si el ahora vierte
su eternidad menuda grano a grano.
Fundación del querer vuestros amores
—nunca olvidéis la hipérbole del vándalo—
y un mundo cada día, pan moreno
sobre manteles blancos.
De hoy más la tierra sea
vega florida a vuestro doble paso.

SOLEDADES A UN MAESTRO

I

No es profesor de energía
Francisco de Icaza,
sino de melancolía.

II

De su raza vieja
tiene la palabra corta,
honda la sentencia.

III

Como el olivar,
mucho fruto lleva,
poca sombra da.

IV

En su claro verso
se canta y medita
sin grito ni ceño.

V

Y en perfecto rimo
—así a la vera del agua
el doble chopo del río—.

VI

Sus cantares llevan
agua de remanso,
que parece quieta.
Y que no lo está;
mas no tiene prisa
por ir a la mar.

VII

Tienen sus canciones
aromas y acíbar
de viejos amores.
Y del indio sol
madurez de fruta
de rico sabor.

VIII

Francisco de Icaza,
de la España vieja
y de Nueva España,
que en áureo centén
se graben tu lira
y tu perfil de virrey.

A EUGENIO D'ORS

Un amor que conversa y que razona,
sabio y antiguo —diálogo y presencia—,
nos trajo de su ilustre Barcelona;
y otro, distancia y horizonte: ausencia,

que es alma, a nuestro modo, le ofrecimos.
Y él aceptó la oferta, porque sabe
cuánto de lejos cerca le tuvimos,
y cuánto exilio en la presencia cabe.
    Hoy, Xenius, hacia ti, viejo milano
las anchas alas en el aire ha abierto,
y una mata de espliego castellano
    lleva en el pico a tu jardín diserto
—mirto y laureles— desde el alto llano
en donde el viento cimbra el chopo yerto.

Ávila, 1921.

LOS SUEÑOS DIALOGADOS

I

    ¡Cómo en alto llano tu figura
se me aparece!... Mi palabra evoca
el prado verde y la árida llanura,
la zarza en flor, la cenicienta roca.
    Y al recuerdo obediente, negra encina
brota en el cerro, baja el chopo al río;
el pastor va subiendo a la colina;
brilla un balcón en la ciudad: el mío,
    el nuestro. ¿Ves? Hacia Aragón, lejana,
la sierra de Moncayo, blanca y rosa...
Mira el incendio de esa nube grana,
    y aquella estrella en el azul, esposa.
Tras el Duero, la loma de Santana
se amorata en la tarde silenciosa.

II

    ¿Por qué, decísme, hacia los altos llanos
huye mi corazón de esta ribera,
y en tierra labradora y marinera
suspiro por los yermos castellanos?

Nadie elige su amor. Llevóme un día
mi destino a los grises calvijares
donde ahuyenta al caer la nieve fría
las sombras de los muertos encinares.
    De aquel trozo de España, alto y roquero,
hoy traigo a ti, Guadalquivir florido,
una mata del áspero romero.
    Mi corazón está donde ha nacido,
no a la vida, al amor, cerca del Duero...
¡El muro blanco y el ciprés erguido!

III

Las ascuas de un crepúsculo, señora,
rota la parda nube de tormenta,
han pintado en la roca cenicienta
de lueñe cerro un resplandor de aurora.
    Una aurora cuajada en roca fría,
que es asombro y pavor del caminante
más que fiero león en claro día
O en garganta de monte osa gigante.
    Con el incendio de un amor, prendido
al turbio sueño de esperanza y miedo,
yo voy hacia la mar, hacia el olvido
    —y no como a la noche ese roquedo,
al girar del planeta ensombrecido—.
No me llaméis, porque tornar no puedo.

IV

¡Oh soledad, mi sola compañía,
oh musa del portento, que el vocablo
diste a mi voz que nunca te pedía!,
responde a mi pregunta: ¿con quién hablo?
    Ausente de ruidosa mascarada,
divierto mi tristeza sin amigo,
contigo, dueña de la faz velada,
siempre velada al dialogar conmigo.

Hoy pienso: este que soy será quien sea;
no es ya mi grave enigma este semblante
que en el íntimo espejo se recrea,
    sino el misterio de tu voz amante.
Descúbreme tu rostro, que yo vea
fijos en mí tus ojos de diamante.

DE MI CARTERA [83]

I

Ni mármol duro y eterno,
ni música ni pintura,
sino palabra en el tiempo.

II

Canto y cuento es la poesía.
Se canta una viva historia,
contando su melodía.

III

Crea el alma sus riberas;
montes de ceniza y plomo,
sotillos de primavera.

IV

Toda la imaginería
que no ha brotado del río,
barata bisutería.

---

[83] Cfr. Aurora de Albornoz, *Antonio Machado: «De mi cartera». Teoría y creación* («Cuadernos Hispanoamericanos», 304-307, págs. 1014-1028).

V

Prefiere la rima pobre,
la asonancia indefinida.
Cuando nada cuenta el canto,
acaso huelga la rima.

VI

Verso libre, verso libre...
Líbrate, mejor, del verso
cuando te esclavice.

VII

La rima verbal y pobre,
y temporal, es la rica.
El adjetivo y el nombre,
remansos del agua limpia,
son accidentes del verbo
en la gramática lírica,
del Hoy que será Mañana,
del Ayer que es Todavía.

1924[84].

CLXV

SONETOS

I

Tuvo mi corazón, encrucijada
de cien caminos, todos pasajeros,
un gentío sin cita ni posada,
como en andén ruidoso de viajeros.

---

[84] En *Los complementarios* (pág. 158), al transcribir estos versos se dice:
«Tal era mi estética en 1902» y un par de líneas después (con fecha en el 15
de junio de 1914) se precisan estos versos:

Del pretérito imperfecto
brotó el romance de Castilla.

Hizo a los cuatro vientos su jornada,
disperso el corazón por cien senderos
de llana tierra o piedra aborrascada,
y a la suerte, en el mar, de cien veleros.
    Hoy, enjambre que torna a su colmena
cuando el bando de cuervos enronquece
en busca de su peña denegrida,
    vuelve mi corazón a su faena,
con néctares del campo que florece
y el luto de la tarde desabrida [85].

II

Verás la maravilla del camino,
camino de soñada Compostela
—¡oh monte lila y flavo!—, peregrino,
en un llano, entre chopos de candela.
    Otoño con dos ríos ha dorado
el cerco del gigante centinela
de piedra y luz, prodigio torreado
que en el azul sin mancha se modela.
    Verás en la llanura una jauría
de agudos galgos y un señor de caza,
cabalgando a lejana serranía,

---

[85] En *Los complementarios* (pág. 207) figura este soneto sin más variante
que la del verso 8: «y la suerte...». Sin embargo, Machado copió una versión
previa a ésta, que tachó y corrigió. Tal como pude leerla —en su redacción
primitiva— era así:

Era mi corazón encrucijada
de cien caminos, todos pasajeros,
sitio de azar y cita sin posada,
como andén bullicioso de viajeros.
    Hizo a los cuatro vientos su jornada,
dispersó el corazón por los senderos
del monte entre la piedra aborrascada,
el capricho en el mar de cien veleros.
    Hoy, enjambre que torna a su colmena,
y bandada de cuervos que enronquece
en busca de su peña denegrida,
    tú vuelves, corazón, a tu faena
con el audaz (?) batir que Abril te ofrece
y con el negro luto de la vida.

vano fantasma de una vieja raza.
Debes entrar cuando en la tarde fría
brille un balcón de la desierta plaza [86].

III

¿Empañé tu memoria? ¡Cuántas veces!
La vida baja como un ancho río,
y cuando lleva al mar alto navío
va con cieno verdoso y turbias heces.

Y más si hubo tormenta en sus orillas,
y él arrastra el botín de la tormenta,
si en su cielo la nube cenicienta
se incendió de centellas amarillas.

Pero aunque fluya hacia la mar ignota,
es la vida también agua de fuente
que de claro venero, gota a gota,

o ruidoso penacho de torrente,
bajo el azul, sobre la piedra brota.
Y allí suena tu nombre ¡eternamente!

IV

Esta luz de Sevilla... Es el palacio
donde nací, con su rumor de fuente.
Mi padre, en su despacho. —La alta frente,
la breve mosca, y el bigote lacio—.

Mi padre, aún joven. Lee, escribe, hojea
sus libros y medita. Se levanta;
va hacia la puerta del jardín. Pasea.
A veces habla solo, a veces canta.

Sus grandes ojos de mirar inquieto
ahora vagar parecen, sin objeto
donde puedan posar, en el vacío.

---

[86] Diversos problemas textuales que plantea este soneto se comentan en *Los complementarios* (pág. 206).

Ya escapan de su ayer a su mañana;
ya miran en el tiempo, ¡padre mío!,
piadosamente mi cabeza cana [87].

V

Huye del triste amor, amor pacato,
sin peligro, sin venda ni aventura,
que espera del amor prenda segura,
porque en amor locura es lo sensato.
    Ese que el pecho esquiva al niño ciego
y blasfemó del fuego de la vida,
de una brasa pensada, y no encendida,
quiere ceniza que le guarde el fuego.
    Y ceniza hallará, no de su llama,
cuando descubra el torpe desvarío
que pedía, sin flor, fruto en la rama.
    Con negra llave el aposento frío
de su tiempo abrirá. ¡Desierta cama,
y turbio espejo y corazón vacío! [88].

CLXVI

VIEJAS CANCIONES

I

A la hora del rocío,
de la niebla salen
sierra blanca y prado verde.
¡El sol en los encinares!
    Hasta borrarse en el cielo,
suben las alondras.
¿Quién puso plumas al campo?
¿Quién hizo alas de tierra loca?

---

[87] Vid. número XXX de las *Poesías sueltas*, y *Los complementarios*, páginas 47-53.
[88] *Los complementarios*, págs. 226-227.

Al viento, sobre la sierra,
tiene el águila dorada
las anchas alas abiertas.
    Sobre la picota
donde nace el río,
sobre el lago de turquesa
y los barrancos de verdes pinos;
sobre veinte aldeas,
sobre cien caminos...
    Por los senderos del aire,
señora águila,
¿dónde vais a todo vuelo tan de mañana?

II

Ya había un albor de luna
en el cielo azul.
¡La luna en los espartales,
cerca de Alicún!
Redonda sobre el alcor,
y rota en las turbias aguas
del Guadiana menor.
    Entre Úbeda y Baeza
—loma de las dos hermanas;
Baeza, pobre y señora;
Úbeda, reina y gitana—,
Y en el encinar
¡luna redonda y beata,
siempre conmigo a la par!

III [89]

Cerca de Úbeda la grande,
cuyos cerros nadie verá,
me iba siguiendo la luna
sobre el olivar,

---

[89] Texto que figura en *Los complementarios* (págs. 212-213).

una luna jadeante,
siempre conmigo a la par.
   Yo pensaba: ¡bandoleros
de mi tierra!, al caminar
en mi caballo ligero.
¡Alguno conmigo irá! [90].

   Que esta luna me conoce
y, con el miedo, me da
el orgullo de haber sido
alguna vez capitán.

IV

   En la sierra de Quesada
hay un águila gigante,
verdosa, negra y dorada,
siempre las alas abiertas.
Es de piedra y no se cansa.
   Pasado Puerto Lorente,
entre las nubes galopa
el caballo de los montes.
Nunca se cansa: es de roca.
   En el hondón del barranco
se ve al jinete caído,
que alza los brazos al cielo.
Los brazos son de granito.
   Y allí donde nadie sube
hay una virgen risueña
con un río azul en brazos.
Es la Virgen de la Sierra.

---

[90]   Estos cuatro versos son así en *Los complementarios* (pág. 212):

En bandidos trabucanes
pensaba yo al caminar
de un caballo ligero:
Alguno conmigo irá.

DE UN CANCIONERO APÓCRIFO

CLXVII

ABEL MARTÍN

> *Abel Martín,* poeta y filósofo. Nació en
> Sevilla (1840). Murió en Madrid (1898).

LA OBRA

Abel Martín dejó una importante obra filosófica *(Las cinco formas de la objetividad, De lo uno a lo otro, Lo universal cualitativo, De la esencial heterogeneidad del ser)* y una colección de poesías, publicada en 1884 con el título de *Los complementarios.*

Digamos algo de su filosofía, tal como aparece, más o menos explícita, en su obra poética, dejando para otros el análisis sistemático de sus tratados puramente doctrinales.

Su punto de partida está, acaso, en la filosofía de Leibniz. Con Leibniz concibe lo real, la sustancia, como algo constantemente activo. Piensa Abel Martín la sustancia como energía, fuerza que puede engendrar el movimiento y es siempre su causa; pero que también subsiste sin él. El movimiento no es para Abel Martín nada esencial. La fuerza puede ser inmóvil —lo es en su estado de pureza—; mas no por ello deja de ser activa. La actividad de la fuerza pura o sustancia se llama conciencia. Ahora bien: esta actividad consciente, por la cual se revela la pura sustancia, no por ser inmóvil es inmutable y rígida, sino que se encuentra en perpetuo cambio. Abel Martín distingue el *movimiento* de la *mutabilidad.* El movimiento supone el espacio, es un cambio de lugar en él, que deja intacto el objeto móvil; no es un cambio real, sino aparente. "Sólo se mueven —dice Abel Martín— las cosas que no cambian." Es decir, que sólo podemos percibir el movimiento de las cosas en cuanto en dos puntos distintos del espacio permanecen iguales a sí mismas. Su camino real, íntimo, no puede ser percibido —ni pensado— como movimiento. La mutabilidad, o cambio substancial, es, por el contrario, inespacial. Abel Martín confiesa que el cambio substancial no puede ser pensado conceptualmente —porque todo pensamiento conceptual supone el espacio, *esquema de la movilidad de lo inmutable*—; pero sí intuido como el hecho más inmediato por el cual la *conciencia*, o actividad pura de la substancia, se reconoce a sí misma. A la objeción del sentido común que afirma como necesario el movimiento donde cree percibir el cambio, contesta Abel Martín que el movimiento no ha sido pensado lógicamente, sin contradicción, por nadie; y que si es intuido, caso innegable, lo *es siempre* a condición de la inmutabilidad del objeto móvil. No hay, pues, razón para establecer relación alguna entre cambio y movimiento. El sentido común, o común sentir, puede en este caso, como en otros muchos, invocar su derecho a juzgar real lo aparente y afirmar, pues, la realidad del movimiento, pero nunca a sostener la identidad de movimiento y cambio sustancial, es decir, de movimiento y cambio que no sea mero cambio de lugar.

No sigue Abel Martín a Leibniz en la concepción de las mónadas como pluralidad de sustancias. El concepto de pluralidad es inadecuado a la sustancia. "Cuando Leibniz —dice Abel Martín— supone multiplicidad de mónadas y pretende que cada una de ellas sea el espejo del universo entero, no piensa las mónadas como sustancias, fuerzas activas y conscientes, sino que se coloca fuera de ellas y se las representa como seres pasivos que forman por refracción, a la manera de los espejos, que nada tienen que ver con las conciencias, la imagen del universo." La mónada de Abel Martín, porque también Abel Martín habla de mónadas, no sería ni un espejo ni una representación del universo, sino el universo mismo como actividad consciente: *el gran ojo que todo lo ve al verse a sí mismo*. Esta mónada puede ser pensada, por abstracción, en cualquiera de los infinitos puntos de la total esfera que constituye nuestra representación espacial del universo (representación grosera y aparencial); pero en cada uno de ellos sería una autoconciencia integral del universo entero. El universo pensado como sustancia, fuerza activa consciente, supone una sola y única mónada, que sería como el alma universal de Giordano Bruno *(Anima tota in toto et qualibet totius parte.)*

En la primera página de su libro de poesías *Los complementarios,* dice Abel Martín:

> Mis ojos en el espejo
> son ojos ciegos que miran
> los ojos con que los veo.

En una nota, hace constar Abel Martín que fueron estos tres versos los primeros que compuso, y que los publica, no obstante su aparente trivialidad o su marcada perogrullez, porque de ellos sacó, más tarde, por reflexión y análisis, toda su metafísica.

La segunda composición del libro dice así:

> Gracias, Petenera mía;
> por tus ojos me he perdido;
> era lo que yo quería.

Y añade, algunas páginas más adelante:

> Y en la cosa nunca vista
> de tus ojos me he buscado:
> en el ver con que me miras.

En las coplas de Abel Martín se adivina cómo, dada su concepción de la sustancia, unitaria y mudable, quieta y activa, preocupan al poeta los problemas de las cuatro apariencias: el movimiento, la materia extensa, la limitación cognoscitiva y la multiplicidad de sujetos. Este último es para Abel Martín, poeta, el apasionante problema del amor.

Que fue Abel Martín hombre en extremo erótico lo sabemos por testimonio de cuantos le conocieron, y algo también por su propia lírica, donde abundan expresiones, más o menos hiperbólicas, de un apasionado culto a la mujer.

Ejemplos:

> La mujer
> es el anverso del ser.
>
> (Página 22)

> Sin el amor, las ideas
> son como mujeres feas,
> o copias dificultosas
> de los cuerpos de las diosas.
>
> (Página 59)

> Sin mujer
> no hay engendrar ni saber.
>
> (Página 125)

Y otras sentencias menos felices, aunque no menos interesantes, como ésta:

> ... Aunque a veces sabe Onán
> mucho que ignora Don Juan.
>
> (Página 207)

Que fue Abel Martín hombre mujeriego lo sabemos, y, acaso, también onanista; hombre, en suma, a quien la mujer inquieta y desazona por presencia o ausencia. Y fue, sin duda, el amor a mujer el que llevó a Abel Martín a formularse esta pregunta: ¿Cómo es posible el objeto erótico?

De las cinco formas de la objetividad que estudia Abel Martín en su obra más extensa de metafísica, a cuatro disputa aparenciales, es decir, apariencias de objetividad y, en realidad, actividades del sujeto mismo. Así, pues, la primera, en el orden de su estudio, la x constante del conocimiento, considerado como problema infinito, sólo tiene objetiva la pretensión de serlo. La segunda, el llamado mundo objetivo de la ciencia, descolorido y descualificado, mundo de puras relaciones cuantitativas, es el fruto de un trabajo de desubjetivación del sujeto sensible, que no llega —claro es— a plena realización, y, aunque a tal llegara, sólo conseguiría agotar el sujeto, pero nunca revelar objeto alguno, es decir, algo opuesto o distinto del sujeto. La tercera es el mundo de nuestra representación como seres vivos, el mundo fenoménico propiamente dicho. La cuarta forma de la objetividad corresponde al mundo que se representan otros sujetos vitales. "Éste —dice Abel Martín— aparece, en verdad, englobado en el mundo de mi representación; pero, dentro de él, se le reconoce por una vibración propia, por voces que pretendo distinguir de la mía. Estos dos mundos que tendemos a unificar en una representación homogénea, el niño los diferencia muy bien, aun antes de poseer el lenguaje. Mas esta cuarta forma de la objetividad no es, en última instancia, objetiva tampoco, sino una aparente escisión del sujeto único que engendra, por intersección e interferencia, al par, todo el elemento tópico y conceptual de nuestra psique, la moneda de curso en cada grupo viviente."

Mas existe —según Abel Martín— una quinta forma de la objetividad, mejor diremos una quinta pretensión a lo objetivo, que se da tan en las fronteras del sujeto mismo, que parece referirse a un *otro* real, objeto, no de conocimiento, sino de amor.

Vengamos a las rimas eróticas de Abel Martín.

El amor comienza a revelarse como un súbito incremento del caudal de la vida, sin que, en verdad, aparezca objeto concreto al cual tienda.

PRIMAVERAL [91]

Nubes, sol, prado verde y caserío
en la loma, revueltos. Primavera
puso en el aire de este campo frío
la gracia de sus chopos de ribera.
   Los caminos del valle van al río
y allí, junto al agua, amor espera.
¿Por ti se ha puesto el campo ese atavío
de joven, oh invisible compañera?

---

[91] En *Los complementarios* se copió dos veces el poema. Una presenta las siguientes discrepancias con respecto al texto que imprimen las *Poesías completas:*
   v. 5: Los caminos del *campo...*
   v. 6: *¿quién* espera?
   v. 7: Por quién se viste el campo ese atavío.
   v. 8: *tan* joven...

¿Y ese perfume del habar al viento?
¿Y esa primera blanca margarita?...
¿Tú me acompañas? En mi mano siento
   doble latido; el corazón me grita,
que en las sienes me asorda el pensamiento:
eres tú quien florece y resucita.

"La amada —dice Abel Martín— acompaña antes que aparezca o se ponga como objeto de amor; es, en cierto modo, una con el amante, no al término, como en los místicos, del proceso erótico, sino en su principio."

En un largo capítulo de su libro *De lo uno a lo otro,* dedicado al amor, desarrolla Abel Martín el contenido de este soneto. No hemos de seguirle en el camino de una pura especulación, que le lleva al fondo de su propia metafísica, allí donde pretende demostrar que es precisamente el amor la autorrevelación de la esencial heterogeneidad de la sustancia única. Sigámoslo, por ahora, en sus rimas, tan sencillas en apariencia, y tan claras que, según nos confiesa el propio Martín, hasta las señoras de su tiempo creían comprenderlas mejor que él mismo las comprendía. Sigámosle también en las notas que acompañan a sus rimas eróticas.

En una de ellas dice Abel Martín: "Ya algunos pedagogos comienzan a comprender que los niños no deben ser educados como meros aprendices de hombres, que hay algo sagrado en la infancia para vivido plenamente por ella. Pero ¡qué lejos estamos todavía del respeto a lo sagrado juvenil! Se quiere a todo trance apartar a los jóvenes del amor. Se ignora o se aparenta ignorar que la castidad es, por excelencia, la virtud de los jóvenes, y la lujuria, siempre, cosa de

---

Amén de diferencias en los signos gráficos.

Pero, otra vez, Machado copió el poema y lo tachó muy enconadamente. Pude reconstruir una lectura en la que hay las siguientes discrepancias (referidas al texto de las *Poesías completas*):

v. 2: en la loma *lejana.*
v. 5: los caminos del *campo...*
v. 7: ¿Por ti se *pone* el campo *un* atavío
v. 8: *tan* joven...

También ahora se cambian algunos signos de interrogación. (Para esto, vid. *Los complementarios*, págs. 191-192.)

viejos; y que ni la Naturaleza ni la vida social ofrecen los peligros que los pedagogos temen para sus educandos. Más perversos acaso, y más errados, sin duda, que los frailes y las beatas, pretenden hacer del joven un niño estúpido que juegue, no como el niño, para quien el juego es la vida misma, sino con la seriedad de quien cumple un rito solemne. Se quiere hacer de la fatiga muscular beleño adormecedor del sexo. Se aparta al joven de la galantería, a que es naturalmente inclinado, y se le lleva al deporte, al juego extemporáneo. Esto es perverso. Y no olvidemos —añade— que la pederastia, actividad erótica, desviada y superflua, es la compañera inseparable de la gimnástica."

ROSA DE FUEGO

Tejidos sois de primavera, amantes,
de tierra y agua y viento y sol tejidos.
La sierra en vuestros pechos jadeantes,
en los ojos los campos florecidos,
   pasead vuestra mutua primavera,
y aun bebed sin temor la dulce leche
que os brinda hoy la lúbrica pantera,
antes que, torva, en el camino aceche.
   Caminad, cuando el eje del planeta
se vence hacia el solsticio de verano,
verde el almendro y mustia la violeta,
   cerca la sed y el hontanar cercano,
hacia la tarde del amor, completa,
con la rosa de fuego en vuestra mano.

(*Los complementarios*, pág. 250.)

Abel Martín tiene muy escasa simpatía por el sentido erótico de nuestros místicos, a quienes llama *frailecillos y monjucas tan inquietos como ignorantes*. Comete en esto grave injusticia, que acusa escasa comprensión de nuestra literatura mística, tal vez escaso trato con ella. Conviene, sin embargo, recordar, para explicarnos este desvío, que Abel Martín no cree que el espíritu avance un ápice en el camino de su perfección, ni que se adentre en lo esencial por apartamiento y eliminación del mundo sensible. Éste, aunque pertenezca al sujeto, no por ello deja de ser una realidad firme e indestructible; sólo su objetividad es, a fin de cuentas, aparencial; pero, aun como forma de la objetividad —léase pretensión a lo objetivo—, es, por cercano al sujeto consciente, más sustancial que el mundo de la ciencia y de la teología de escuela; está más cerca que ellos del corazón de lo absoluto.

Pero sigamos con las rimas eróticas de Abel Martín.

GUERRA DE AMOR

El tiempo que la barba me platea [92],
cavó mis ojos y agrandó mi frente,
va siendo en mí recuerdo transparente,
y mientras más el fondo, más clarea.

Miedo infantil, amor adolescente,
¡cuánto esta luz de otoño os hermosea!,
¡agrios caminos de la vida fea,
que también os doráis al sol poniente!

¡Cómo en la fuente donde el agua mora
resalta en piedra una leyenda escrita:
el ábaco del tiempo falta un hora!

¡Y cómo aquella ausencia en una cita,
bajo las olmas que noviembre dora,
del fondo de mi historia resucita!

"La amada —explica Abel Martín— no acude a la cita: es en la cita ausencia." "No se interprete esto —añade— en un sentido literal." El poeta no alude a ninguna anécdota amorosa de pasión no correspondida o desdeñada. El amor mismo es aquí un sentimiento de ausencia. La amada no acompaña; es aquello que no se tiene y vanamente se es-

---

[92] Vid. *Los complementarios,* págs. 193-194. Cuyas lecturas discrepantes son:
v. 2: *ahondó* mis ojos y *arrugó* mi frente,
v. 4: más *lejano,* más...
v. 5: *Tedio* infantil
v. 6: *cuando* esta loc...
v. 13: bajo *los olmos*...

pera. El poeta, al evocar su total historia emotiva, descubre la hora de la primera angustia erótica. Es un sentimiento de soledad, o, mejor, de pérdida de una compañía, de ausencia inesperada en la cita que confiadamente se dio, lo que Abel Martín pretende expresar en este soneto de apariencia romántica. A partir de este momento, el amor comienza a ser consciente de sí mismo. Va a surgir el objeto erótico —la amada para el amante, o viceversa—, que se opone al amante,

así un imán que al atraer repele

y que, lejos del fundirse con él, es siempre lo *otro,* lo inconfundible con el amante, lo impenetrable, no por definición, como la primera y segunda persona de la gramática, sino realmente. Empieza entonces para algunos —románticos— el calvario erótico; para otros, la guerra erótica, con todos sus encantos y peligros, y para Abel Martín, poeta, hombre integral, todo ello reunido, más la sospecha de la esencial heterogeneidad de la sustancia.

Debemos hacer constar que Abel Martín no es un erótico a la manera platónica. El Eros no tiene en Martín, como en Platón, su origen en la contemplación del cuerpo bello; no es, como en el gran ateniense, el movimiento que, partiendo del entusiasmo por la belleza del mancebo, le lleva a la contemplación de la belleza ideal. El amor dorio y toda homosexualidad son rechazados también por Abel Martín, y no por razones morales, sino metafísicas. El Eros martiniano sólo se inquieta por la contemplación del cuerpo femenino, y a causa precisamente de aquella diferencia irreductible que en él se advierte. No es tampoco para Abel Martín la belleza el gran incentivo del amor, sino la sed metafísica de lo esencialmente otro.

*

    Nel mezzo del cammin pasóme el pecho
la flecha de un amor intempestivo.
Que tuvo en el camino largo acecho
mostróme en lo certero el rayo vivo.
    Así un imán que, al atraer, repele
(¡oh claros ojos de mirar furtivo!),

> amor que asombra, aguija, halaga y duele,
> y más se ofrece cuanto más esquivo.
>   Si un grano del pensar arder pudiera,
> no en el amante, en el amor, sería
> la más honda verdad lo que se viera;
>   y el espejo de amor se quebraría,
> roto su encanto, y roto la pantera
> de la lujuria el corazón tendría.

El espejo de amor se quebraría... Quiere decir Abel Martín que el amante renunciaría a cuanto es espejo en el amor, porque comenzaría a amar en la amada lo que, por esencia, no podrá nunca reflejar su propia imagen. Toda la metafísica y la fuerza trágica de aquella su insondable solear:

> Gracias, Petenera mía:
>   en tus ojos me he perdido [93]:
>   era lo que yo quería,

aparecen ahora transparentes, o al menos, translúcidas.

* * *

Para comprender claramente el pensamiento de Martín en su lírica, donde se contiene su manifestación integral, es preciso tener en cuenta que el poeta pretende, según declaración propia, haber creado una forma lógica nueva, en la cual todo razonamiento debe adoptar la manera fluida de la intuición. "No es posible —dice Martín— un pensamiento heraclitano dentro de una lógica eleática." De aquí las aparentes lagunas que alguien señaló en su expresión conceptual, la falta de congruencia entre las premisas y las consecuencias de sus razonamientos. En todo verdadero razonamiento no puede haber conclusiones que estén contenidas en las premisas. Cuando se fija el pensamiento por la palabra, hablada o escrita, debe cuidarse de indicar de alguna manera la imposibilidad de que las premisas sean válidas, permanezcan como tales, en el momento de la conclusión.

---

[93]   En página 331, la preposición *en* es *por.*

La lógica real no admite supuestos, conceptos inmutables, sino realidades vivas, inmóviles, pero en perpetuo cambio. Los conceptos o formas captoras de lo real no pueden ser rígidos, si han de adaptarse a la constante mutabilidad de lo real. Que esto no tiene expresión posible en el lenguaje, lo sabe Abel Martín. Pero cree que el lenguaje poético puede sugerir la evolución de las premisas asentadas, mediante conclusiones lo bastante desviadas e incongruentes para que el lector o el oyente calcule los cambios que, por necesidad, han de experimentar aquéllas, desde el momento en que fueron fijadas hasta el de la conclusión, para que vea claramente que las premisas inmediatas de sus aparentemente inadecuadas conclusiones no son, en realidad, las expresadas por el lenguaje, sino otras que se han producido en el constante mudar del pensamiento. A esto llama Abel Martín *esquema externo de una lógica temporal en que A no es nunca A en dos momentos sucesivos.* Abel Martín tiene —no obstante— una profunda admiración por la lógica de la identidad que, precisamente por no ser lógica de lo real, le parece una creación milagrosa de la mente humana [94].

Tras este rodeo, volvamos a la lírica erótica de Abel Martín.

"Psicológicamente considerado, el amor humano se diferencia del puramente animal —dice Abel Martín en su tratado de *Lo universal cualitativo*— por la exaltación constante de la facultad representativa, la cual, en casos extremos, convierte al cerebro superior, al que imagina y piensa, en órgano de excitación del cerebro animal. La desproporción entre el excitante, el harén mental del hombre moderno —en España, si existe, marcadamente onanista— y la energía sexual de que el individuo dispone, es causa de constante desequilibrio. Médicos, moralistas y pedagogos deben tener esto muy presente, sin olvidar que este desequilibrio

---

[94] Muy lejos está Abel Martín de creer en el valor pragmático de la lógica intemporal. La forma lógica del pensamiento es aquello que no puede estar jamás al servicio de la vida. Su inutilidad, en el sentido vital, hace de ella el gran problema de la filosofía del porvenir. Abel Martín no piensa que sea la utilidad el valor supremo, sino, sencillamente, uno de los valores humanos. Lo inútil, en cambio, no es por sí mismo valioso. En cuanto lleva, como el pensar lógico, el signo negativo de la inutilidad, no hemos de ver necesariamente algo superior a lo útil. Pero tampoco hemos de sorprendernos si encontráramos en ello otro valor de más alta categoría que el de la utilidad.

es, hasta cierto grado, lo normal en el hombre. La imaginación pone mucho más en el coito humano que el mero contacto de los cuerpos. Y, acaso, conviene que así sea, porque, de otro modo, sólo se perpetuaría la animalidad. Pero es preciso poner freno, con la censura moral, a esta tendencia, natural en el hombre, a sustituir el contacto y la imagen percibida por la imagen representada, o, lo que es más peligroso y frecuente en cerebros superiores, por la imagen creada. No debe el hombre destruir su propia animalidad, y por ella han de velar médicos e higienistas."

Abel Martín no insiste demasiado sobre este tema: cuando a él alude, es siempre de vuelta de su propia metafísica. Los desarreglos de la sexualidad, según Abel Martín, no se originan —como supone la moderna psiquiatría— en las oscuras zonas de lo subconsciente, sino, por el contrario, en el más iluminado taller de la conciencia. El objeto erótico, última instancia de la objetividad, es también, en el plano inferior del amor, proyección subjetiva.

Copiemos ahora algunas coplas de Abel Martín, vagamente relacionadas con este tema. Abel Martín —conviene advertirlo— no pone nunca en verso sus ideas, pero éstas le acompañan siempre:

CONSEJOS, COPLAS, APUNTES

1 [95]

Tengo dentro de un herbario
una tarde delicada,
lila, violeta y dorada.
—Caprichos de solitario— [96].

---

[95]   Doy este texto según mi edición de *Los complementarios* (pág. 192), donde tiene una total coherencia, frente a lo impreso en *Poesías completas* y aceptado por todos. Además, me parece improcedente numerar las estrofas separándolas como si fueran poemas diferentes.

[96]   Al margen del manuscrito, el poeta tachó estos versos:

Es como una mariposa
negra, morena y dorada,
estampada,
junto a un relicario.

Y en la página siguiente
una boca sonriente
y unos ojos,
los ojos de Guadalupe,
cuyo color nunca supe.
Grises son
grises son y ya no miran [97]
Y unos labios que suspiran,
dentro del lírico herbario
—capricho de solitario—
toda una voz estampada
y apagada,
mas sonora
cuando le llega la hora.

2 [4] [98]

Calidoscopio infantil.
Una damita, al piano.
Do, re, mi.
Otra se pinta al espejo
los labios de colorín.

3 [5]

Y rosas en un balcón
a la vuelta de una esquina,
calle de Válgame Dios.

4 [6]

Amores, por el atajo,
de los de «Vente conmigo».
... «Que vuelvas pronto, serrano.»

---

[97] Probablemente, la descripción de la mujer seguiría con otra de sus prendas, salvada sólo como "y una frente...".

[98] Entre corchetes figura la numeración que los textos tenían en las *Poesías completas*, y que modifico al cambiar el poema anterior.

5 [7]

En el mar de la mujer
pocos naufragan de noche;
muchos, al amanecer.

6 [8]

Siempre que nos vemos
es cita para mañana.
Nunca nos encontraremos.

7 [9]

La plaza tiene una torre,
la torre tiene un balcón,
el balcón tiene una dama,
la dama una blanca flor.
Ha pasado un caballero
—¡quién sabe por qué pasó!—,
y se ha llevado la plaza,
con su torre y su balcón,
con su balcón y su dama,
su dama y su blanca flor.

8 [10]

Por la calle de mis celos
en veinte rejas con otro
hablando siempre te veo.

9 [11]

Malos sueños he.
Me despertaré.

10 [12]

Me despertarán
campanas del alba
que sonando están.

11 [13]

Para tu ventana
un ramo de rosas me dio la mañana.
Por un laberinto, de calle en calleja,
buscando, he corrido, tu casa y tu reja.
Y en un laberinto me encuentro perdido
en esta mañana de Mayo florido.
¡Dime dónde estás!
Vueltas y revueltas;
ya no puedo más [99].

*

"La conciencia —dice Abel Martín—, como reflexión o
pretenso conocer del conocer, sería, sin el amor o impulso
hacia lo otro, el anzuelo en constante espera de pescarse a sí
mismo. Mas la conciencia existe, como actividad reflexiva,
porque vuelve sobre sí misma, agotado su impulso por alcanzar el objeto trascendente. Entonces reconoce su limitación y se ve a sí misma, como tensión erótica, impulso hacia
lo otro inasequible." Su reflexión es más aparente que real,
porque, en verdad, no vuelve sobre sí misma para captarse
como pura actividad consciente, sino sobre la corriente erótica
que brota con ella de las mismas entrañas del ser. Descubre el
amor como su propia impureza, digámoslo así, como su otro
inmanente, y se le revela la esencial heterogeneidad de la
sustancia. Porque Abel Martín no ha superado, ni por un
momento, el subjetivismo de su tiempo, considera toda objetividad propiamente dicha como una apariencia, un vario
espejismo, una varia proyección ilusoria del sujeto fuera de

---

[99]   Texto según *Los complementarios* (pág. 214).

sí mismo. Pero apariencias, espejismos o proyecciones iluso-
rias, productos de un esfuerzo desesperado del ser o sujeto
absoluto por rebasar su propia frontera, tienen un valor positivo, pues mediante ellos se alcanza *conciencia* en su
sentido propio, a saber o sospechar la propia heterogeneidad, a tener la visión analítica —separando por abstracción
lógica lo en realidad inseparable— de la constante y quieta
mutabilidad.

El gran ojo que todo lo ve al verse a sí mismo es, ciertamente, un ojo ante las ideas, en actitud teórica, de visión a
distancia; pero las ideas no son sino el alfabeto o conjunto
de signos homogéneos que representan las esencias que integran el ser. Las ideas no son, en efecto, las esencias mismas,
sino su dibujo o contorno trazado sobre la negra pizarra del
no ser. Hijas del amor, y, en cierto modo, del gran fracaso
del amor, nunca serían concebidas sin él, porque es el amor
mismo o conato del ser por superar su propia limitación
quien las proyecta sobre la *nada* o *cero absoluto*, que también llama el poeta *cero divino*, pues, como veremos después, Dios no es el creador del mundo —según Martín—,
sino el creador de la *nada*. No tienen, pues, las ideas realidad esencial *per se,* son meros trasuntos o copias descolo-
ridas de las esencias reales que integran el ser. Las esencias
reales son cualitativamente distintas y su proyección ideal
tanto menos sustancial y más alejada del ser cuanto más homogénea. Estas esencias no pueden separarse en realidad,
sino en su proyección ilusoria, ni cabe tampoco —según
Martín— apetencia de las unas hacia las otras, sino que
todas ellas aspiran, conjunta e indivisiblemente, a lo otro, *a
un ser que sea lo contrario de lo que es,* de lo que ellas son;
en suma, a lo imposible. En la metafísica intrasubjetiva de
Abel Martín fracasa el amor, pero no el conocimiento, o,
mejor dicho, es el conocimiento el premio del amor. Pero el
amor, como tal, no encuentra objeto; dicho líricamente: la
amada es imposible.

*

    En sueños se veía
reclinado en el pecho de su amada.
Gritó, en sueños: "¡Despierta, amada mía!"

Y él fue quien despertó; porque tenía
su propio corazón por almohada.

(Los complementarios.)

La ideología de Abel Martín es, a veces, oscura, lo inevitable en una metafísica de poeta, donde no se definen previamente los términos empleados. Así, por ejemplo, con la
palabra *esencia* no siempre sabemos lo que quiere decir. Generalmente, pretende designar lo absolutamente real que, en
su metafísica, pertenece al sujeto mismo, puesto que más
allá de él no hay nada. Y nunca emplea Martín este vocablo
como término opuesto a lo existencial o realizado en espacio
y tiempo. Para Martín esta distinción, en cuanto pretende señalar diversidad profunda, es artificial. Todo es por y en el
sujeto, todo es actividad consciente, y para la conciencia integral nada es que no sea la conciencia misma. "Sólo lo absoluto —dice Martín— puede tener existencia, y todo lo
existente *es absolutamente* en el sujeto consciente". El ser es
pensado por Martín como conciencia activa, quieta y mudable, esencialmente heterogénea, siempre sujeto, nunca objeto pasivo de energías extrañas. La sustancia, el ser que
todo lo es al *serse a sí mismo*, cambia en cuanto es actividad
constante, y permanece inmóvil, porque no existe energía
que no sea él mismo, que le sea externa y pueda *moverle*.
"La concepción mecánica del mundo —añade Martín— es el
ser pensado como pura inercia, el ser que no es por sí, *inmutable y en constante movimiento,* un torbellino de cenizas
que se agita, no sabemos por qué ni para qué, la mano de
Dios." Cuando esta mano, patente aún en la *chiquenaude*
cartesiana, no es tenida en cuenta, el ser es ya pensado
como aquello que absolutamente no es. Los atributos de la
sustancia son ya, en Espinosa, los atributos de la pura nada.
La conciencia llega, por ansia de lo otro, al límite de su esfuerzo, a pensarse a sí misma como objeto total, a pensarse
como no es, a *deseerse*. El trágico erotismo de Espinosa
llevó a un límite infranqueable la desubjetivación del sujeto.
"¿Y cómo no intentar —dice Martín— devolver a *lo que es*
su propia intimidad?" Esta empresa fue iniciada por Leibniz
—filósofo del porvenir, añade Martín—; pero sólo puede ser
consumada por la poesía, que define Martín como aspiración a conciencia integral. El poeta, como tal, no renuncia a

nada, ni pretende degradar ninguna apariencia. Los colores del iris no son para él menos reales que las vibraciones del éter que paralelamente los acompañan; no son éstas menos *suyas* que aquéllos, ni el acto de ver menos sustancial que el de medir o contar los estremecimientos de la luz. Del mismo modo, la vida ascética, que pretende la perfección moral en el vacío o enrarecimiento de representaciones vitales, no es para Abel Martín camino que lleve a ninguna parte. El *ethos* no se purifica, sino que se empobrece por eliminación del *pathos,* y aunque el poeta debe saber distinguirlos, su misión es la reintegración de ambos a aquella zona de la conciencia en que se dan como inseparables.

En su *Diálogo entre Dios y el Santo,* dice este último:

—Por amor de Ti he renunciado a todo, a todo lo que no eras Tú. Hice la noche en mi corazón para que sólo tu luz resplandezca.

Y Dios contesta:

—Gracias, hijo, porque también las luciérnagas son cosa mía.

Cuando se preguntaba a Martín si la poesía aspiraba a expresar lo inmediato psíquico, pues la conciencia, cogida en su propia fuente, sería, según su doctrina, conciencia integral, respondía: "Sí y no. Para el hombre, lo inmediato consciente es siempre cazado en el camino de vuelta. También la poesía es hija del gran fracaso del amor. La conciencia, en el hombre, comienza por ser vida, espontaneidad; en este primer grado, no puede darse en ella ningún fruto de la cultura, es actividad ciega, aunque no mecánica, sino animada, animalidad, si se quiere. En un segundo grado, comienza a verse a sí misma como un turbio río y pretende purificarse. Cree haber perdido la inocencia; mira como extraña su propia riqueza. Es el momento erótico, de honda inquietud, en que lo *otro* inmanente comienza a ser pensado como trascendente, como objeto de conocimiento y de amor. Ni Dios está en el mundo, ni la verdad en la conciencia del hombre. En el camino de la conciencia integral o autoconciencia, este momento de soledad y angustia es inevitable. Sólo después que el anhelo erótico ha creado las formas de la objetividad —Abel Martín cita cinco en su obra de metafísica *De lo uno a lo otro,* pero en sus últimos escritos señala hasta veintisiete— puede el hombre llegar a la visión real de la conciencia, reintegrando a la pura unidad heterogénea las citadas formas o *reversos del ser,* a verse, a vivirse, a *serse* en plena y fecunda intimidad. El pindárico *sé el que eres* es el término de este camino de vuelta, la meta que el poeta pretende alcanzar." *Mas nadie* —dice Martín— *logrará ser el que es, si antes no logra pensarse como no es.*

*

De su libro de estética *Lo universal cualitativo*, entresacamos los párrafos siguientes:

"1. Problema de la lírica: La materia en que las artes trabajan, sin excluir del todo a la música, pero excluyendo a la poesía, es algo no configurado por el espíritu: piedra, bronce, sustancias colorantes, aire que vibra, materia bruta, en suma, de cuyas leyes, que la ciencia investiga, el artista, como tal, nada entiende. También le es dado al poeta su material, el lenguaje, como al escultor el mármol o el bronce. En él ha de ver por de pronto lo que aún no ha recibido forma, lo que va a ser, después de su labor, sustentáculo de un mundo ideal. Pero mientras el artista de otras artes comienza venciendo resistencias de la materia bruta, el poeta lucha con una nueva clase de resistencias: las que ofrecen aquellos productos espirituales, las palabras, que constituyen su material. Las palabras, a diferencia de las piedras, o de las materias colorantes, o del aire en movimiento, son ya, por sí mismas, significación de lo humano, a las cuales ha de dar el poeta nueva significación. La palabra es, en parte, valor de cambio, producto social, instrumento de objetividad (objetividad en este caso significa convención entre sujetos) y el poeta pretende hacer de ella el medio expresivo de lo psíquico individual, objeto único, valor cualitativo. Entre la palabra usada por todos y la palabra lírica existe la diferencia que entre una moneda y una joya del mismo metal. El poeta hace joyel de la moneda. ¿Cómo? La respuesta es difícil. El aurífice puede deshacer la moneda y aun fundir el metal para darle después nueva forma, aunque no caprichosa y arbitraria. Pero al poeta no le es dado deshacer la moneda para labrar su joya. Su material de trabajo no es el elemento sensible en que el lenguaje se apoya (el sonido), sino aquellas significaciones de lo humano que la palabra, como tal, contiene. Trabaja el poeta con elementos ya estructurados por el espíritu, y aunque con ellos ha de realizar una nueva estructura, no puede desfigurarlos [100].

"2. Todas las formas de la objetividad, o apariencias de lo objetivo, son, con excepción del arte, productos de desubjetivación, tienden a formas espaciales y temporales puras: figuras, números, conceptos. Su objetividad quiere decir, ante todo, homogeneidad, descualificación de lo esencialmente cualitativo. Por eso, espacio y tiempo, límites del trabajo descualificador de lo sensible, son condiciones *sine qua non* de ellas, lógicamente previas o, como dice Kant, *a priori*. Sólo a este precio se consigue en la ciencia la objetividad, la ilusión del objeto, del ser que no es. El impulso hacia lo otro inasequible realiza un trabajo homogeneizador, crea la sombra del ser. Pensar es, ahora, descualificar, homogeneizar. La materia pensada se resuelve en átomos; el cambio sustancial, en movimientos de partículas inmutables en el espacio. El ser ha quedado atrás; sigue siendo el ojo que mira, y más allá están el tiempo y el espacio vacíos, la pizarra negra, la pura nada. Quien piensa el ser puro, el ser como es, piensa, en efecto, la pura nada; y quien piensa el tránsito del uno a la otra, piensa el puro devenir, tan huero como los elementos que lo integran. El pensamiento lógico sólo se da, en efecto, en el vacío insensible; y aunque es maravilloso este poder de inhibición del ser, de donde surge el palacio encantado de la lógica (la concepción mecánica del mundo, la crítica de Kant, la metafísica de Leibniz, por no citar sino ejemplos ingentes), con todo, el ser no es *nunca* pensado; contra la sentencia, el ser y el pensar (el pensar homogeneizador) no coinciden, ni por casualidad."

Confiamos
en que no será verdad
nada de lo que pensamos.

(Véase *A. Machado*.)

---

[100]   Para este punto, vid. *Los complementarios*, págs. 14-16.

Pero el arte, y especialmente la poesía —añade Martín—, que adquiere tanta importancia y responde a una necesidad tanto más imperiosa cuanto más ha avanzado el trabajo descualificador de la mente humana (esta importancia y esta necesidad son independientes del valor estético de las obras que en cada época se producen), no puede ser sino una actividad de sentido inverso al del pensamiento lógico. Ahora se trata (en poesía) de realizar nuevamente lo *desrealizado;* dicho de otro modo: una vez que el ser ha sido pensado como no es, es preciso pensarlo como es; urge devolverle su rica, inagotable heterogeneidad.

Este nuevo pensar, o pensar poético, es pensar cualificador. No es, ni mucho menos, un retorno al caos sensible de la animalidad; porque tiene sus normas, no menos rígidas que las del pensamiento homogeneizador, aunque son muy otras. Este pensar se da entre realidades, no entre sombras; entre intuiciones, no entre conceptos. "El *no ser* es ya pensado como *no ser* y arrojado, por ende, a la espuerta de la basura." Quiere decir Martín que una vez que han sido convictas de oquedad las formas de lo objetivo, no sirven ya para pensar lo que es. Pensando el ser cualitativamente, con extensión infinita, sin mengua alguna de lo infinito de su comprensión, no hay dialéctica humana ni divina que realice ya el tránsito de su concepto al de su contrario, porque entre otras cosas, su contrario no existe.

Necesita, pues, el pensar poético una nueva dialéctica, sin negaciones ni contrarios, que Abel Martín llama lírica y, otras veces, mágica, la lógica del camino sustancial o devenir inmóvil, del ser cambiando o el cambio siendo. Bajo esta idea, realmente paradójica y aparentemente absurda, está la más honda intuición que Abel Martín pretende haber alcanzado.

"Los eleáticos —dice Martín— no comprendieron que la única manera de probar la inmutabilidad del ser hubiera sido demostrar la realidad del movimiento, y que sus argumentos, en verdad sólidos, eran contraproducentes; que a los heraclitanos correspondía, a su vez, probar la irrealidad del movimiento para demostrar la mutabilidad del ser. Porque ¿cómo ocupará dos lugares distintos del espacio, en dos momentos sucesivos del tiempo, lo que *constantemente* cambia y no —¡cuidado!— para dejar de ser, sino para ser otra cosa? El cambio continuo es impensable como movimiento, pues el movimiento implica persistencia del móvil en lugares distintos y en momentos sucesivos; y un cambio discontinuo, con intervalos vacíos, que implican aniquilamiento del móvil, es impensable también. Del *no ser* al *ser* no hay tránsito posible, y la síntesis de ambos conceptos es inaceptable en toda lógica que pretenda ser, al par, ontología, porque no responde a realidad alguna."

No obstante, Abel Martín sostiene que, sin incurrir en contradicción, se puede afirmar que es el concepto del no ser la creación específicamente humana; y a él dedica un soneto con el cual cierra la primera sección de *Los complementarios:*

AL GRAN CERO

Cuando el *Ser que se es* hizo la nada
y reposó, que bien lo merecía,
ya tuvo el día noche, y compañía
tuvo el hombre en la ausencia de la amada.
Fiat umbra! Brotó el pensar humano.
Y el huevo universal alzó, vacío,
ya sin color, desustanciado y frío,
lleno de niebla ingrávida, en su mano.
Toma el cero integral, la hueca esfera,
que has de mirar, si lo has de ver, erguido.
Hoy que es espalda el lomo de tu fiera,
y es el milagro del no ser cumplido,
brinda, poeta, un canto de frontera
a la muerte, al silencio y al olvido.

En la teología de Abel Martín es Dios definido como el ser absoluto, y, por ende, nada que *sea* puede ser su obra. Dios, como creador y conservador del mundo, le parece a Abel Martín una concepción judaica, tan sacrílega como absurda. La nada, en cambio, es, en cierto modo, una creación divina, un milagro del ser, obrado por éste para pensarse en su totalidad. Dicho de otro modo: Dios regala al hombre el gran cero, la nada o cero integral, es decir, el cero integrado por todas las negaciones de cuanto es.

Así, posee la mente humana un concepto de totalidad, la suma de cuanto no es, que sirva lógicamente de límite y frontera a la totalidad de cuanto es.

Fiat umbra! Brotó el pensar humano.

Entiéndase: el pensar homogeneizador —no el poético, que es ya pensamiento divino—; el pensar del mero bípedo racional, el que ni por casualidad puede coincidir con la pura heterogeneidad del ser; el pensar que necesita de la nada para pensar lo que es, porque, en realidad, lo piensa como *no siendo*.

Tras este soneto, no exento de énfasis, viene el *canto de frontera*, por soleares (cante hondo) *a la muerte, al silencio y al olvido*, que constituye la segunda sección del libro *Los complementarios*. La tercera sección lleva, a guisa de prólogo, los siguientes versos:

AL GRAN PLENO O CONCIENCIA INTEGRAL

Que en su estatua el alto Cero
—mármol frío,
ceño austero
y una mano en la mejilla—,
del gran remanso del río,
medite, eterno, en la orilla,
y haya gloria eternamente.
Y la lógica divina
que imagina,
pero nunca imagen miente
—no hay espejo; todo es fuente—,
diga: sea
cuanto es, y que se vea
cuanto ve. Quieto y activo
—mar y pez y anzuelo vivo,
todo el mar en cada gota,
todo el pez en cada huevo,
todo nuevo—,
lance unánime su nota.

Todo cambia y todo queda,
piensa todo,
y es a modo,
cuando corre, de moneda,
un sueño de mano en mano.
Tiene amor rosa y ortiga,
y la amapola y la espiga
le brotan del mismo grano.
Armonía;
todo canta en pleno día.
Borra las formas del cero,
torna a ver,
brotando de su venero,
las vivas aguas del ser.

CANCIONERO APÓCRIFO

CLXVIII

JUAN DE MAIRENA

Juan de Mairena, poeta, filósofo, retórico e inventor de una Máquina de Cantar. Nació en Sevilla (1865). Murió en Casariego de Tapia (1909). Es autor de una *Vida de Abel Martín,* de un *Arte poética,* de una colección de poesías: *Coplas mecánicas,* y de un tratado de metafísica: *Los siete reversos.*

MAIRENA A MARTÍN, MUERTO

Maestro, en tu lecho yaces,
en paz con Ella o con Él...
(¿Quién sabe de últimas paces,
don Abel?)
Si con Ella, bien colmada
la medida,
dice, quieta, en la almohada
tu noble cabeza hundida.
Si con Él, que todo sea
—donde sea— quieto y vivo,
el ojo en superlativo,
que mire, admire y se vea.

*

Del juglar mediativo
quede el ínclito ideario

para el alba que aún no ríe;
y el muñeco estrafalario
del retablo desafíe
con su gesto al son gregario.

*

Hiedra y parra. Las paredes
de los huertos blancas son.
Por calles de Sal-Si-Puedes
brillan balcón y balcón.
Todavía, ¡oh don Abel!,
vibra la campanería
de la tarde, y un clavel
te guarda Rosa María.
Todavía
se oyen entre los cipreses
de tu huerto y laberinto
de tus calles —eses y eses,
trenzadas, de vino tinto—
tus pasos; y el mazo suena
que en la fragua de un instinto
blande la razón serena.
De tu logos variopinto,
nueva *ratio*,
queda el ancla en agua y viento,
buen cimiento
de tu lírico palacio.
Y cuajado en piedra el fuego
del amante
(Amor bizco y Eros ciego),
brilla al sol como diamante.

La composición continúa, algo enrevesada y difícil, con
esa dificultad artificiosa del barroco conceptual, que el propio Mairena censura en su *Arte poética*. En las últimas estrofas, el sentimiento de piedad hacia el maestro parece en-
turbiarse con mezcla de ironía, rayana en sarcasmo. Y es
que toda nueva generación ama y odia a su precedente. El
elogio incondicional rara vez es sincero. Lo del *logos variopinto* no es, sin duda, expresión demasiado feliz para significar la facultad creadora de aquellos *universales cualitativos*
que persiguió Martín. Y más que incomprensión parece acu-

sar —en Mairena— una cierta malevolencia, que le lleva al sabotaje de las ideas del maestro. Lo del *amor bizco* tiene una cuádrule significación: anecdótica, lógica, estética y metafísica. Una honda explicación de ello se encuentra en la *Vida de Abel Martín*.

EL "ARTE POÉTICA" DE JUAN DE MAIRENA

Juan de Mairena se llama a sí mismo *el poeta del tiempo*. Sostenía Mairena que la poesía era un arte temporal —lo que ya habían dicho muchos antes que él— y que la temporalidad propia de la lírica sólo podía encontrarse en sus versos, plenamente expresada. Esta jactancia, un tanto provinciana, es propia del novato que llega al mundo de las letras dispuesto a escribir por todos —no para todos— y, en último término, contra todos. En su *Arte poética* no faltan párrafos violentos, en que Mairena se adelanta a decretar la estolidez de quienes pudieran sostener una tesis contraria a la suya. Los omitimos por vulgares, y pasamos a reproducir otros más modestos y de más sustancia.

"Todas las artes —dice Juan de Mairena en la primera lección de su *Arte poética*— aspiran a productos permanentes, en realidad, a frutos intemporales. Las llamadas artes del tiempo, como la música y la poesía, no son excepción. El poeta pretende, en efecto, que su obra trascienda de los momentos psíquicos en que es producida. Pero no olvidemos que, precisamente, es el tiempo (el tiempo vital del poeta con su propia vibración) lo que el poeta pretende intemporalizar, digámoslo con toda pompa: eternizar. El poema que no tenga muy marcado el acento temporal está más cerca de la lógica que de la lírica" [101].

"Todos los medios de que se vale el poeta: cantidad, medida, acentuación, pausas, rima, las imágenes mismas, por su enunciación en serie, son elementos temporales. La temporalidad necesaria para que una estrofa tenga acusada la intención poética está al alcance de todo el mundo; se aprende en las más elementales Preceptivas. Pero una in-

---

[101] Cfr. *Los complementarios*, págs. 128-159. También las 56 y 59, en prólogo a la obra.

tensa y profunda impresión del tiempo sólo nos la dan muy contados poetas. En España, por ejemplo, la encontramos en don Jorge Manrique, en el Romancero, en Bécquer, rara vez en nuestros poetas del siglo de oro."

"Veamos —dice Mairena— una estrofa de don Jorge Manrique:

> ¿Qué se hicieron las damas,
> sus tocados, sus vestidos,
> sus olores?
> ¿Qué se hicieron las llamas
> de los fuegos encendidos
> de amadores?
> ¿Qué se hizo aquel trovar,
> las músicas acordadas
> que tañían?
> ¿Qué se hizo aquel danzar,
> aquellas ropas chapadas
> que traían?"

"Si comparamos esta estrofa del gran lírico español —añade Mairena— con otra de nuestro barroco literario, en que se pretenda expresar un pensamiento análogo: la fugacidad del tiempo y lo efímero de la vida humana, por ejemplo: el soneto *A las flores,* que pone Calderón en boca de su Príncipe Constante, veremos claramente la diferencia que media entre la lírica y la lógica rimada."

"Recordemos el soneto de Calderón:

> Éstas que fueron pompa y alegría,
> despertando al albor de la mañana,
> a la tarde serán lástima vana
> durmiendo en brazos de la noche fría.
> Este matiz que al cielo desafía,
> iris listado de oro, nieve y grana,
> será escarmiento de la vida humana:
> tanto se aprende en término de un día.
> A florecer las rosas madrugaron,
> y para envejecer florecieron.
> Cuna y sepulcro en un botón hallaron.

Tales los hombres sus fortunas vieron:
en un día nacieron y expiraron,
que, pasados los siglos, horas fueron."

"Para alcanzar la finalidad intemporalizadora del arte,
fuerza es reconocer que Calderón ha tomado un camino
demasiado llano: el empleo de elementos de suyo intemporales. Conceptos e imágenes conceptuales —pensadas, no in-
tuidas— están fuera del tiempo psíquico del poeta, del fluir
de su propia conciencia. Al *panta rhei* de Heráclito sólo es
excepción el pensamiento lógico. Conceptos e imágenes en
función de conceptos —sustantivos acompañados de adjetivos definidores, no cualificadores— tienen, por lo menos,
esta pretensión: la de ser hoy lo que fueron ayer, y mañana
lo que son hoy. El *albor de la mañana* vale para todos los
amaneceres; la *noche fría,* en la intención del poeta, para
todas las noches. Entre tales nociones definidas se estable-
cen relaciones lógicas, no menos intemporales que ellas.
Todo el encanto del soneto de Calderón —si alguno tiene—
estriba en su corrección silogística. La poesía aquí no canta,
razona, discurre en torno a unas cuantas definiciones. Es
—como todo o casi todo nuestro barroco literario— escolás-
tica rezagada."

"En la estrofa de Manrique nos encontramos en un clima
espiritual muy otro, aunque para el somero análisis, que
suele llamarse crítica literaria, la diferencia pase inadvertida.
El poeta no comienza por asentar nociones que traducir en
juicios analíticos, con los cuales construir razonamientos. El
poeta no pretende saber nada; pregunta por damas, tocados,
vestidos, olores, llamas, amantes... El ¿qué se hicieron?, el
devenir en interrogante individualiza ya estas nociones genéricas, las coloca en el tiempo, en un pasado vivo, donde el
poeta pretende intuirlas, como objetos únicos, las rememora
o evoca. No pueden ser ya cualesquiera damas, tocados, fragancias y vestidos, sino aquellos que, estampados en la placa
del tiempo, conmueven —¡todavía!— el corazón del poeta.
Y *aquel trovar,* y el *danzar aquel* —aquellos y no otros—
¿qué se hicieron?, insiste en preguntar el poeta, hasta llegar
a la maravilla de la estrofa: *aquellas ropas chapadas,* vistas
en los giros de una danza, las que traían los caballeros de
Aragón —o quienes fueren—, y que surgen ahora en el re-

cuerdo, como escapadas de un sueño, actualizando, materializando casi el pasado, en una trivial anécdota indumentaria. Terminada la estrofa, queda toda ella vibrando en nuestra memoria como una melodía única, que no podrá repetirse ni imitarse, porque para ello sería preciso haberla vivido. La emoción del tiempo es todo en la estrofa de don Jorge; nada, o casi nada, en el soneto de Calderón. La diferencia es más profunda de lo que a primera vista parece. Ella sola explica por qué en don Jorge la lírica tiene todavía un porvenir, y en Calderón, nuestro gran barroco, un pasado abolido, definitivamente muerto."

Se extiende después Mairena en consideraciones sobre el barroco literario español. Para Mairena —conviene advertirlo—, el concepto de lo barroco dista mucho del que han puesto de moda los alemanes en nuestros días, y que —dicho sea de paso— bien pudiera ser falso, aunque nuestra crítica lo acepte, como siempre, sin crítica, por venir de fuera.

"En poesía se define —habla Mairena— como un tránsito de lo vivo a lo artificial, de lo intuitivo a lo conceptual, de la temporalidad psíquica al plano intemporal de la lógica, como un *piétinement sur place* del pensamiento que, incapaz de avanzar sobre intuiciones —en ninguno de los sentidos de esta palabra—, vuelve sobre sí mismo, y gira y deambula en torno a lo definido, creando enmarañados laberintos verbales; un metaforismo conceptual, ejercicio superfluo y pedante del pensar y del sentir, que pretende asombrar por lo difícil, y cuya oquedad no advierten los papanatas."

El párrafo es violento, acaso injusto. Encierra, no obstante, alguna verdad. Porque Mairena vio claramente que el tan decantado dinamismo de lo barroco es más aparente que real, y más que la expresión de una fuerza actuante, el gesto hinchado que sobreviene a un esfuerzo extinguido.

Acaso puede argüirse a Mairena que, bajo la denominación de barroco literario, comprende la corriente culterana y la conceptista, sin hacer de ambas suficiente distinción. Mairena, sin embargo, no las confunde, sino que las ataca en su raíz común. Fiel a su maestro Abel Martín, Mairena no ve en las formas literarias sino contornos más o menos momentáneos de una materia en perpetuo cambio, y sostiene que es esta materia, este contenido, lo que, en primer término, conviene analizar. ¿En qué zona del espíritu del poeta ha sido engendrado el poema, y qué es lo que predominantemente contiene? Sigue un criterio opuesto al de la crítica de su tiempo, que sólo veía en las formas literarias moldes rígidos para rellenos de un mazacote cualquiera, y cuyo contenido, por ende, no interesa. Culteranismo y conceptismo son, pues, para Mairena dos expresiones de una misma oquedad y cuya concomitancia se explica por un creciente empobrecimiento del alma española. La misma inopia de intuiciones que, incapaz de elevarse a las ideas, lleva al pensamiento conceptista, y de éste a la pura agudeza verbal, crea la metáfora culterana, no menos conceptual que el concepto conceptista, la seca y árida tropología gongorina, arduo trasiego de imágenes genéricas, en el fondo puras definiciones, a un ejercicio de mera lógica, que sólo una crítica inepta o un gusto depravado puede confundir con la poesía.

"Claro es —añade Mairena, en previsión de fáciles objeciones— que el talento poético de Góngora y el robusto ingenio de Quevedo, Gracián o Calderón son tan patentes como la inanidad estética de culteranismo y el conceptismo."

El barroco literario español, según Mairena, se caracteriza [102]:

1.º *Por una gran pobreza de intuición.*—¿En qué sentido? En el sentido de experiencia externa o contacto directo con el mundo sensible; en el sentido de experiencia interna o contacto con lo inmediato psíquico, estados únicos de conciencia; en el sentido teórico de enfrontamiento con las ideas, esencias, leyes y valores como objetos de visión mental; y en el resto de las acepciones de esta palabra. "Las imágenes del barroco expresan, disfrazan o decoran conceptos, pero no contienen intuiciones." "Con ellas —dice Mairena— se discurre o razona, aunque superflua y mecánicamente, pero de ningún modo se canta. Porque se puede razonar, en efecto, por medio de conceptos escuetamente lógicos, por medio de conceptos matemáticos —números y figuras— o por medio de imágenes, sin que el acto de razonar, discurrir entre lo definido, deje de ser el mismo: una función homogeneizadora del entendimiento que persigue

---

[102] Cfr. *Los complementarios*, págs. 24-35.

igualdades —reales o convenidas—, eliminando diferencias. El empleo de imágenes, más o menos coruscantes, no puede nunca trocar una función esencialmente lógica en función estética, de sensibilidad. Si la lírica barroca, consecuente consigo misma, llegase a su realización perfecta, nos daría un álgebra de imágenes, fácilmente abarcable en un tratado al alcance de los estudiosos, y que tendría el mismo valor estético del álgebra propiamente dicha, es decir, un valor estéticamente nulo."

2.º *Por su culto a lo artificioso y desdeño de lo natural.*—"En las épocas en que el arte es realmente creador —dice Mairena— no vuelve nunca la espalda a la naturaleza, y entiende por naturaleza todo lo que aún no es arte, incluyendo en ello el propio corazón del poeta. Porque si el artista ha de crear, y no a la manera del dios bíblico, necesita una materia que informar o transformar, que no ha de ser —¡claro está!— el arte mismo. Porque existe, en verdad, una forma de apatía estética, que pretende sustituir el arte por la naturaleza misma, se deduce, groserísimamente, que el artista puede ser creador prescindiendo de ella. Esa abeja que liba en la miel y no en las flores es más ajena a toda labor creadora que el humilde arrimador de documentos reales, o que el consabido espejo de lo real, que pretende darnos por arte la innecesaria réplica de cuanto no lo es."

3.º *Por su carencia de temporalidad.*—En sus análisis del verso barroco, señala Mairena la preponderancia del sustantivo y su adjetivo definidor sobre las formas temporales del verbo; el empleo de la rima con carácter más ornamental que melódico y el total olvido de su valor mnemónico.

"La rima —dice Mairena— es el encuentro, más o menos reiterado, de un sonido con el recuerdo de otro. Su monotonía es más aparente que real, porque son elementos distintos, acaso heterogéneos, sensación y recuerdo, los que en la rima se conjugan; con ellos estamos dentro y fuera de nosotros mismos. Es la rima un buen artificio, aunque no el único, para poner la palabra en el tiempo. Pero cuando la rima se complica con excesivos entrecruzamientos y se distancia hasta tal punto que ya no se conjugan sensación y recuerdo, porque el recuerdo se ha extinguido cuando la sensación se repite, la rima es entonces un artificio superfluo. Y los que suprimen la rima —esa tardía invención de la métrica—, juzgándola innecesaria, suelen olvidar que lo esencial en ella es su función temporal, y que su ausencia les obliga a buscar algo que la sustituya; que la poesía lleva muchos siglos cabalgando sobre asonancias y consonancias, no por capricho de la incultura medieval, sino porque el sentimiento de tiempo, que algunos llaman impropiamente sensación del tiempo, no contiene otros elementos que los señalados en la rima: sensación y recuerdo. Mas en el verso barroco la rima tiene, en efecto, un carácter ornamental. Su primitiva misión de conjugar sensación y recuerdo, para crear así la emoción del tiempo, queda olvidada. Y es que el verso barroco, culterano o conceptista, no contiene elementos temporales, puesto que conceptos e imágenes conceptuales son —habla siempre Mairena— esencialmente ácronos."

4.º *Por su culto a lo difícil artificial y su ignorancia de las dificultades reales.*—La dificultad no tiene por sí misma valor estético, ni de ninguna otra clase —dice Mairena—. Se aplaude con razón el acto de atacarla y vencerla; pero no es lícito crearla artificialmente para ufanarse de ella. Lo clásico, en verdad, es vencerla, eliminarla; lo barroco exhibirla. Para el pensamiento barroco, esencialmente plebeyo, lo difícil es siempre precioso: un soneto valdrá más que una copla en asonante, y el acto de engendrar un chico, menos que el de romper un adoquín con los dientes.

5.º *Por su culto a la expresión indirecta, perifrástica, como si ella tuviera por sí misma un valor estético.*—Porque no existe perfecta conmensurabilidad —dice Mairena— entre el sentir y el hablar, el poeta ha acudido siempre a formas indirectas de expresión, que pretenden ser las que directamente expresen lo inefable. Es la manera más sencilla, más recta y más inmediata de rendir lo intuido en cada momento psíquico, lo que el poeta busca, porque todo lo demás tiene formas adecuadas de expresión en el lenguaje conceptual. Para ello acude siempre a imágenes singulares, o singularizadas, es decir, a imágenes que no pueden encerrar conceptos, sino intuiciones, entre las cuales establece relaciones capaces de crear a la postre nuevos conceptos. El poeta barroco, que ha visto el problema precisamente al revés, emplea las imágenes para adornar y disfrutar conceptos, y confunde la metáfora esencialmente poética con el

eufemismo de negro catedrático. El *oro cano,* el *pino cua-
drado,* la *flecha alada,* el *áspid de metal,* son, en efecto, maneras bien estúpidas de aludir a la plata, a la mesa, a la flecha y a la pistola.

6.º *Por su carencia de gracia.*—"La tensión barroca
—dice Mairena—, con su fría vehemencia, su aparato de
fuerza y falso dinamismo, su torcer y desmesurar arbitrarios
—sintaxis hiperbática e imaginería hiperbólica—, con su em-
peño de desnaturalizar una lengua viva para ajustarla bárba-
ramente a los esquemas más complicados de una lengua
muerta, con su hinchazón y amaneramiento y superfluo artificio, podrá, en horas de agotamiento o perversión del
gusto, producir un efecto que, mal analizado, se parezca a
una emoción estética. Pero hay algo que el barroco ha de
renunciar, pues ni la mera apariencia le es dado contraha-
cer: la calidad de lo gracioso, que sólo se produce cuando el
arte, de puro maestro, llega al olvido de sí mismo, y a hacerse perdonar su necesario apartamiento de la naturaleza."

7.º *Por su culto supersticioso a lo aristocrático.*—Hablando de Góngora, dice Juan de Mairena: "Cuanto hay en
él apoyado en *floklore* tiende a ser, más que lo popular (tan
finamente captado por Lope), lo apicarado y grosero. Sin
embargo, lo verdaderamente plebeyo de Góngora es el gon-
gorismo. Enfrente de Lope, tan íntegramente español como
hombre de la corte, Góngora será siempre un pobre cura
provinciano." Y en verdad que la "obsesión de lo distin-
guido y aristocrático no ha producido en arte más que ño-
ñeces". El vulgo en arte, es decir, el vulgo a que suele aludir el artista, es, en cierto modo, una invención de los pe-
dantes, mejor diré: un ente de ficción que el pedante fabrica
con su propia sustancia. "Ningún espíritu creador —añade
Mairena—, en sus momentos realmente creadores, pudo
pensar más que en el hombre, en el hombre esencial que ve
en sí mismo, y que supone en su vecino. Que existe una
masa desatenta, incomprensiva, ignorante, ruda, el artista
no lo ha ignorado nunca. Pero una de dos: o la obra del artista alcanza y penetra, en más o en menos, a esa misma
masa bárbara, que deja de ser vulgo *ipso facto* para convertirse en público de arte, o encuentra en ella una completa
impermeabilidad, una total indiferencia. En este caso, el
vulgo propiamente dicho no guarda ya relación alguna con

la obra de arte y no puede ser objeto de obsesión para el artista. Pero el vulgo del culterano, del preciosista, del pedante, es una masa de papanatas, a la cual se asigna una función positiva: la de rendir al artista un tributo de asombro y de admiración incomprensiva."

En suma, Mairena no se chupa el dedo en su análisis del barroco literario español. Más adelante añade —en previsión de fáciles objeciones— que él no ignora cómo en toda época, de apogeo o de decadencia, ascendente o declinante, lo que se produce es lo único que puede producirse, y que aun las más patentes perversiones del gusto, cuando son realmente actuales, tendrán siempre una sutil abogacía que defiende sus mayores desatinos. Y en verdad que esa abogacía no defiende, en el fondo, ni tales perversiones ni tales desatinos, sino a un espíritu incapaz de producir otra cosa. Lo más inepto contra el culteranismo lo hizo Quevedo, publicando los versos de fray Luis de León. Fray Luis de León fue todavía un poeta, pero el sentimiento místico que alcanzó en él una admirable expresión de remanso, distaba ya tanto de Góngora como de Quevedo, era precisamente lo que ya no podía cantar, algo definitivamente muerto a manos del espíritu jesuítico imperante.

LA METAFÍSICA DE JUAN DE MAIRENA

"Todo poeta —dice Juan de Mairena— supone una metafísica; acaso cada poema debiera tener la suya —implícita—, claro está —nunca explícita—, y el poeta tiene el deber de exponerla, por separado, en conceptos claros. La posibilidad de hacerlo distingue al verdadero poeta del mero señorito que compone versos." *(Los siete reversos,* pág. 192.) Digamos algunas palabras sobre la metafísica de Juan de Mairena.

Su punto de partida está en un pensamiento de su maestro Abel Martín. Dios no es el creador del mundo, sino el ser absoluto, único y real, más allá del cual nada es. No hay problema genético de lo que es. El mundo es sólo un aspecto de la divinidad; de ningún modo una creación divina. Siendo el mundo real, y la realidad única y divina, hablar de una creación del mundo equivaldría a suponer que Dios se creaba a sí mismo. Tampoco el ser, la divinidad, plantea ningún problema metafísico. Cuanto es aparece: cuanto aparece es. Todo el trabajo de la ciencia —que Mairena admira y venera— consiste en descubrir nuevas apariencias: es decir, nuevas apariciones del ser; de ningún modo nos suministra razón alguna esencial para distinguir entre lo real y lo aparente. Si el trabajo de la ciencia es infinito y nunca puede llegar a un término, no es porque busque una realidad que huye y se oculta tras una apariencia, sino porque lo real es una apariencia infinita, una constante e inagotable posibilidad de aparecer.

No hay, pues, problema del ser, de lo que aparece. Sólo lo que no es, lo que no aparece, puede constituir problema. Pero este problema no interesa tanto al poeta como al filósofo propiamente dicho. Para el poeta, el *no ser* es la creación divina, el milagro del *ser que se es,* el *fiat umbra!* a que Martín alude en su soneto inmortal *Al gran Cero,* la palabra divina que al poeta asombra y cuya significación debe explicar el filósofo.

> Borraste el ser, quedó la nada pura.
> Muéstrame, ¡oh Dios!, la portentosa mano
> que hizo la sombra: la pizarra oscura
> donde se escribe el pensamiento.

> (Abel Martín. *Los complementarios.*)

O como más tarde dijo Mairena, glosando a Martín:

> Dijo Dios: Brote la nada.
> Y alzó la mano derecha,
> hasta ocultar su mirada.
> Y quedó la nada hecha.

Así simboliza Mairena, siguiendo a Martín, la creación divina, con un acto negativo de la divinidad, por un voluntario cegar del *gran ojo, que todo lo ve al verse a sí mismo.*

Se preguntará: ¿cómo, si no hay problema de lo que es, puesto que lo aparente y lo real son una y la misma cosa, o, dicho de otro modo, es lo real la suma de las apariciones del ser, puede haber una metafísica? A esta objeción respondía Mairena: "Precisamente la desproblematización del ser, que postula la absoluta realidad de lo aparente, pone *ipso facto* sobre el tapete el problema del *no ser,* y éste es el tema de toda futura metafísica." Es decir, que la metafísica de Mairena será la *ciencia del no ser,* de la absoluta irrealidad, o, como decía Martín, de las varias formas del cero. Esta metafísica es *ciencia de lo creado,* de la obra divina, de la pura nada, a la cual se llega por análisis de conceptos; sólo contiene, como la metafísica de escuela, pensamiento puro; pero se diferencia de ella en que no pretende definir al ser (no es pues, ontología) sino a su contrario. Y le cuadra, en verdad, el nombre de metafísica: ciencia de lo que está más allá del ser, es decir, más allá de la física.

Los siete reversos es el tratado filosófico en que Mairena pretende enseñarnos los siete caminos por donde puede el hombre llegar a comprender la obra divina: la pura nada. Partiendo del pensamiento mágico de Abel Martín, de la *esencial heterogeneidad del ser, de la inmanente otredad del ser que se es, de la sustancia única, quieta y en perpetuo cambio, de la conciencia integral, o gran ojo...,* etc.; es decir, del pensamiento poético, que acepta como principio evidente la realidad de todo contenido de conciencia, intenta Mairena la génesis del pensamiento lógico, de las formas homogéneas del pensar: la pura sustancia, el puro espacio, el puro tiempo, el puro movimiento, el puro reposo, el puro *ser que no es* y *la pura nada.*

El libro es extenso, contiene cerca de 500 páginas, en cuarto mayor. No fue leído en su tiempo. Ni aun lo cita Menéndez Pelayo en su índice expurgatorio del pensamiento español. Su lectura, sin embargo, debe recomendarse a los estudiosos. Su análisis detallado nos apartaría mucho del poeta. Quede para otra ocasión y volvamos ahora a las poesías de Juan de Mairena.

Sostenía Mairena que sus *Coplas mecánicas* no eran realmente suyas, sino de la *Máquina de trovar,* de Jorge Meneses. Es decir, que Mairena había imaginado un poeta, el cual, a su vez, había inventado un aparato, cuyas eran las coplas que daba a la estampa.

Diálogo entre Juan de Mairena y Jorge Meneses

Mairena.—¿Qué augura usted, amigo Meneses, del porvenir de la lírica?

Meneses.—Pronto el poeta no tendrá más recurso que enfundar su lira y dedicarse a otra cosa.

Mairena.—¿Piensa usted?...

Meneses.—Me refiero al poeta lírico. El sentimiento individual, mejor diré: el polo individual del sentimiento, que está en el corazón de cada hombre, empieza a no interesar, y cada día interesará menos. La lírica moderna, desde el declive romántico hasta nuestros días (los del simbolismo), es acaso un lujo, un tanto abusivo, del hombre manchesteriano, del individualismo burgués, basado en la propiedad privada. El poeta exhibe su corazón con la jactancia del burgués enriquecido que ostenta sus palacios, sus coches, sus caballos y sus queridas. El corazón del poeta, tan rico en sonoridades, es casi un insulto a la afonía cordial de la masa, esclavizada por el trabajo mecánico. La poesía lírica se engendra siempre en la zona central de nuestra *psique,* que es la del sentimiento: no hay lírica que no sea sentimental. Pero el sentimiento ha de tener tanto de individual como de genérico, porque aunque no existe un corazón en general, que sienta por todos, sino que cada hombre lleva el suyo y siente con él, todo sentimiento se orienta hacia valores universales, o que pretenden serlo. Cuando el sentimiento acorta su radio y no trasciende del yo aislado, acotado, vedado al prójimo, acaba por empobrecerse y, al fin, canta de falsete. Tal es el sentimiento burgués, que a mí me parece fracasado; tal es el fin de la sentimentalidad romántica. En suma, no hay sentimiento verdadero sin simpatía, el mero *pathos* no ejerce función cordial alguna, ni tampoco estética. Un corazón solitario —ha dicho no sé quien, acaso Pero Grullo— no es un corazón; porque nadie siente si no es capaz de sentir con otro, con otros..., ¿por qué no con todos?

Mairena.—¡Con todos! ¡Cuidado, Meneses!

Meneses.—Sí, comprendo. Usted, como buen burgués, tiene la superstición de lo selecto, que es la más plebeya de todas. Es usted un cursi.

Mairena.—Gracias.

Meneses.—Le parece a usted que sentir con todos es convertirse en multitud, en masa anónima. Es precisamente lo contrario. Pero no divaguemos. Hay una crisis sentimental que afectará a la lírica, y cuyas causas son muy complejas. El poeta pretende cantarse a sí mismo, porque no encuentra temas de comunión cordial, de verdadero sentimiento. Con la ruina de la ideología romántica, toda un sentimentalidad, concomitantemente, se viene abajo. Es muy difícil que una nueva generación siga escuchando nuestras canciones. Porque lo que a usted le pasa, en el rinconcito de su sentir, que empieza a no ser comunicable, acabará por no ser nada. Una nueva poesía supone una nueva sentimentalidad, y ésta, a su vez, nuevos valores. Un himno patriótico nos conmueve a condición de que la patria sea para nosotros algo valioso; en caso contrario, ese himno nos parecerá vacío, falso, trivial o ramplón. Comenzamos a diputar insinceros a los románticos, declamatorios, hombres que simulan sentimientos, que, acaso, no experimentaban. Somos injustos. No es que ellos no sintieran; es, más bien, que nosotros no podemos sentir con ellos. No sé si esto lo comprende usted bien, amigo Mairena.

Mairena.—Sí, lo comprendo. Pero usted, ¿no cree en una posible lírica intelectual?

Meneses.—Me parece tan absurda como una geometría sentimental o un álgebra emotiva. Tal vez sea ésta la hazaña de los epígonos del simbolismo francés. Ya Mallarmée llevaba dentro el negro catedrático capaz de intentarla. Pero este camino no lleva a ninguna parte.

Mairena.—¿Qué hacer, Meneses?

Meneses.—Esperar a los nuevos valores. Entretanto, como pasatiempo, simple juguete, yo pongo en marcha mi aristón poético o *máquina de trovar*. Mi modesto aparato no pretende sustituir ni suplantar al poeta (aunque puede con ventaja suplir al maestro de retórica), sino registrar de una manera objetiva el estado emotivo, sentimental, de un grupo humano, más o menos nutrido, como un termómetro registra la temperatura o un barómetro la presión atmosférica.

Mairena.—¿Cuantitativamente?

Meneses.—No. Mi artificio no registra en cifras, no traduce a lenguaje cuantitativo la lírica ambiente, sino que nos da su expresión objetiva, completamente desindividualizada, en un soneto, madrigal, jácara o letrilla que el aparato compone y recita con asombro y aplauso de la concurrencia. La canción que el aparato produce la reconocen por suya todos cuantos la escuchan, aunque ninguno, en verdad, hubiera sido capaz de componerla. Es la canción del grupo humano, ante el cual el aparato funciona. Por ejemplo, en una reunión de borrachos, aficionados al cante hondo, que corren una juerga de hombres solos, a la manera andaluza, un tanto sombría, el aparato registra la emoción dominante y la traduce en cuatro versos esenciales, que son su equivalente lírico. En una asamblea política, o de militares, o de usureros, o de profesores, o de *sportmen*, produce otra canción, no menos esencial. Lo que nunca nos da el aparato es la canción individual, aunque el individuo esté caracterizado muy enérgicamente, por ejemplo: *la canción del verdugo*. Nos da, en cambio, si se quiere, la canción de los aficionados a ejecutores capitales, etc.

Mairena.—¿Y en qué consiste el mecanismo de ese aristón poético o máquina de cantar?

Meneses.—Es muy complicado, y, sin auxilio gráfico, sería difícil de explicar. Además, es mi secreto. Bástele a usted, por ahora, conocer su función.

Mairena.—¿Y su manejo?

Meneses.—Su manejo es más sencillo que el de una máquina de escribir. Esta especie de piano-fonógrafo tiene un teclado dividido en tres sectores: el positivo, el negativo y el hipotético. Sus fonogramas no son letras, sino palabras. La concurrencia ante la cual funciona el aparato elige, por mayoría de votos, el sustantivo que, en el momento de la experiencia, considera más esencial, por ejemplo: *hombre*, y su correlato lógico, biológico, emotivo, etc., por ejemplo: *mujer*. El verbo siempre en función en las tres zonas del aparato, salvo el caso de sustitución por voluntad del manipulador, es el verbo objetivador, el verbo *ser*, en sus tres formas: *ser, no ser, poder ser*, o bien *es, no es, puede ser*, es decir, el verbo en sus formas positiva u ontológica, negativa o divina, e hipotética o humana. Ya contiene, pues, el aparato elementos muy esenciales para una copla: *es hombre, no es hombre, puede ser hombre, es mujer*, etc., etc. Los vocablos lógicamente rimados son *hombre* y *mujer;* los de la rima propiamente dicha: *mujer* y (puede) *ser*. Sólo el sustantivo *hombre* queda huérfano de rima sonora. El mani-

pulador elige el fonograma lógicamente más afín, entre los
consonantes a *hombre,* es decir, *nombre.* Con estos ingredientes el manipulador intenta una o varias coplas, proce-
diendo por tanteos, en colaboración con su público. Y comienza así:

Dicen (el sujeto suele ser un impersonal) *que el hombre
no es hombre.*

Esta proposición esencialmente contradictoria la da mecánicamente el tránsito del sustantivo *hombre* de la primera a
la segunda zona del aparato. Mi artificio no es, como el de
Lulio, máquina de pensar, sino de anotar experiencias vitales, anhelos, sentimientos, y sus contradicciones no pueden resolverse lógica, sino psicológicamente. Por esta vía ha
de resolverla el manipulador, y con los solos elementos de
que aún dispone: *nombre* y *mujer.* Y es ahora el sustantivo
nombre el que entra en función. El manipulador ha de colo-
carlo en la relación más esencial con *hombre* y *mujer,* que
puede ser una de estas dos: el *nombre de un hombre* pro-
nunciado por *una mujer,* o el *nombre de una mujer* pronun-
ciado por *un hombre.* Tenemos ya el esquema de dos coplas
posibles para expresar un sentimiento elementalísimo en una
tertulia masculina: el sentimiento de la ausencia de la mujer,
que nos da la razón psicológica que explica la contradicción
lógica del verso inicial. El hombre no es hombre (lo es insu-
ficientemente) para un grupo humano que define la hombría
en función del sexo, bien por carencia de un nombre de mujer, el de la amada, que cada hombre puede pronunciar,
bien por ausencia de mujer en cuyos labios suena el nombre
de cada hombre.

Para abreviar, pongamos que el aristón nos da esta copla:

> Dicen que el hombre no es hombre
> mientras que no oye su nombre
> de labios de una mujer.
> Puede ser.

Éste *puede ser* no es ripio, aditamento inútil o parte
muerta de la copla. Está en la zona tercera del teclado, y el
manipulador pudo omitirlo. Pero lo hace sonar, a instancias
de la concurrencia, que encuentra en él la expresión de su

propio sentir, tras un momento de reflexión autoinspectiva. Producida la copla, puede cantarse en coro.

*

En el prólogo a su *Coplas mecánicas* hace Mairena el elogio del artificio de Meneses. Según Mairena, el aristón poético es un medio, entre otros, de racionalizar la lírica, sin incurrir en el barroco conceptual. La sentencia, reflexión o aforismo que sus coplas contienen van necesariamente adheridos a una emoción humana. El poeta, inventor y manipulador del artificio mecánico es un investigador y colector de sentimientos elementales; un *folklorista,* a su manera, y un creador impasible de canciones populares, sin incurrir nunca en el *pastiche* de lo popular. Prescinde de su propio sentir, pero anota el de su prójimo y lo reconoce en sí mismo como sentir humano (cuando lo advierte objetivado en su aparato), como expresión exacta del ambiente cordial que le rodea. Su aparato no ripia ni pedantea, y aun puede ser fecundo en sorpresas, registrar fenómenos emotivos extraños. Claro está que su valor, como el de otros inventos mecánicos, es más didáctico y pedagógico que estético. La *máquina de trovar,* en suma, puede entretener a las masas e iniciarlas en la expresión de su propio sentir, mientras llegan los nuevos poetas, los cantores de una nueva sentimentalidad.

CLXIX

ÚLTIMAS LAMENTACIONES DE ABEL MARTÍN

(CANCIONERO APÓCRIFO)

Hoy, con la primavera,
soñé que un fino cuerpo me seguía
cual dócil sombra. Era
mi cuerpo juvenil, el que subía
de tres en tres peldaños la escalera.
—Hola, galgo de ayer. (Su luz de acuario
trocaba el hondo espejo

por agria luz sobre un rincón de osario.)
—¿Tú conmigo, rapaz?
                              —Contigo, viejo.
    Soñé la galería
al huerto de ciprés y limonero;
tibias palomas en la piedra fría,
en el cielo de añil rojo pandero,
y en la mágica angustia de la infancia
la vigilia del ángel más austero.
    La ausencia y la distancia
volví a soñar con túnicas de aurora;
firme en el arco tenso la saeta
del mañana, la vista aterradora
de la llama prendida en la espoleta
de su granada.
                    ¡Oh Tiempo, oh Todavía
preñado de inminencias!,
tú me acompañas en la senda fría,
tejedor de esperanzas e impaciencias.

                         *

    ¡El tiempo y sus banderas desplegadas!
(¿Yo, capitán? Mas yo no voy contigo.)
¡Hacia lejanas torres soleadas
el perdurable asalto por castigo!

                         *

    Hoy, como un día, en la ancha mar violeta
hunde el sueño su pétrea escalinata,
y hace camino la infantil goleta,
y le salta el delfín de bronce y plata.
    La hazaña y la aventura
cercando un corazón entelerido...
Montes de piedra dura
—eco y eco— mi voz han repetido.
    ¡Oh, descansar en el azul del día
como descansa el águila en el viento,
sobre la sierra fría,
segura de sus alas y su aliento!

La augusta confianza
a ti, Naturaleza, y paz te pido,
mi tregua de temor y de esperanza,
un grano de alegría, un mar de olvido...

CLXX

SIESTA

EN MEMORIA DE ABEL MARTÍN

Mientras traza su curva el pez de fuego,
junto al ciprés, bajo el supremo añil,
y vuela en blanca piedra el niño ciego,
y en el olmo la copla de marfil
de la verde cigarra late y suena,
honremos al Señor
—la negra estampa de su mano buena—
que ha dictado el silencio en el clamor.
Al dios de la distancia y de la ausencia,
del áncora en el mar, la plena mar...
Él nos libra del mundo —omnipresencia—,
nos abre senda para caminar.
Con la copa de sombra bien colmada,
con este nunca lleno corazón,
honremos al Señor que hizo la Nada
y ha esculpido en la fe nuestra razón.

CLXXI

A LA MANERA DE JUAN DE MAIRENA

APUNTES PARA UNA GEOGRAFÍA EMOTIVA DE ESPAÑA

I

¡Torreperogil!
¡Quién fuera una torre, torre del campo
del Guadalquivir! [103].

[Baeza, 1919]

II

Sol en los montes de Baza.
Mágina y su nube negra.
En el Aznaitín afila
su cuchillo la tormenta.

III

En Garciez
hay más sed que agua;
en Jimena, más agua que sed [104].

---

[103] En *Los complementarios* (pág. 211) figura así:

Torre don Gimeno,
Torre Perogil,
¡quién fuera una torre
del Guadalquivir!

[104] En *Los complementarios* (pág. 210), bajo esta forma:

En Garciez
los olivos son de riego,
todos tienen agua al pie.
En Jimena
hay más agua que sed;
de ocho caños sale el agua,
en todos has de beber.

IV

¡Qué bien los nombres ponía
quien puso Sierra Morena
a esta serranía!

V

En Alicún se cantaba:
"Si la luna sale,
mejor entre los olivos
que en los espartales."

VI

Y en la Sierra de Quesada;
"Vivo en pecado mortal:
no te debiera querer;
por eso te quiero más."

VII

Tiene una boca de fuego
y una cintura de azogue.
            Nadie la bese.
            Nadie la toque.
Cuando el látigo del viento
suena en el campo: ¡amapola!
(como llama que se apaga
o beso que no se logra)
su nombre pasa y se olvida.
Por eso nadie la nombra.
    Lejos, por los espartales,
más allá de los olivos,
hacia las adelfas
y los tarayes del río,
    con esta luna de la madrugada,
¡amazona gentil del campo frío!...

CLXXII

ABEL MARTÍN

LOS COMPLEMENTARIOS

CANCIONERO APÓCRIFO

RECUERDOS DE SUEÑO, FIEBRE Y DUERMEVELA

I

Esta maldita fiebre
que todo me lo enreda,
siempre diciendo: ¡claro!
Dormido estás: despierta.
¡Masón, masón!
                        Las torres
bailando están en rueda.
Los gorriones pían
bajo la lluvia fresca.
¡Oh, claro, claro, claro!
Dormir es cosa vieja,
y el toro de la noche
bufando está a la puerta.
A tu ventana llego
con una rosa nueva,
con una estrella roja,
y la garganta seca.
¡Oh, claro, claro, claro!
¿Velones? En Lucena.
¿Cuál de las tres? Son una
Lucía, Inés, Carmela;
y el limonero baila
con la encinilla negra.
¡Oh claro, claro, claro!
Dormido estás. Alerta.
Mili, mili, en el viento;
glu-glu, glu-glu, en la arena.

Los tímpanos del alba,
¡qué bien repiquetan!
¡Oh, claro, claro, claro!

II

En la desnuda tierra...

III

Era la tierra desnuda,
y un frío viento, de cara,
con nieve menuda.
Me eché a caminar
por un encinar de sombra:
la sombra de un encinar.
El sol las nubes rompía
con sus trompetas de plata.
La nieve ya no caía.
La vi un momento asomar
en las torres del olvido.
Quise y no pude gritar.

IV

¡Oh, claro, claro, claro!
Ya están los centinelas
alertas. ¡Y esta fiebre
que todo me lo enreda!...
Pero a un hidalgo no
se ahorca; se degüella,
señor verdugo. ¿Duermes?
Masón, masón, despierta.
Nudillos infantiles
y voces de muñecas.

*

¡Tan-tan! ¿Quién llama, di?
—¿Se ahorca a un inocente
en esta casa?
        —Aquí
se ahorca, simplemente.

*

¡Qué vozarrón! Remacha
el clavo en la madera.
Con esta fiebre… ¡Chito!
Ya hay público a la puerta.
La solución más linda
del último problema.
Vayan pasando, pasen;
que nadie quede fuera.

*

—¡Sambenitado, a un lado!
—¿Eso será por mí?
¿Soy yo el sambenitado,
señor verdugo?
        Sí.

*

¡Oh, claro, claro, claro!
Se da trato de cuerda,
que es lo infantil, y el trompo
de música resuena.
Pero la guillotina,
una mañana fresca…
Mejor el palo seco,
y su corbata hecha.
¿Guitarras? No se estilan.
Fagotes y cornetas,
y el gallo de la aurora,
si quiere. ¿La reventa
la hacen los curas? ¡Claro!
¡¡¡Sambenitón, despierta!!!

V

Con esta bendita fiebre
la luna empieza a tocar
su pandereta; y danzar
quiere, a la luna, la liebre.
De encinar en encinar
saltan la alondra y el día.
En la mañana serena
hay un latir de jauría,
que por los montes resuena.
Duerme. ¡Alegría! ¡Alegría!

VI

Junto al agua fría,
en la senda clara,
sombra dará algún día
ese arbolillo en que nadie repara.
Un fuste blanco y cuatro verdes hojas
que, por abril, le cuelga primavera,
y arrastra el viento de noviembre, rojas.
Su fruto, sólo un niño lo mordiera.
Su flor, nadie la vio. ¿Cuándo florece?
Ese arbolillo crece
no más que para el ave de una cita,
que es alma —canto y plumas— de un instante,
un pajarillo azul y petulante
que a la hora de la tarde lo visita.

VII

¡Qué fácil es volar, qué fácil es!
Todo consiste en no dejar que el suelo
se acerque a nuestros pies.
Valiente hazaña, ¡el vuelo!, ¡el vuelo!, ¡el vuelo!

VIII

¡Volar sin alas donde todo es cielo!
Anota este jocundo
pensamiento: Parar, parar el mundo
entre las puntas de los pies,
y luego darle cuerda del revés,
para verlo girar en el vacío,
coloradito y frío,
y callado —no hay música sin viento—.
¡Claro, claro! ¡Poeta y cornetín
son de tan corto aliento!...
Sólo el silencio y Dios cantan sin fin.

IX

Pero caer de cabeza,
en esta noche sin luna
en medio de esta maleza,
junto a la negra laguna...

*

—¿Tú eres Caronte, el fúnebre barquero?
Esa barba limosa...
　　　　　　　—¿Y tú, bergante?
—Un fúnebre aspirante
de tu negra barcaza a pasajero,
que el lago irrebogable se aproxima.
—¿Razón?
　　　　—La ignoro. Ahorcóme un peluquero.
—(Todos pierden memoria en este clima.)
—¿Delito?
　　　　—No recuerdo.
　　　　　　　　　—¿Ida, no más?
—¿Hay vuelta?
　　　　—Sí.
　　　　　　　—Pues ida y vuelta, ¡claro!
—Sí, claro... y no tan claro: eso es muy caro.
Aguarda un momentín, y embarcarás.

X

¡Bajar a los infiernos como el Dante!
¡Llevar por compañero
a un poeta con nombre de lucero!
¡Y este fulgor violeta en el diamante!
Dejad toda esperanza... Usted, primero.
¡Oh, nunca, nunca, nunca! Usted delante.

*

Palacios de mármol, jardín con cipreses,
naranjos redondos y palmas esbeltas.
Vueltas y revueltas,
eses y más eses.
"Calle del Recuerdo". Ya otra vez pasamos
por ella. "Glorieta de la Blanca Sor".
"Puerta de la luna". Por aquí ya entramos.
"Calle del Olvido". Pero ¿adónde vamos
por estas malditas andurrias, señor?
          —Pronto te cansas, poeta.
    —"Travesía del amor"...
¡y otra vez la "Plazoleta
del Desengaño Mayor"!...

XI

    —Es ella... Triste y severa.
Di, más bien, indiferente
como figura de cera.

*

    —Es ella... Mira y no mira.
—Pon el oído en su pecho
y, luego, dile: respira.

*

    —No alcanzo hasta el mirador.
—Háblale.

   —Si tú quisieras...
—Más alto.
    —Darme esa flor.
¿No me respondes, bien mío?
¡Nada, nada!
Cuajadita con el frío
se quedó en la madrugada.

XII

 ¡Oh, claro, claro, claro!
Amor siempre se hiela.
¡Y en esa "Calle Larga"
con reja, reja y reja,
cien veces, platicando
con cien galanes ella!
¡Oh, claro, claro, claro!
Amor es calle entera,
con celos, celosías,
canciones a las puertas...
Yo traigo un do de pecho
guardado en la cartera.
¿Qué te parece?
    —Guarda.
Hoy cantan las estrellas,
y nada más.
    —¿Nos vamos?
—Tira por esa calleja.
—Pero ¿otra vez empezamos?
"Plaza Donde Hila la Vieja".
Tiene esta plaza un relente...
¿Seguimos?
    —Aguarda un poco.
Aquí vive un cura loco
por un lindo adolescente.
Y aquí pena arrepentido,
oyendo siempre tronar,
y viendo serpentear
el rayo que lo ha fundido.
"Calle de la Triste Alcuza".

—Un barrio feo. Gentuza.
¡Alto!.. "Pretil del Valiente".
—Pregunta en el tres.
                    —¿Manola?
—Aquí. Pero duerme sola:
está de cuerpo presente.
¡Claro, claro! Y siempre clara,
le dé la luna en la cara.
—¿Rezamos?
                —No. Vamonós...
Si la madeja enredamos
con esta fiebre, ¡por Dios!,
ya nunca la devanamos.
... Sí, cuatro igual dos y dos.

CLXXIII

CANCIONES A GUIOMAR [105]

I

  No sabía
si era un limón amarillo
lo que tu mano tenía,
o el hilo de un claro día,
Guiomar, en dorado ovillo.
Tu boca me sonreía.
  Yo pregunté: ¿Qué me ofreces?
¿Tiempo en fruto, que tu mano
eligió entre madureces
de tu huerta?
              ¿Tiempo vano
de una bella tarde yerta?
¿Dorada ausencia encantada?
¿Copia en el agua dormida?

---

[105]   Guiomar no procede de ningún romance "festivo y ameno": es el nombre de la esposa de Jorge Manrique, el gran poeta amado de Machado.

¿De monte en monte encendida,
la alborada
verdadera?
¿Rompe en sus turbios espejos
amor la devanadera
de sus crepúsculos viejos?

II

En un jardín te he soñado,
alto, Guiomar, sobre el río,
jardín de un tiempo cerrado
con verjas de hierro frío.
Un ave insólita canta
en el almez, dulcemente,
junto al agua viva y santa,
toda sed y toda fuente.
En ese jardín, Guiomar,
el mutuo jardín que inventan
dos corazones al par,
se funden y complementan
nuestras horas. Los racimos
de un sueño —juntos estamos—
en limpia copa exprimimos,
y el doble cuento olvidamos.
(Uno: Mujer y varón,
aunque gacela y león,
llegan juntos a beber.
El otro: No puede ser
amor de tanta fortuna:
dos soledades en una,
ni aun de varón y mujer.)

*

Por ti la mar ensaya olas y espumas,
y el iris, sobre el monte, otros colores,
y el faisán de la aurora canto y plumas,
y el búho de Minerva ojos mayores.
Por ti, ¡oh Guiomar!...

III

                         Tu poeta
piensa en ti. La lejanía
es de limón y violeta,
verde el campo todavía.
Conmigo vienes, Guiomar;
nos sorbe la serranía.
De encinar en encinar
se va fatigando el día.
El tren devora y devora
día y riel. La retama
pasa en sombra; se desdora
el oro de Guadarrama.
Porque una diosa y su amante
huyen juntos, jadeante,
los sigue la luna llena.
El tren se esconde y resuena
dentro de un monte gigante.
Campos yermos, cielo alto.
Tras los montes de granito
y otros montes de basalto,
ya es la mar y el infinito.
Juntos vamos; libres somos.
Aunque el Dios, como en el cuento
fiero rey, cabalgue a lomos
del mejor corcel del viento,
aunque nos jure, violento,
su venganza,
aunque ensille el pensamiento,
libre amor, nadie lo alcanza.

                          *

Hoy te escribo en mi celda de viajero,
a la hora de una cita imaginaria.
Rompe el iris al aire el aguacero,
y al monte su tristeza planetaria.
Sol y campanas en la vieja torre.
¡Oh tarde viva y quieta
que opuso al *panta rhei* su *nada corre*,
tarde niña que amaba tu poeta!

¡Y día adolescente
—ojos claros y músculos morenos—,
cuando pensaste a Amor, junto a la fuente,
besar tus labios y apresar tus senos!
Todo a esta luz de abril se transparenta;
todo en el hoy de ayer, el Todavía
que en sus maduras horas
el tiempo canta y cuenta,
se funde en una sola melodía,
que es un coro de tardes y de auroras.
A ti, Guiomar, esta nostalgia mía.

CLXXIV

OTRAS CANCIONES A GUIOMAR

A LA MANERA DE ABEL MARTÍN Y DE JUAN DE MAIRENA

I

¡Sólo tu figura,
como una centella blanca,
en mi noche oscura!

*

¡Y en la tersa arena,
cerca de la mar,
tu carne rosa y morena,
súbitamente, Guiomar!

*

En el gris del muro,
cárcel y aposento,
y en un paisaje futuro
con sólo tu voz y el viento;

*

en el nácar frío
de tu zarcillo en mi boca,
Guiomar, y en el calofrío
de una amanecida loca;

*

asomada al malecón
que bate la mar de un sueño,
y bajo el arco del ceño
de mi vigilia, a traición,
¡siempre tú!
            Guiomar, Guiomar,
mírame en ti castigado:
reo de haberte creado,
ya no te puedo olvidar.

II

Todo amor es fantasía;
él inventa el año, el día,
la hora y su melodía;
inventa el amante y, más,
la amada. No prueba nada,
contra el amor, que la amada
no haya existido jamás.

III

Escribiré en tu abanico:
te quiero para olvidarte,
para quererte te olvido.

IV

Te abanicarás
con un madrigal que diga:
en amor el olvido pone la sal.

V

Te pintaré solitaria
en la urna imaginaria
de un daguerrotipo viejo,
o en el fondo de un espejo,
viva y quieta,
olvidando a tu poeta.

VI

Y te enviaré mi canción:
"Se canta lo que se pierde",
con un papagayo verde
que la diga en tu balcón.

VII

Que apenas si de amor el ascua humea
sabe el poeta que la voz engola
y, barato cantor, se pavonea
con su pesar o enluta su viola;
y que si amor da su destello, sola
la pura estrofa suena,
fuente de monte, anónima y serena.
Bajo el azul olvido, nada canta,
ni tu nombre ni el mío, el agua santa.
Sombra no tiene de su turbia escoria
limpio metal; el verso del poeta
lleva el ansia de amor que lo engendrara
como lleva el diamante sin memoria
—frío diamante— el fuego del planeta
trocado en luz, en una joya clara...

VIII

Abre el rosal de la carroña horrible
su olvido en flor, y extraña mariposa,
jalde y carmín, de vuelo imprevisible,
salir se ve del fondo de una fosa.

Con el terror de víbora encelada,
junto al lagarto frío,
con el absorto sapo en la azulada
libélula que vuela sobre el río,
con los montes de plomo y de ceniza,
sobre los rubios agros
que el sol de mayo hechiza,
se ha abierto un abanico de milagros
—el ángel del poema lo ha querido—
en la mano creadora del olvido...
....

CLXXV

MUERTE DE ABEL MARTÍN

> Pensando que no veía
> porque Dios no le miraba,
> dijo Abel cuando moría:
> Se acabó lo que se daba.
>
> J. DE MAIRENA: *Epigramas.*

I

Los últimos vencejos revolean
en torno al campanario;
los niños gritan, saltan, se pelean.
En su rincón, Martín el solitario.
¡La tarde, casi noche, polvorienta,
la algazara infantil, y el vocerío,
a la par de sus doce en sus cincuenta!

*

¡Oh alma plena y espíritu vacío,
ante la turbia hoguera
con llama restallante de raíces,
fogata de frontera
que ilumina las hondas cicatrices!

*

Quien se vive se pierde, Abel decía.
¡Oh distancia, distancia!, que la estrella
que nadie toca, guía.
¿Quién navegó sin ella?
Distancia para el ojo —¡oh lueñe nave!—,
ausencia al corazón empedernido,
y bálsamo suave
con la miel del amor, sagrado olvido.
¡Oh gran saber del cero, del maduro
fruto sabor que sólo el hombre gusta,
agua de sueño, manantial oscuro,
sombra divina de la mano augusta!
Antes me llegue, si me llega, el Día,
la luz que ve, increada,
ahógame esta mala gritería,
Señor, con las esencias de tu Nada.

II

El ángel que sabía
su secreto salió a Martín al paso.
Martín le dio el dinero que tenía.
¿Piedad? Tal vez. ¿Miedo al chantaje? Acaso.
Aquella noche fría
supo Martín de soledad; pensaba
que Dios no le veía,
y en su mundo desierto caminaba.

III

Y vio la musa esquiva,
de pie junto a su lecho, la enlutada,
la dama de sus calles, fugitiva,
la imposible al amor y siempre amada.
Díjole Abel: Señora,
por ansia de tu cara descubierta,
he pensado vivir hacia la aurora
hasta sentir mi sangre casi yerta.
Hoy sé que no eres tú quien yo creía;

mas te quiero mirar y agradecerte
lo mucho que me hiciste compañía
con tu frío desdén.
                    Quiso la muerte
sonreír a Martín, y no sabía.

IV

Viví, dormí, soñé y hasta he creado
—pensó Martín, ya turbia la pupila—
un hombre que vigila
el sueño, algo mejor que lo soñado.
Mas si un igual destino
aguarda al soñador y al vigilante,
a quien trazó caminos,
y a quien siguió caminos, jadeante,
al fin, sólo es creación tu pura nada,
tu sombra de gigante,
el divino cegar de tu mirada.

V

Y sucedió a la angustia la fatiga,
que siente su esperar desesperado,
la sed que el agua clara no mitiga,
la amargura del tiempo envenenado.
¡Esta lira de muerte!
                    Abel palpaba
su cuerpo enflaquecido.
¿El que todo lo ve no le miraba?
¡Y esta pereza, sangre del olvido!
¡Oh, sálvame Señor!
                    Su vida entera,
su historia irremediable aparecía
escrita en blanda cera.
¿Y ha de borrarte el sol del nuevo día?
Abel tendió su mano
hacia la luz bermeja

de una caliente aurora de verano,
ya en el balcón de su morada vieja.
Ciego, pidió la luz que no veía.
Luego llevó, sereno,
el limpio vaso, hasta su boca fría,
de pura sombra —¡oh pura sombra!— lleno.

CLXXVI

OTRO CLIMA

¡Oh cámaras del tiempo y galerías
del alma, tan desnudas!,
dijo el poeta. De los claros días
pasan las sombras mudas.
Se apaga el canto de las viejas horas
cual rezo de alegrías enclaustradas;
el tiempo lleva un desfilar de auroras
con séquito de estrellas empeñadas.
¿Un mundo muere? ¿Nace
un mundo? ¿En la marina
panza del globo hace
nueva nave su estela diamantina?
¿Quillas al sol la vieja flota yace?
¿Es el mundo nacido en el pecado,
el mundo del trabajo y la fatiga?
¿Un mundo nuevo para ser salvado
otra vez? ¡Otra vez! Que Dios lo diga.
Calló el poeta, el hombre solitario,
porque un aire de cielo aterecido
le amortecía el fino estradivario.
Sangrábale el oído.
Desde la cumbre vio el desierto llano
con sombras de gigantes con escudos,
y en el verde fragor del oceano
torsos de esclavos jadear desnudos,
y un *nihil* de fuego escrito
tras de la selva huraña,
en áspero granito,
y el rayo de un camino en la montaña...

POESÍAS DE "SOLEDADES"

[1898-1907]

I S [106]

LA FUENTE

Desde la boca de un dragón caía
en la espalda desnuda
del Mármol del Dolor
—soñada en piedra contorsión ceñuda—
la carcajada fría
del agua, que a la pila descendía
con un frívolo, erótico rumor.
Caía al claro rebosar riente
de la taza, y cayendo, diluía
en la planicie muda de la fuente
la risa de sus ondas de ironía.
Del tosco mármol la arrugada frente
hasta el hercúleo pecho se abatía [107].

---

[106] Prefiero dar numeración nueva a estas poesías no incluidas (o retiradas) del libro para no perturbar el orden definitivo que dio el poeta.

[107] En otra redacción figuraban estos versos, a continuación de los del texto:

En el pretil de jaspe, reclinado,
mil tardes soñadoras he pasado,
de una inerte congoja sorprendido,
el símbolo admirando de agua y piedra,
y a su misterio unido
por invisible abrazadora hiedra.

Misterio de la fuente, en ti las horas
sus redes tejen de invisible hiedra;
cautivo en ti, mil tardes soñadoras
el símbolo adoré de agua y piedra.
    Aún no comprendo el mágico sonido
del agua, ni del mármol silencioso
el cejijunto gesto contorcido
y el éxtasis convulso y doloroso.
    Pero una doble eternidad presiento
que en mármol calla y en cristal murmura
alegre copla equívoca y lamento
de una infinita y bárbara tortura.
Y doquiera que me halle, en mi memoria
—sin que mis pasos a la fuente guíe—,
el símbolo enigmático aparece...
y alegre el agua brota y salta y ríe,
y el ceño del titán se entenebrece [108].
    Hay amores extraños en la historia
de mi largo camino sin amores,
y el mayor es la fuente,
cuyo dolor anula mis dolores,
cuyo lánguido espejo sonriente
me desarma de brumas y rencores.
    La vieja fuente adoro;
el sol la surca de alamares de oro,
la tarde la cairela de escarlata
y de arabescos fúlgidos de plata.
Sobre ella el cielo tiende
su loto azul más puro;
y cerca de ella el amarillo esplende
del limonero entre el ramaje oscuro.
    Misterio de la fuente, en ti las horas
sus redes tejen de invisible hiedra;
cautivo en ti, mil tardes soñadoras
el símbolo adoré de agua y de piedra;

---

[108]   En la redacción de la nota, sigue:

Y el disperso penacho de armonías
vuelve a reír sobre la piedra muda;
y cruzan centellantes juglerías
de luz la espalda del titán desnuda.

el rebosar de tu marmórea taza,
el claro y loco borbollar riente
en el grave silencio de tu plaza,
y el ceño torvo del titán doliente [109].

Y en ti soñar y meditar querría
libre ya del rencor y la tristeza,
hasta sentir, sobre la piedra fría,
que se cubre de musgo mi cabeza.

II   S

INVIERNO

Hoy la carne aterida
el rojo hogar en el rincón obscuro
busca medrosa. El huracán frenético
ruge y silba, y el árbol esquelético
se abate en el jardín y azota el muro.
Llueve. Tras el cristal de la ventana,
turbio, la tarde parda y rencorosa
se ve flotar en el paisaje yerto,
y la nube lejana
suda amarilla palidez de muerto.
El cipresal sombrío
lejos negrea, y el pinar menguado,
que se esfuma en el aire achubascado,
se borra al pie del Guadarrama frío.

---

[109]   Como en los casos anteriores, tomo de Macrì (pág. 253) la siguiente adición:

En las horas más áridas y tristes
y luminosas dejo
la estúpida ciudad, y el parque viejo
de opulento ramaje
me brinda sus veredas solitarias,
cubiertas de eucaliptus y araucarias
como inerte fantasma del paisaje.
Donde el agua y el mármol, en estrecho
abrazo de placer y de armonía,
de un infinito amor llenan mi pecho.

III   S

CENIT

Me dijo el agua clara que reía,
bajo el sol, sobre el mármol de la fuente:
si te inquieta el enigma del presente
aprende el son de la salmodia mía.
Escucha bien en tu pensil de Oriente
mi alegre canturía,
que en los tristes jardines de Occidente
recordarás mi risa clara y fría.
Escucha bien que hoy dice mi salterio
su enigma de cristal a tu misterio
de sombra, caminante: Tu destino
será siempre vagar, ¡oh peregrino
del laberinto que tu sueño encierra!
Mi destino es reír: sobre la tierra
yo soy la eterna risa del camino.

IV   S

EL MAR TRISTE

Palpita un mar de acero de olas grises
dentro los toscos murallones roídos
del puerto viejo. Sopla el viento norte
y riza el mar. El triste mar arrulla
una ilusión amarga con sus olas grises.
El viento norte riza el mar, y el mar azota
el murallón del puerto.
Cierra la tarde el horizonte
anubarrado. Sobre el mar de acero
hay un cielo de plomo.
El rojo bergantín es un fantasma
sangriento, sobre el mar, que el mar sacude...
Lúgubre zumba el viento norte y silba triste
en la agria lira de las jarcias recias.
El rojo bergantín es un fantasma
que el viento agita y mece el mar rizado,
el fosco mar rizado de olas grises.

V S

CREPÚSCULO

Caminé hacia la tarde de verano
para quemar, tras el azul del monte,
la mirra amarga de un amor lejano
en el ancho flamígero horizonte.
Roja nostalgia el corazón sentía,
sueños bermejos, que en el alma brotan
de lo inmenso inconsciente,
cual de región caótico y sombría
donde ígneos astros, como nubes, flotan,
informes, en un cielo lactescente.
Caminé hacia el crepúsculo glorioso,
congoja del estío, evocadora
del infinito ritmo misterioso
de olvidada locura triunfadora.
De locura adormida, la primera
que al alma llega y que del alma huye,
y la sola que torna en su carrera
si la agria ola del ayer refluye.
La soledad, la musa que el misterio
revela al alma en sílabas preciosas
cual notas de recóndito salterio,
los primeros fantasmas de la mente
me devolvió, a la hora en que pudiera,
caída sobre la ávida pradera
o sobre el seco matorral salvaje,
un ascua del crepúsculo fulgente,
tornar en humo el árido paisaje.
Y la inmensa teoría
de gestos victoriosos
de la tarde rompía
los cárdenos nublados congojosos.
Y muda caminaba
en polvo y sol envuelta, sobre el llano,
y en confuso tropel, mientras quemaba
sus inciensos de púrpura el verano.

VI S

OTOÑO

El cárdeno otoño
no tiene leyendas
para mí. Los salmos
de las frondas muertas,
jamás he escuchado,
que el viento se lleva.
Yo no sé los salmos
de las hojas secas,
sino el sueño verde
de la amarga tierra.

VII S [110]

Dime, ilusión alegre,
¿dónde dejaste tu ilusión hermana,
la niña de ojos trémulos
cual roto sol en una alberca helada?
Era más rubia que los rubios linos.
Era más blanca que las rosas blancas.
Una mañana tibia sonreía
en su carne nevada
dulce a los besos suaves.
Liviano son de cítaras lejanas,
triste como el suspiro de los bosques
cuando en la tarde fría el viento pasa,
hubo en su voz. Y luz en flor y sombra
de oro en sus cejas tímidas brillaba.
Yo la amé como a un sueño
de lirio en lontananza;
en las vísperas lentas, cuando suenan
más dulces las campanas,
y blancas nubes su vellón esparcen
sobre la espuma azul de la montaña.

---

[110] Si el poeta no ha puesto título a la composición, no lo hago.

VIII   S

Siempre que sale el alma de la obscura
galería de un sueño de congoja,
sobre un campo de luz tiende la vista
que un frío sol colora.
Surge el hastío de la luz; las vagas,
confusas, turbias formas
que poblaban el aire, se disipan,
ídolos del poeta, nebulosas
amadas de las vísperas carmíneas
que un sueño engendra y un oriente borra.
Y a martillar de nuevo el agrio hierro
se apresta el alma en las ingratas horas
de inútil laborar, mientras sacude
lejos la negra ola
de misteriosa marcha,
su penacho de espuma silenciosa...
¡Criaderos de oro lleva
en su vientre de sombra!...

IX   S

PRELUDIO

El pífano de abril soñó en mi oído
lento, muy lento y sibilante y suave...
De la campana resonó el tañido
como un suspiro seco y sordo y grave.
El pífano de abril lento decía:
Tu corazón verdece,
tu sueño está ya en flor. Y el son plañía
de la campana: Hoy a la sombra crece
de tu sueño también, la flor sombría.

X S

LA TARDE EN EL JARDÍN
(FRAGMENTO)

Era una tarde de un jardín umbrío,
donde blancas palomas arrullaban
un sueño inerte, en el ramaje frío.
Las fuentes melancólicas cantaban.

El agua un tenue sollozar riente
en las alegres gárgolas ponía
y por estrecho surco, a un son doliente,
entre verdes evónimos [111] corría.

Era un rincón de olvido y sombra y rosas
frescas y blancas entre lirios. Era
donde pulsa en las liras olorosas
recónditas rapsodias Primavera,
y más lejos se ve que el sol esplende
oculto tras la tapia ennegrecida,
que el aire sueña, donde el campo tiende
su muda, alegre soledad florida.

¡Noble jardín, pensé, verde salterio
que eternizas el alma de la tarde,
y llevas en tu sombra de misterio
estrecho ritmo al corazón cobarde
y húmedo aroma al alma!, en tus veredas
silenciosas, mil sueños resucitan
de un ayer, y en tus anchas alamedas
claras, los serios mármoles meditan
inmóviles secretos verticales
más graves que el silencio de tus plazas,
donde sangran amores los rosales
y el agua duerme en las marmóreas tazas.

Secretos viejos del fantasma hermano
que a la risa del campo, el alto muro
dictó y la amarga simetría al llano
donde hoy se yergue el cipresal obscuro,
el sauce llora y el laurel cimbrea,

---

[111]   Vid. Dámaso Alonso, *Poesías olvidadas de Antonio Machado* («Cuadernos Hispanoamericanos», 1949).

el claror de los álamos desmaya
en el ambiente atónito y verdea
en el estanque el esplendor del haya.
Cantar tu paz en sombra, parque, el sueño
de tus fuentes de mármol, el murmullo
de tus cantoras gárgolas risueño,
de tus blancas palomas el arrullo,
fuera el salmo cantar de los dolores
que mi orgulloso corazón encierra:
otros dolores buscan otras flores,
otro amor, otro parque en otra tierra.

*

Abandoné el jardín, sueño y aroma,
bajo la paz del tibio azul celeste.
Orlaba lejos de oro el sol la loma;
el retamar daba su olor agreste.
    Corva la luna, blanca y soñolienta,
sobre la clara estrella solitaria,
iba trazando en el azul la lenta
ingrávida mitad de su plegaria.

XI S

NOCTURNO

A Juan Ramón Jiménez.

....
berce sur l'azur qu'un vent douce effleure
l'arbre qui frissonne et l'oiseau qui pleure.

VERLAINE

Sobre el campo de Abril la noche ardía
de gema en gema en el azul... El viento
un doble acorde en su laúd tañía
de tierra en flor y sideral lamento.
....
    Era un árbol sonoro en la llanura,
dulce cantor del campo silencioso,

que guardaba un silencio de amargura
ahogado en el ramaje tembloroso.
    Era un árbol cantor, negro y de plata
bajo el misterio de la luna bella,
vibrante de una oculta serenata,
como el salmo escondido de una estrella.
    Y era el beso del viento susurrante,
y era la brisa que las ramas besa,
y era el agudo suspirar silbante
del mirlo oculto entre la fronda espesa.
    Mi corazón también cantara el almo
salmo de Abril bajo la luna clara,
y del árbol cantor el dulce salmo
en un temblor de lágrimas copiara
—que hay en el alma un sollozar de oro
que dice grave en el silencio el alma,
como un silbante suspirar sonoro
dice el árbol cantor la noche en calma—
si no tuviese mi almo un ritmo estrecho
para cantar de Abril la paz en llanto,
y no sintiera el salmo de mi pecho
saltar con eco de cristal y espanto.

XII   S

NEVERMORE

    ¡Amarga primavera!
¡Amarga luz a mi rincón obscuro!
Tras la cortina de mi alcoba, espera
la clara tarde bajo el cielo puro.
En el silencio turbio de mi espejo
miro, en la risa de mi ajuar ya viejo,
la grotesca ilusión. Y del lejano
jardín escucho un sollozar riente:
trémula voz del agua que borbota
alegre de la gárgola en la fuente,
entre verdes evónimos ignota.
Rápida silba, en el azur ingrave,
tras de la tenue gasa,

si obscura banda, en leve sombra suave,
de golondrinas pasa.
Lejos miente otra fiesta el campanario,
tañe el bronce de luz en el misterio,
y hay más allá un plañido solitario
cual nota de recóndito salterio.
¡Salmodias de Abril, música breve,
sibilación escrita
en el silencio de cien mares: leve
aura de ayer que túnicas agita!
¡Espíritu de ayer!, ¡sombra velada,
que prometes tu lecho hospitalario
en la tarde que espera luminosa!,
¡fugitiva sandalia arrebatada,
tenue, bajo la túnica de rosa!

*

¡Fiesta de Abril que al corazón esconde
amargo pasto, la campana tañe!...
¡Fiesta de Abril!... Y el eco le responde
un nunca más, que dolorido plañe.
Tarde vieja en el alma y virgen: miente
el agua de tu gárgola riente,
la fiesta de tus bronces de alegría;
que en el silencio turbio de mi espejo
ríe, en mi ajuar ya viejo,
la grotesca ilusión. Lejana y fría
sombra talar, en el abril de ocaso
tu doble vuelo siento
fugitivo, y el paso
de tu sandalia equívoca en el viento.

XIII   S

LA MUERTE

Aquel juglar burlesco
que, a son de cascabeles, me mostraba
el amargo retablo de la vida,
hoy cambió su botarga

por un traje de luto y me pregona
el sueño alegre de una alegre farsa.
Dije al juglar burlesco:
queda con Dios y tu retablo guarda.
Mas quisiera escuchar tus cascabeles
la última vez y el gesto de tu cara
guardar en la memoria, por si acaso
te vuelvo a ver, ¡canalla!...

XIV   S

AL LIBRO "NINFEAS", DEL POETA JUAN RAMÓN JIMÉNEZ

Un libro de amores,
de flores
fragantes y bellas,
de historias de lirios que amasen estrellas;
un libro de rosas tempranas
y espumas
de mágicos lagos en tristes jardines,
y enfermos jazmines,
y brumas
lejanas
de montes azules...
Un libro de olvido divino
que dice fragancia del alma, fragancia
que puede curar la amargura que da la distancia,
que sólo es el alma la flor del camino.
Un libro que dice la blanca quimera
de la Primavera,
de gemas y rosas ceñida,
en una lejana, brumosa pradera
perdida...

París, junio de 1901.

XV S

EL POETA RECUERDA A UNA MUJER DESDE UN PUENTE DEL GUADALQUIVIR

Sobre la clara estrella del ocaso,
como un alfanje, plateada, brilla
la luna en el crepúsculo de rosa
y en el fondo del agua ensombrecida.
El río lleva un rumoroso acento
de sombra cristalina
bajo el puente de piedra. ¡Lento río,
que me cantas su nombre, el alma mía
quiere arrojar a tu corriente pura
la ramita más tierna y más florida,
que encienda primavera
en los verdes almendros de tu orilla!
Quiero verla caer, seguir, perderse
sobre tus ondas limpias.
Y he de llorar... Mi corazón contigo
flotará en tus rizadas lejanías.
¡Oh tarde como aquélla, y río lento
de sombra cristalina!...
Sobre la clara estrella del ocaso
la argéntea luna brilla.

XVI S

Y ESTAS PALABRAS INCONEXAS

¡Oh, sola gracia de la amarga tierra,
rosal de aroma, fuente del camino!
Auras... ¡Amor! Bien haya primavera;
bien haya abril florido,
y el solo amado enjambre de mis sueños,
que labra miel al corazón sombrío.

XVII   S

Y en una triste noche me aguijaba
la pavorosa espuela de mis pasos...
Sentirse caminar sobre la tierra
cosa es que lleva al corazón espanto.
Y es que la tierra ha muerto... Está en la luna
el alma de la tierra
y en los luceros claros.

XVIII   S

ARTE POÉTICA

Y en toda el alma hay una sola fiesta,
tú lo sabrás, Amor, sombra florida,
sueño de aroma, y luego... nada; andrajos,
rencor, filosofía.
Roto en tu espejo tu mejor idilio,
y vuelto ya de espaldas a la vida,
ha de ser tu oración de la mañana:
¡Oh para ser ahorcado, hermoso día!

XIX   S

LUZ

A don Miguel de Unamuno, en prueba
de mi admiración y de mi gratitud.

¿Será tu corazón un harpa al viento,
que tañe el viento?... Sopla el odio y suena
tu corazón; sopla tu corazón y vibra...
¡Lástima de tu corazón, poeta!
¿Serás acaso un histrión, un mimo
de mojigangas huecas?
¿No borrarán el tizne de tu cara
lágrimas verdaderas?
¿No estallará tu corazón de risa,
pobre juglar de lágrimas ajenas?

Mas no es verdad... Yo he visto
una figura extraña,
que vestida de luto —¡y cuán grotesca!—
vino un día a mi casa.
—"De tizne y albayalde hay en mi rostro
cuanto conviene a una doliente farsa;
yo te daré la gloria del poeta,
me dijo, a cambio de una sola lágrima."
    Y otro día volvió a pedirme risa
que poner en sus hueras carcajadas...
—"Hay almas que hacen un bufón sombrío
de su histrión de alegres mojigangas.
Pero en tu alma de verdad, poeta,
sean puro cristal risas y lágrimas;
sea tu corazón arca de amores,
vaso florido, sombra perfumada."

XX S

GALERÍAS

Yo he visto mi alma en sueños...
En el etéreo espacio
donde los mundos giran,
un astro loco, un raudo
cometa con los rojos
cabellos incendiados...
    Yo he visto mi alma en sueños,
cual río plateado,
de rizas ondas lentas
que fluyen dormitando...
    Yo he visto mi alma en sueños,
como un estrecho y largo
corredor tenebroso,
de fondo iluminado...
    Acaso mi alma tenga
risueña luz de campo,
y sus aromas lleguen
de allá, del fondo claro...
    Yo he visto mi alma en sueños...

Era un desierto llano
y un árbol seco y roto
hacia el camino blanco.

XXI S

SOLEDADES

I

O que yo pueda asesinar un día
en mi alma, al despertar, esa persona
que me hizo el mundo mientras yo dormía.

II

O que el amor me lleve
donde llorar yo pueda...
Y lejos de mi orgullo
y a solas con mi pena.

III

Y si me da el amor fuego y aroma
para quemar el alma,
¿no apagará la hoguera el agrio zumo
que el vaso turbio de mi sueño guarda?

IV

Vuela, vuela a la tarde
y exprime el agrio jugo
del corazón, poeta,
y arroja al aire en sombra el vaso turbio...

V

Tu alma será una hoguera
en el azul invierno aterecido
para aguardar la amada primavera.

XXII   S

A JUAN RAMÓN JIMÉNEZ

Los jardines del poeta

El poeta es jardinero. En sus jardines
corre sutil la brisa
con livianos acordes de violines,
llanto de ruiseñores,
ecos de voz lejana y clara risa
de jóvenes amantes habladores.
Y otros jardines tiene. Allí la fuente
le dice: Te conozco y te esperaba.
Y él, al verse en la onda transparente:
¡Apenas soy aquel que ayer soñaba!
Y otros jardines tiene. Los jazmines
añoran ya verbenas del estío,
y son liras de aroma estos jardines,
dulces liras que tañe el viento frío.
Y van pasando solitarias horas,
y ya las fuentes, a la luna llena,
suspiran en los mármoles, cantoras,
y en todo el aire sólo el agua suena [112].

---

[112]   A continuación de este poema, Macrì (págs. 974-1004) incluye el texto
en prosa de *La tierra de Alvargonzález* (pág. 174).

XXIII S

CANTARES Y PROVERBIOS, SÁTIRAS Y EPIGRAMAS

Iam fuerit, nec post unquam revocare licebit.

Lucrecio.

I

Cuando recordar no pueda,
¿dónde mi recuerdo irá?
Una cosa es el recuerdo
y otra cosa recordar.

II

Cuando la tierra se trague
lo que se traga la tierra,
habrá mi recuerdo alzado
el ancla de la ribera.

III

Recuerdos de mis amores,
quizás no debéis temblar:
cuando la tierra me trague,
la tierra os libertará [113]

---

[113] Macrì (págs. 1006-1016) pone en este lugar el *Fragmento de pesadilla* (*Los complementarios*, págs. 77-81).

XXIV S

ADIÓS [114]

(1924)

Y nunca más la tierra de ceniza
a pisar volveré, que Duero abraza.
¡Oh loma de Santana, ancha y maciza;
placeta del Mirón, desierta plaza!
    Con el sol de la tarde en mis balcones
nunca os veré. No me pidáis presencia;
las almas huyen para dar canciones:
alma es distancia y horizonte, ausencia.
    Mas quien escuche el agria melodía
con que divierto el corazón viajero
por estos campos de mi Andalucía,
    ya sabe manantial, cauce y reguero
del agua santa de la huerta mía.
¡No todas vais al mar, aguas del Duero! [115].

Córdoba, 1913. Copiado en 1924.

---

[114] Sigo *Los complementarios*, pág. 194.
[115] Otra versión en *Los complementarios* (pág. 194), que el poeta juzgó *impublicable*. Aunque está tachada la transcribí, y es como sigue:

Y nunca más la tierra de ceniza
he de volver a ver, que el Duero abraza.
¡Oh, loma de Santana, ancha y maciza;
placeta del Mirón; desierta plaza
    con el sol de la tarde en mis balcones,
nunca os veré! No me pidáis presencia;
las almas huyen para dar canciones:
alma es distancia y horizonte: ausencia.
    Mas quien escuche el agria melodía
con que divierto el corazón viajero
por estos campos de la tierra mía,
    ya sabe manantial, cauce y reguero
del agua clara de mi huerta umbría.
No todas vais al mar, aguas del Duero.

Escrito en Baeza, 1915. Copiada en 1923.

XXV   S

Adiós, campos de Soria
donde las rocas sueñan,
cerros del alto llano,
y montes de ceniza y violeta.
Adiós, ya con vosotros
quedó la flor más dulce de la tierra.
Ya no puedo cantaros,
no os canta ya mi corazón, os reza...

XXVI   S

SONETO [116]

¿En dónde, sobre piedra aborrascada,
vieja ciudad de pardo caserío
te he visto, y entre montes empinada?
Al fondo de un barranco suena un río [117].

---

[116]   Vid. *Los complementarios,* pág. 195.

[117]   En las mismas páginas de *Los complementarios,* se copiaron doce
versos, tachados luego cuidadosamente; sin embargo, los leí, y presentan muchas discrepancias:

En dónde sobre piedra aborrascada,
vieja ciudad de pardo caserío,
te he visto, y entre montes empinada,
¡oh ruina familiar de un sueño mío!
Sobre tu fortaleza torreada,
¡vieja ciudad!, la luna amoratada
asoma, enorme, en el azul vacío
sobre tu fortaleza torreada.
Al fondo de un barranco suena un río.
¿Por qué es allí donde la primavera
puso la rosa de carmín un día
y una noche la blanca arrebolera?

Se conoce una versión de alguno de estos versos. Macrì (pág. 1058) divulgó
un poema formado sólo por los dos cuartetos (serventesios aquí) del soneto.
Las diferencias de ordenación, y las variantes, son éstas:
v.4:   En la rota muralla, el viento frío.
vv.5-8:   La luna amortajada
asoma enorme, en el azul vacío
sobre la fortaleza torreada.
Al fondo del barranco suena el río.

Vieja ciudad, la luna amoratada
asoma, enorme, en el azul vacío
sobre tu fortaleza torreada.
¡Oh, ruina familiar de un sueño mío!
    Mas esos claros chopos de ribera
—¡cual vence una sonrisa un duro ceño!—
me tornan a un jardín de primavera,
    goces del sueño, al verdear risueño.
¡Rosa carmín y blanca arrebolera
también salís del fondo de mi sueño!

1907. Copiado en 1924.

XXVII   S

APUNTES, PARÁBOLAS, PROVERBIOS
Y CANTARES

I

Si hablo, suena
mi propia voz como un eco,
y está mi canto tan hueco
que ya ni espanta mi pena.

II

Si me tengo que morir
poco me importa aprender.
Y si no puedo saber,
poco me importa vivir.

III

"¿Qué es amor?", me preguntaba
una niña. Contesté:
"Verte una vez y pensar
haberte visto otra vez."

IV

Pensar el mundo es como hacerlo nuevo
de la sombra o la nada, desustanciado y frío.
Bueno es pensar, decolorir el huevo
universal, sorberlo hasta el vacío [118].
Pensar: borrar primero y dibujar después,
y quien borrar no sabe camina en cuatro pies.
Una neblina opaca confunde toda cosa:
el monte, el mar, el pino, el pájaro, la rosa.
Pitágoras alarga a Cartesius la mano.
Es la extensión sustancia del universo humano.
Y sobre el lienzo blanco o la pizarra oscura
se pinta, en blanco o negro, la cifra o la figura.
Yo pienso. (Un hombre arroja una traíña al mar
y la saca vacía; no ha logrado pescar):
"No tiene el pensamiento traíñas sino amarras,
las cosas obedecen al peso de las garras",
exclama, y luego dice: "Aunque las presas son,
lo mismo que las garras, pura figuración."
Sobre la blanca arena aparece un caimán,
que muerde ahincadamente en el bronce de Kant.
Tus formas, tus principios y tus categorías,
redes que el mar escupe, enjutas y vacías.
Kratilo ha sonreído y arrugado Zenón
el ceño, adivinando a M. de Bergson.
Puedes coger cenizas del fuego heraclitano,
mas no apuñar la onda que fluye con tu mano.
Vuestras retortas, sabios, sólo destilan heces.
¡Oh machacad zurrapas en vuestros almireces!
Medir las vivas aguas del mundo..., ¡desvarío!
Entre las dos agujas de tu compás va el río.
La realidad es la vida fugaz, funambulesca,
el cigarrón voltario, el pez que nadie pesca.

---

[118] En *Los complementarios* (pág. 196) se recogen tan sólo estos versos:

> Pensar: vaciar el huevo
> universal, sorberlo hasta el vacío,
> para pensar lo nuevo
> lleno de sombra, desustanciado, frío.

Si quieres saber algo del mar, vuelve otra vez,
un poco pescador y un tanto pez.
En la barra del puerto bate la marejada,
y todo el mar resuena como una carcajada.

Puerto de Santa María. 1915.

XXVIII   S

TRES CANTARES ENVIADOS A UNAMUNO
EN 1913

1

Señor, me cansa la vida,
tengo la garganta ronca
de gritar sobre los mares,
la voz de la mar me asorda.
Señor, me cansa la vida
y el universo me ahoga.
Señor, me dejaste solo,
solo, con el mar a solas [119].

2

O tú y yo jugando estamos
al escondite, Señor,
o la voz con que te llamo
es tu voz.

3

Por todas partes te busco
sin encontrarte jamás,
y en todas partes te encuentro
sólo por irte a buscar.

---

[119]   Cfr. número CXIX.

XXIX S

APUNTES

I

Belerda tiene un pastor;
tiene Alicún su poeta;
Úbeda la plazoleta
del Desengaño Mayor...

II

Porque nadie te mirara,
me gustaría que fueras
monjita de Santa Clara.

III

Hora del último sol.
La damita de mis sueños
se asoma a mi corazón.

IV

Porque más vale no ver
fruta madura y dorada
que no se puede coger.

XXX S

PROVERBIOS Y CANTARES

En esta España de los pantalones
lleva la voz el macho;
mas si un negocio importa
lo resuelven las faldas a escobazos.

XXXI   S

EN EL TIEMPO

1882-1890-1892

MI PADRE [120]

    Ya casi tengo un retrato
de mi buen padre, en el tiempo,
pero el tiempo se lo va llevando.
Mi padre, cazador —en la ribera
del Guadalquivir ¡en un día tan claro!—
—es el cañón azul de su escopeta
y del tiro certero el humo blanco.
Mi padre en el jardín de nuestra casa,
mi padre, entre sus libros, trabajando.
Los ojos grandes, la alta frente,
el rostro enjuto, los bigotes lacios.
Mi padre escribe (letra diminuta—)
medita, sueña, sufre, habla alto.
Pasea —oh padre mío ¡todavía!
estás ahí, el tiempo no te ha borrado.
Ya soy más viejo que eras tú, padre mío, cuando me
                                                    [besabas.
Pero en el recuerdo, soy también el niño que tú llevabas de
                                                    [la mano.
¡Muchos años pasaron sin que yo te recordara, padre mío!
¿Dónde estabas tú esos años?

                                        13 de marzo de 1916.

---

[120]   Vid. número CLXV, § IV.

NUEVAS CANCIONES

(1917-1930)

XXXII   S

PROVERBIOS Y CANTARES

Han tomado sus medidas
Sócrates y el Cristo ya:
el corazón y la mente
un mismo radio tendrán.

*

Echa roncas todavía
el siglo decimonono,
con la cabeza vendada,
y los huesos rotos.

*

Ya es sólo brocal el pozo;
púlpito será mañana;
pasado mañana, trono.

*

Hombre occidental,
tu miedo al Oriente, ¿es miedo
a dormir o a despertar?

XXXIII   S

APUNTES Y JARDINES

1

Jardines de mi infancia
de clara luz, que ya me enturbia el tiempo,
con las lluvias de... con el milagro
brillad, jardines, de los ojos nuevos.

2

¡Oh, Puerto Real,
con tus casas blancas
pero muñecas de rosa, Puerto Real,
y tu pinos verdes
cerca de la mar!

3

Muchas leguas de camino
hizo mi canción.
¿En busca de un espejo?
Buscando un corazón.

4

Tíscar [121] tiene un ermitaño,
Belerda, más de un pastor,
Alicún, lindas caderas
y una fuente que brilla al sol.

Aznaitín, 1915.

---

[121]   Los editores leyeron mal. *Tíscar* es un santuario en la provincia de Jaén,
visitado más de una vez por Antonio Machado.

LOS COMPLEMENTARIOS

A continuación incluyo los textos que Machado copió en *Los complementarios,* y no reproducidos en ninguno de los apartados anteriores. Sigo el orden con el que figuran en mi edición. Con asterisco pospuesto señalo los poemas que —según creo— nunca se han recogido en ediciones de las poesías completas y que, por tanto, faltan en Macrì.

XXXIV   S

Confiamos,
en que no será verdad
nada de lo que pensamos.

XXXV *   S

La ciudad desierta
se sale a los montes
por las siete puertas.

Baeza, enero, 1912.

XXXVI *   S

Adivina lo que quiero
decir con lo que te digo.
Te doy la madeja,
saca tú el ovillo.

Cuando el sueño nos pone en trance de recordar, acuden a nuestra mente hechos que se componen con gran coherencia en forma de recuerdos, a veces se recuerdan otros sueños.

Baeza, abril, 1914.

XXXVII * S

A esos hombres tan finos, tan discretos,
me los figuro a solas
coloraditos cual las amapolas.
¿O tendrán el tupé de sus secretos?

XXXVIII * S

¡Oh el mal ladrón, que las frutas
dejó que en mi huerto había,
y se llevó las virutas
de mi carpintería!
Tal dijo un hombre de bien,
que, al ver al ladrón robado,
sintióse ladrón también [122].

XXXIX * S

Para la buena ventura
del hijo que te dio el cielo,
debes ponerle Canuto,
por ser el nombre más hueco.

XL   S

¡Qué difícil es
cuando todo baja
no bajar también!

---

[122] Aunque copiadas independientes, creo que ambas estrofas constituyen un solo poema.

XLI * S

Claqueurs, polacos, guardad
para vuestros gladiadores
palmas, tabacos, honores,
dejadme mi soledad.
No me aplaudáis. Cuando el eco
de vuestros aplausos resuena
me voy poniendo tan hueco
que vuestro aplauso... me llena.

XLII S

De tanto y tanto soplar
su flauta no suena ni
por casualidad.

XLIII * S

Dijo el caracol:
Esto sí que es prisa,
voy como una exhalación.

XLIV * S

Cuando dos gitanos hablan
es la mentira inocente:
se mienten y no se engañan [123].

XLV * S

Oh, si la mejor poesía
se canta en el tono del
cuento de la nueva pipa...

---

[123] Vid. pág. 449.

XLVI * S

*Salió don Lope de casa
cuando la tarde caía...*
Ya basta, cese la historia,
cuente su melancolía.

XLVII * S

Desde el muro verde
vuelan las alondras,
hasta perderse en el azul del cielo.
¡Oh pardo aletear de tierra loca!

XLVIII S

APUNTES

¿Faltarán los lirios
a la primavera,
el canto a la moza
y el cuento a la abuela,
y al llanto del niño
la ubre materna?
¿Los encinares del monte
son de retórica vieja?
Nunca desdeñéis las cópulas
fatales, clásicas, bellas,
del potro con la llanura,
del mar con la nave hueca,
del viento con el molino,
la torre con la cigüeña.
Riman la sed con el agua,
el fuelle con la candela,
la bruja con el rosario,
la jarra con la moneda.
Los cántaros con las fuentes
y las graciosas caderas,
y con los finos tobillos
la danza y la adolescencia.

El escudo con el brazo,
la mano con la herramienta,
y los músculos de Heracles
con el león de Nemea.
    Mas si digo: hay coplas
que huelen a pesca,
o el mar huele a rosas,
sus gafas más negras
se calan los doctos
y me latinean:
¿Risum teneatis?
con gran suficiencia.
    Y las nueve musas
se ríen de veras.

Segovia, 1919.

XLIX   S

TIERRA BAJA [124]

    Por estas tierras de Andalucía,
¿no arrancan rejas los caballeros,
como Paredes, el gran forzudo,
dicen que hacía?
¿No hay bandoleros?
¿Diego Corrientes, Jaime el Barbudo,
José María,
con sus cuadrillas de escopeteros?
¡Oh, enjauladitas hembras hispanas,
desde que os ponen el traje largo,

---

[124] Tal es el título que puso Machado a este poema en *Los complementarios* (pág. 211). Macrì lo incluyó bajo la rúbrica de *Apuntes líricos para una geografía emotiva de España*, donde copió el fragmento del número XXV de las *Poesías sueltas*, que he transcrito en nota, y nuestro texto. Las variantes de las dos redacciones son las siguientes:

    v. 4: de Extremadura dicen que hacía?
    v. 6: Esteban Lara, Jaime el Barbudo,
    v. 7: Diego Corrientes, José María.

cuán agria espera! ¡Qué tedio amargo
para vosotras, entre las rejas
de las ventanas,
de estas morunas ciudades viejas,
de estas celosas urbes gitanas!

1919.

L S

VIEJAS CANCIONES

1

Muchas leguas de camino
hizo mi canción...
—¿En busca de un espejo?
—Buscando un corazón.

Aznaitín, 1915.

2

¡Jardines de mi infancia
de clara luz, que ya me enturbia el tiempo!
Con las lluvias de abril... con el milagro
brillad, jardines, de los ojos nuevos!

Sevilla, 1919.

3 *

El verde que suena a seco
de los árboles de agosto,
que mueve el viento.

4 *

En los jardines del rey
hay muchas fuentes de piedra,
muchas fuentes solitarias,
¡cómo suena el agua en ellas!

LI S

ALBORADAS

1

En San Millán
a misa de alba
tocando están.

*

Escuchad, señora,
los campaniles del alba,
los faisanes de la aurora.

*

Mal dice el negro atavío,
negro manto y negra toca,
con el carmín de esa boca.

*

Nunca se viera
de misa, tan de mañana,
viudita más casadera.

2 *

Las campanas del alba
sonando están.
    Como lágrimas de plomo
en mi oído dan;
y en tu sueño niña, como
copos de lana serán.
    Tin tan, tin tan,
las campanitas del alba
sonando están [125].

LII *   S

POR EL LIBRO "PRESAGIOS" [126]

Francisco a Pedro Salinas:
Si el arte es fuego,
será con sombras divinas,
juego de manos de ciego.

LIII *   S

A una mujer tres poetas,
Abel Infanzón [127], Juan Diego
y Vicente Gil, cantaron.
Cantó Infanzón el primero:

---

[125] El poema se copió tres veces en *Los complementarios*, y siempre con
variantes (pág. 217).
    Esta versión desarrolla la cancioncilla que incluimos en la pág. 317, núme-
ro 10. Una versión distinta en la pág. 443.
[126] De Pedro Salinas; de ahí el juego del primer verso, con el gran músico
amigo de fray Luis de León.
[127] Es el nombre de uno de los poetas que pudieron existir (vid. página 446).

"El aire por donde pasas,
niña, se incendia,
y a la altura de tus ojos
relampaguea.
Guarde Dios mi campo
de la nube negra,
guárdeme Santa María
de la amorosa tormenta.
No me mires más:
fuego que encienden tus ojos
ni tú misma apagarás" [128].

Trovó Juan Diego, pulsando
a rebato en su vihuela.
¡Favor a mí, que me abraso!:
"Un arroyuelo corría
entre los dos, y en tus manos
yo el agua clara bebía.

La niña se hizo mujer,
y el arroyo un ancho río.
Ya no me das de beber.

Ya no te alcanzo,
y es la sed que me abrasa,
sed de tus manos".

Siguió Vicente, pulsando
la prima de su guitarra
en el tema de Juan Diego:
la sed y el agua.

"La sed y el agua, dijo,
son dos hermanas,
ni agua sin sed, morena,
ni sed sin agua.

Aunque suspiro,
bien sé que darme quieres,
lo que te pido."

1925.

---

[128] Macri (pág. 1062, 7) publicó —únicamente— el fragmento que figura entre comillas, con algunas variantes.

LIII bis *   S[129]

Cantó Vicente, pulsando
la prima de su guitarra,
y, como Infanzón y Diego,
habló del fuego y el agua.

Del fuego tengo cenizas
que no matarán el fuego,
sino que guardan mi brasa
para mañana encenderlo.

La sed en agua
cual ceniza en candela
también se guarda,
y es el agua que bebo
sed de mañana.

Mejor se guarda
que ceniza en candela
mi sed en agua,
que es el agua que bebo
sed de mañana.

Linda morena,
como la sed va siempre
del agua cerca.

Aunque suspiro
ya sé que darme quieres
lo que te pido.

Quedó embebecida Inés
la última trova escuchando
y, quién sabe si pensando
en alguno de los tres.

---

[129]   El propio Antonio Machado escribió *Variante* y copió esta nueva versión en *Los complementarios* (págs. 218-219).

POESÍAS SIN AGRUPAR

LIV S

Sólo recuerdo la emoción de las cosas,
y se me olvida todo lo demás;
muchas son las lagunas de mi memoria.

LV S

EL QUINTO DETENIDO Y LAS FUERZAS VIVAS

> "El quinto detenido —dice *La Voz* del 24 de agosto,
> al dar cuenta del crimen de Zaragoza, perpetrado por
> un obrero, que dijo llamarse Inocencio Domingo— es
> un individuo que se presentó en la Comisaría llevando
> comida para Inocencio."

El quinto detenido... Los graciosos
que juegan del vocablo
hacen su chiste en su café. Yo digo:
¡Oh santidad del pueblo! ¡Oh pueblo santo!

*

Cesaraugusta tiene
ira y sangre en las manos,
ira y piedad: —¡Vendas, camillas!... ¡Pronto!
Voces: "¡A muerte el vil!" Gritos: "¡Picadlo!"

*

Cesaraugusta brama,
con su rejón clavado
como un toro en la arena.
Ya el asesino es un muñeco laxo
que las turbas arrollan, que las turbas
golpean. Puños. Palos.

Caballos y correas amarillas,
sables al sol, tricornios charolados.

Cesaraugusta tiene
clamor de plaza ante el balcón cerrado
de la Casa del Pueblo.
Como en Esquilo, trágicos
los brazos y las bocas...
No, es un furor judaico
que grita enronquecido:
"¡Muera la prole de Caín el Malo!"

*

Por una calle solitaria, un hombre
de blusa azul, el rostro mal rapado,
los ojos inocentes y tranquilos
y el corazón ligero, aprieta el paso.
Lleva en la mano diestra
un bulto envuelto en un pañuelo blanco.
Dobla la esquina.
                    —¿Adónde vas?
                                        —Le llevo,
un poco de comida a ese muchacho.

LVI S

APUNTES Y CANCIONES

1

Como una ballesta, ➤
en el aire azul,
hacia la torre mudéjar...

2

La cigüeña absorta,
sobre su nido de ramas,
mirando la tarde roja.

3

Primavera vino.
Violetas moradas,
almendros floridos.

4

Se abrasó en la llama
de una velita de cera
la mariposilla blanca.

5

¡Noches de Santa Teresa!
Ya no hay quien medita de noche
con las ventanas abiertas.

6

Los cuatro quicios del mundo
tienen ya
estrellitas nuevas
que brillando están.
A nuevas estrellas, otros
barquitos sobre la mar.

7

Y los bolcheviques
(sobran rejas y tabiques)
di, madre, ¿cuándo vendrán?
—Si te oye Don Lino,
¡válgame la Trinidad!
La honrada mocita
coser y esperar.

8

La fuente y las cuatro
acacias en flor
de la plazoleta.
Ya no quema el sol.
¡Tardecita alegre!
Canta, ruiseñor.
Es la misma hora
de mi corazón.
Por la calle arriba
—sombrero y bastón—
allá va Don Diego
a buscar amor.

9

Y aquella olivita vieja,
tan lejos del olivar,
cerca de la fuente clara,
¿qué hace allá?
Su madre, la de ojos verdes,
la puso donde hoy está.
A la vera del camino,
para la sombra no más.

LVII   S

COPLAS ESPAÑOLAS

1

¡Ay, quién fuera pueblo
una vez no más!
Y una vez —¿quién lo sabría?—
curar esta soledad
entre los muchos amantes
como a las verbenas van
(¡albahacas de San Lorenzo,
fogaratas de San Juan!)
con el sueño de una
vida elemental.
Tú guardas el fuego,
yo gano el pan.
Y en esta noche de todos
tu mano en la mía está.

2

Te dije al cruzar la calle:
"Morena, ¿cómo te llamas?"
y a la vuelta de la esquina:
"Que no me faltes mañana."
¡Noche de Aragón!
Rondaré tu casa
que quieras que no.

LVIII   S

OTRAS COPLAS

Otra vez el mundo antiguo,
sin pecado original;
el claro mundo de Homero.

Nausica vuelve a lavar
su ropa: las eleusinas,
hijas de Keleo, van
con ánforas a la fuente.
Dioses, ¡qué hermosas están!
Junto a los pozos partenios
Deméter vuelve a pasar.

LIX   S

CAMINOS DEL ALTO DUERO

Campanero es mi novio
y a su campana,
porque Rosa me llamo,
Rosa la llama,
y a la cigüeña
le dice: que me traigas
noticias de ella.

LX   S

OTOÑO

I

Hay una mano de niño
dispersa en la tarde gris,
o en la tarde gris se borra
una acuarela infantil.
Otoño tiene en el sueño
un iris de abril.
… no sueñes más, cazador
de escopeta y galgo.
Ya quiebra el albor.

II

Y es una mañana
tan coloradita
como una manzana.

III

En el lagar, rojo vivo;
agua en la pera madura,
oro en los chopos del río.

IV

¡Mas... ya seca tos,
y las hojas negras
en el ventarrón!

V

Golpes de martillo
en la negra nave,
la del galón amarillo;
y en los aros de un tonel
jocundo y panzón
para el vino nuevo
de tu corazón.

LXI   S

SIMPATÍAS

Candidior postquam tondenti barba cadebat.
VIRGILIO, *Égloga I.*

¿Cúya es esta frente? ¿Cúyo
este mentón azulado?

¿Cúya esta boca sumida,
y estos ojos fatigados
de la letra diminuta
y de los montes lejanos?
Siempre mira el hombre al hombre
con piedad de su retrato.

Madrid, junio de 1922.

LXII   S

CANCIÓN DE DESPEDIDA

Como se marcha el buen amigo,
y el melancólico bordón
pulsa Recuero en su guitarra,
cantad conmigo esta canción:
¡Torres de Segovia,
cigüeñas al sol!
Eduardo va de camino
por esos campos de Dios.
En los centenos amapolas,
en los zarzales blanca flor.
Verdad que el agua del Eresma
nos va lamiendo el corazón
y que al festín de mariposas
acude el negro abejarrón;
mas a la clara despedida
no le pongáis más de un bemol.
Y en esta tarde de verano
cantad a plena voz:
¡Torres de Segovia, etc...

Segovia, 1922.

LXIII   S

PROVERBIOS Y CANTARES

I

Tres palabras suenan
al fin de tres sueños
y las tres desvelan.
Es la primera tu nombre;
la segunda, el nombre de ella...
Te daré más que me pidas
si me dices la tercera [130].

II

Ya de un tiempo heracliano
parece apagado el fuego.
Aún lleva un ascua en la mano.

III

Enemigo
que por el amor me hieres,
brazo de Dios, ¡Dios contigo!

IV

Mas dejemos
abstrusas filosofías.
Añoremos
—en esta Hesperia de Europa—
¡oh hermanos!, los viejos días
de un siglo de masa y tropa,

---

[130] Estos siete versos no cabe duda que son de un mismo poema. Corrijo la forma en que se imprimen y la numeración de los cantares.

y de suspiros amargos,
y de pantalones largos,
y de sombreros de copa.
    Siglo struggle-for-lifista,
cucañista,
boxeador más que guerrero,
del vapor y del acero.
    Siglo disperso y gregario,
de la originalidad;
siglo multitudinario
que inventó la sociedad.
    Bajo el pintado carmín,
tuvo salud y alegría;
bajo su máscara fría,
fue el candor al esplín.
    Siglo que olvidó a Platón
y lapidó al Cristo vivo.
Wagner, el estudiantón,
le dio su homúnculo activo.
    Azotado y errabundo,
sensible y sensacional,
tuvo una fe: la esencial
acefalía del mundo.

LXIV   S

COPLAS POPULARES
Y NO POPULARES ANDALUZAS

1

    ¡El que se quiere perder
—no todos quieren guardarse—
busca a la mujer!

2

    Tres veces dormí contigo,
tres veces infiel me fuiste,
morena, conmigo mismo.

3

Pasó Don Juan por tu calle,
y en tu balcón le dijeron:
suba un ratito, Don Nadie [131].

4

¡Linda dama de mis sueños
hablando siempre con otro,
con otro, sin darme celos!

5

¡Y esa gran placentería
de ruiseñores que cantan!
Ninguna voz es la mía.

6

Desde Sevilla a Sanlúcar,
desde Sanlúcar al mar,
en una barca de plata
con los remos de coral,
donde vayas, marinero,
contigo me has de llevar [132].

Segovia, 1925.

LXV   S

APUNTE DE SIERRA

Abrió la ventana.
Sonaba el planeta.
En la piedra el agua.

---

[131]   Vid. otra redacción del texto abribuida a Manuel Cifuentes, pág. 403.
[132]   Tras éste venía el texto 7 que no es sino los nueve versos del S XLIII, a los que ya he hecho mención.

Hasta el río llegan
de la sierra fría
las uñas de piedra.
    ¡A la luna clara,
canchos de granito
donde bate el agua!
    ¡A la luna clara,
Guadarrama pule
las uñas de piedra!
    Por aquí fue España,
llamaban Castilla
a unas tierras altas...

LXVI   S

NOCHES DE CASTILLA

¡Luna llena, luna llena,
tan oronda,
tan redonda,
en esta noche serena!
    Alegre luna de marzo
tras el azul de la sierra,
tú eres un panal de luz
que labran blancas abejas.

    Sobre los pinos del monte,
madona, sobre la piedra
del áspero Guadarrama,
miras mi ventana abierta.

    Yo te veo, clara luna,
siempre pensativa y buena,
con tus tijeras de plata
cortando el azul en vendas,
o hilando la seda fina
de tus gusanos de seda.

    Tú y yo, silenciosamente,
trabajamos, compañera,
en esta noche de marzo,
hilo a hilo, letra a letra
¡con cuánto amor! mientras duerme
el campo de primavera.

CANCIONERO APÓCRIFO [133]

LXVII

DOCE [134] POETAS QUE PUDIERON EXISTIR

1. *Jorge Menéndez.*—Nació en Chipiona en 1828. Murió en Madrid en 1904. Empleado de hacienda y autor dramático. Colaboró con Retés. Murió de apoplejía. La composición que se copia fue enviada como anónimo a Francisco Villaespesa y se atribuyó a don Manuel Valcárcel. Su verdadero autor fue descubierto por Nilo Fabra. Don Jorge Menéndez acabó cultivando el alejandrino.

SALUTACIÓN A LOS MODERNISTAS

> Los del semblante amarillo
> y pelo largo lucio,
> que hoy tocan el caramillo,
> son flores de patinillo,
> lombrices de caño sucio.

1901.

---

[133] Machado lo copió en *Los complementarios*, donde lo edité (págs. 221-236). A los doce poetas originarios, se añadieron nuevos nombres, que coloco al final de la serie, según su aparición en el manuscrito. Vid. mis notas en ese libro. Cotejo las ediciones con la mía y rectifico de acuerdo con ella.
[134] Acabaron siendo diecisiete.

2.   *Víctor Acucroni.*—De origen italiano. Nació en Málaga en 1869. Murió en Montevideo en 1902.

Esta bolita de marfil sonora
que late dentro de la encina vieja
me hace dormir...
En sueño,
un ave de cristal —¡mili!— el olmo suena.

3.   *José María Torres.*—Nació en Puerto Real en 1838.
Murió en Manila en 1898. Fue gran amigo de Manuel Sawa.

MAR

A la hora de la tarde
viene un gigante a pensar.
Junto al mar, que mucho suena,
medita, sordo a la mar.
En el fondo de sus ojos
las naves huyendo están,
entre delfines de bruma,
sobre el bermejo del mar.
Él no ve ni el mar ni el cielo,
él sólo ve su pensar.
¡Gigante meditabundo
a la vera de la mar!

4.   *Manuel Cifuentes Fandanguillo.*—Nació en Cádiz en
1876. Murió en Sevilla en 1899 de un ataque de alcoholismo
agudo.

Las cañas de Sanlúcar
me gustan a mí
porque me quitan las penas.
Échame un ferrocarril.

*

Manzanilla en el barco
jugo de la tierra,
que van mareando.

*

En Jerez de la Frontera,
tormentas de vino blanco.

*

Para Narcisos, tu calle,
donde al que pasa le dicen:
suba un ratito, Don Nadie [135].

5. *Antonio Machado.*—Nació en Sevilla en 1875. Fue profesor en Soria, Baeza, Segovia y Teruel. Murió en Huesca en fecha todavía no precisada. Algunos lo han confundido con el célebre poeta del mismo nombre, autor de *Soledades, Campos de Castilla,* etc.

ALBORADA

Como lágrimas de plomo
en mi oído dan,
y en tu sueño, niña, como
copos de nieve serán.
A la hora del rocío
sonando están
las campanitas del alba.
¡Tin tan, tin tan!
¡Quién oyera
las campanitas del alba
sentado a tu cabecera!
¡Tin tan, tin tan!
Las campanitas del alba
sonando están [136].

[SONETO] [137]

Nunca un amor sin venda ni aventura;
huye del triste amor, de amor pacato

---

[135]   Cfr. LIV, 3.
[136]   Vid. XLI, 2.
[137]   En CLXV, V, se transcribió otra versión de este soneto. Los numerosos problemas textuales se estudian en *Los complementarios,* págs. 226-227.

que espera del amor prenda segura
sin locura de amor, ¡el insensato!
    Ese que el pecho esquiva al niño ciego,
y blasfema del fuego de la vida,
quiere ceniza que le guarde el fuego
de una brasa pensada y no encendida.
    Y ceniza hallará, no de su llama,
cuando descubra el torpe desvarío
que pedía sin flor fruto a la rama.
    Con negra llave el aposento frío
de su cuarto abrirá. ¡Oh, desierta cama
y turbio espejo! ¡Y corazón vacío!

6.   *Alfonso Toras* [138].—Autor también de coplas bellas.

7.   *Abraham Macabeo de la Torre.*—Nació en Osuna en
1824. De origen judío y maestro de Rafael Cansinos y Assens.
Tradujo el libro de Cuzari [139]. Murió en Toledo en 1894.

            ¡Oh estrella de la paciencia,
        en el azul de la noche
        brilla, clara estrella!
            Los que aquí te vieron
        te verán también
        en las torres altas
        de Jerusalén.

8.   *Lope Robledo.*—Nació en Segovia en 1812. Murió en
Sepúlveda en 1860.

            Tiene el pueblo siete llaves
        para siete puertas.
        Son siete puertas al campo,
        las siete abiertas.

9.   *Tiburcio Rodrigálvarez.*—Nació en Almazán en 1838.
Murió en Soria en 1908. Fue amigo de Gustavo Adolfo Bécquer, de quien conservó siempre grato y vivo recuerdo.

---

[138]   Falta en Macrì.
[139]   Todos los editores leen mal. Se trata del *Cuzari*, el famoso *Diálogo filosófico* de Yehudá Ha-Levi (vid. *Los complementarios*, pág. 229).

I

Era la mayor Clotilde,
rubia como la candela;
era la más pequeñita
Inés, como el pan, morena.
Una tarde de verano
se partieron de la aldea:
salieron a un prado verde,
posaron sobre la hierba.

No he podido recordar el texto del romance en que se
describe una tormenta de verano. Sólo recuerdo los versos:

.. el viento húmedo sopla;
los montes relampaguean.

Fue leída por su autor, que poseía también algunos autó-
grafos de Bécquer.

10. *Pedro Carranza.*—Nació en Valladolid en 1878.

Sube y sube, pero ten
cuidado, nefelibata,
que entre las nubes también
se puede meter la pata.

11. *Abel Infanzón* [140].—Nació en Sevilla en 1825. Murió
en París en 1887.

¡Oh maravilla,
Sevilla sin sevillanos,
la gran Sevilla!
Dadme una Sevilla vieja
donde se dormía el tiempo,
en palacios con jardines,
bajo un azul de convento.
Salud, oh sonrisa clara
del sol en el limonero
de mi rincón de Sevilla,
¡oh alegre como un pandero,

---

[140] Vid. XLIII S.

> luna redonda y beata
> sobre el tapial de mi huerto!
>   Sevilla y su verde orilla,
> sin toreros ni gitanos,
> Sevilla sin sevillanos,
> ¡oh maravilla!

12.   *Andrés Santallana.*—Nació en Madrid en 1899.

EL MILAGRO

> En Segovia, una tarde, de paseo
> por la alameda que el Eresma baña,
> para leer mi Biblia
> eché mano al estuche de las gafas
> en busca de ese andamio de mis ojos,
> mi volado balcón de la mirada.
> Abrí el estuche, con el gesto firme
> y doctoral de quien se dice: Aguarda,
> y ahora verás si veo...
> Abrí el estuche, pero dentro: nada;
> *point de lunettes...* ¿Huyeron? Juraría
> que algo brilló cuando la negra tapa
> abrí del diminuto
> ataúd de bolsillo, y que volaban,
> huyendo de su encierro,
> cual mariposa de cristal, mis gafas.
> El libro bajo el brazo
> la orfandad de mis ojos paseaba
> pensando: hasta las cosas que dejamos
> muertas de risa en casa
> tienen su doble donde estar debieran,
> o es un acto de fe toda mirada.

13.   *José Mantecón del Palacio.*—Nació en Almería en 1874. Murió en 1902.

> El aire por donde pasas,
> niña, se incendia,
> y a la altura de tus ojos
> relampaguea.

*

Guarde Dios mi barco
de la nube negra
y guarde mi corazón
del aire de mi morena.

*

No me mires más,
y si me miras, avisa,
cuando me vas a mirar [141].

*

Llevando el viento de cara,
yo iba de Argel a Almería.
¡Dios mío, si no llegara!...
Quizás lo mejor sería.

*

Quien ve el faro de su puerto
de lejos relampaguear,
piensa en tormentas peores
que las tormentas del mar.

14. *Froilán Meneses.*—Nació en León, en 1826. Murió en 1893.

> *Aunque tú no lo confieses,*
> *alguien verá, de seguro,*
> *lo que hay de romance puro*
> *en tu romance, Meneses.*
>
> *A. M.*

En Zamora hay una torre,
en la torre hay un balcón,
en el balcón una niña:
su madre la peina al sol.

---

[141] Cfr. XLIII S.

Ha pasado un caballero
(¡quién sabe por qué pasó!)
y al ver a la blanca niña,
volver de noche pensó.

Embozado en negra capa
el caballero volvió,
y antes de salir la luna,
la niña se apareció.

Desde el balcón a la calle,
desde la calle al balcón,
si palabras de amor suben,
bajan palabras de amor.

....

Pasada la medianoche,
cuando quebraba el albor,
el conde vuelve de caza
de los montes de León.

Salióle al paso la niña;
—Por aquí paséis, señor,
tengo en mi lecho un hermano
que malherido cayó.

No entréis en la alcoba, Conde...
—Dejadme pasar, por Dios,
que yerbas traigo del monte
y habré de sanarle yo.

....

15.   *Adrián Macizo.*—Traducción de Shakespeare. [142]

Mi vida, ¡cuánto te quiero!
dijo mi amada y mentía.
Yo también mentí: Te creo.

Te creo, dije, pensando:
Así me tendrá por niño.
Mas ella sabe mis años.

Si dos mentirosos hablan,
ya es la mentira inocente;
se mienten, mas no se engañan [143]

---

[142] Machado copió en *Los complementarios* el soneto *(When my love swears that is made of truth)* al que vertió libremente.
[143] Estos versos últimos tuvieron una redacción distinta en S XLIV.

No es exactamente eso lo que dice Shakespeare; pero léase atentamente el soneto y se verá que es esto lo que debiera decir.

16.   *Manuel Espejo.*

> Oí decir a un gitano:
> —Se miente, mas no se engaña,
> y se gasta más saliva
> de la necesaria.

17 [144].   *José Luis Fuentes* [145].—Poeta sanluqueño, místico y borracho, muerto en Cádiz hacia finales del siglo pasado:

> Obscuro para que atiendan;
> claro como el agua, claro
> para que nadie comprenda. [146]

Vid. también el texto dado como de Manuel Espejo. Machado reelaboró el soneto inglés en una versión que difiere mucho de ésta *(Los complementarios,* pág. 313):

> Mi amado, ¡cuánto te quiero!,
> dijo mi amada, y mentía.
> También yo mentí: Te creo.
>   Te creo, dije, pensando
> así me tendrá por niño,
> ¡ella que sabe mis años!
> ¿Es el amor artificio
> de mentiras sin engaño?
>   ¡Labios que mienten y besan!
> Es la mentira tan dulce...
> Mintamos a boca llena.

[144]   En *Los complementarios* se citan también dos poetas *(Enrique Paradas* y *Antonio Palomero)* que, si no son muy relevantes, tuvieron vida real. Machado copió de ellos alguna cancioncilla.
[145]   Falta en Macrì.
[146]   Vid. *Los complementarios,* págs. 20-21.

DE "JUAN DE MAIRENA"

(1936)

LXVIII   S

Mientras no suena un paso leve
y oiga una llave rechinar,
el niño malo no se atreve
a rebullir ni a respirar.
   El niño Juan, el solitario,
oye la fuga del ratón,
y la carcoma en el armario,
y la polilla en el cartón.
   El niño Juan, el hombrecito,
escucha el tiempo en su prisión:
una quejumbre de mosquito
en un zumbido de peón.
   El niño está en el cuarto, oscuro,
donde su madre lo encerró;
es el poeta, el poeta puro
que canta: ¡el tiempo, el tiempo y yo! [147].

---

[147] Tras este texto copia Macrì unas *Coplas populares andaluzas* en las
que se mezclan muchas cosas: textos populares (divulgados algunos en América), otros originales (ya incluidos en esta edición), otros dudosos. No es el
momento de hacer aquí la investigación de este problema.

LXIX   S

UNA SAETA DE ABEL MARTÍN

Abel, solo. Entre sus libros
palpita un grueso roskopf.
Los ojos de un gato negro
—dos uvas llenas de sol—
le miran. Abel trabaja,
al voladizo balcón
de sus gafas asomado:
"Es la que perdona Dios."
.. Escrito el verso, el poeta, el poeta
pregunta: ¿quién me dictó?
¡Estas sílabas contadas,
quebrando el agrio blancor
del papel! ... ¿Ha de perderse
un verso tan español?

LXX   S

MAIRENA LEE Y COMENTA VERSOS
DE SU MAESTRO

Sé que habrás de llorarme cuando muera
para olvidarme y, luego,
poderme recordar, limpios los ojos
que miran en el tiempo.
Más allá de tus lágrimas y de
tu olvido, en tu recuerdo,
me siento ir por una senda clara
por un "Adiós, Guiomar" enjuto y serio [148].

---

[148]   En la edición de Macrì se copian los ejercicios de Mairena sobre temas
barrocos: se trata de versos clásicos, de adaptaciones ocasionales o de alguna
broma intrascendente. En total, nueve versos.

DE "MAIRENA PÓSTUMO"

(1936-1939)

LXXI   S

La primavera ha venido
y don Alfonso se va.
Muchos buques le acompañan
hasta cerca de la mar.
Las cigüeñas de las torres
quisieran verlo embarcar...

LXXII   S

Perdón, madona del Pilar, si llego
al par que nuestro amado florentino,
con una mata de serrano espliego,
con una rosa de silvestre espino.
    ¿Qué otra flor para ti de tu poeta
si no es la flor de su melancolía?
Aquí, donde los huesos del planeta
pule el sol, hiela el viento, diosa mía,
    ¡con qué divino acento
me llega a mi rincón de sombra y frío
tu nombre, al acercarme el tibio aliento
    de otoño, el hondo resonar del río!
Adiós; cerrada mi ventana siento
junto a mi corazón... ¿Oyes el mío?

POESÍAS DE GUERRA [150]

(1936-1939)

LXXIII   S

LA PRIMAVERA

Más fuerte que la guerra —espanto y grima—
cuando con torpe vuelo de avutarda
el ominoso trimotor se encima
y sobre el vano techo se retarda,
    hoy tu alegre zalema el campo anima,
tu claro verde el chopo en yemas guarda.
Fundida irá la nieve de la cima
al hielo rojo de la tierra parda.
    Mientras retumba el monte, el mar humea,
da la sirena el lúgubre alarido,
y en el azul el avión platea,
    ¡cuán agudo se filtra hasta mi oído,
niña inmortal, infatigable dea,
el agrio son de tu rabel florido!

LXXIV   S

EL POETA RECUERDA LAS TIERRAS DE SORIA

¡Ya su perfil zancudo en el regato,
en el azul el cielo de ballesta,

---
[150]   Vid. Aurora de Albornoz, *Poesías de guerra de Antonio Machado*. San Juan de Puerto Rico, 1961.

o, sobre el ancho nido de ginesta,
en torre, torre y torre, el garabato
    de la cigüeña!... En la memoria mía
tu recuerdo a traición ha florecido;
y hoy comienza tu campo empedernido
el sueño verde de la tierra fría.
    Soria pura, entre montes de violeta.
Di tú, avión marcial, si el alto Duero
adonde vas, recuerda a su poeta
    al revivir su rojo Romancero;
¿o es, otra vez, Caín, sobre el planeta,
bajo tus alas, moscardón guerrero?

LXXV S

AMANECER EN VALENCIA [149]

DESDE UNA TORRE

Estas rachas de marzo, en los desvanes
—hacia la mar— del tiempo; la paloma
de pluma tornasol, los tulipanes
gigantes del jardín, y el sol que asoma,
    bola de fuego entre dorada bruma,
a iluminar la tierra valentina...
¡Hervor de leche y plata, añil y espuma,
y velas blancas en la mar latina!
    Valencia de fecundas primaveras,
de floridas almunias y arrozales,
feliz quiero cantarte, como eras,
    domando a un ancho río en tus canales,
al dios marino con tus albuferas,
al centauro de amor con tus rosales.

---

[149] Cfr. Rafael Ferreres, *Antonio Machado en Valencia* («Cuadernos Hispanoamericanos», 304-307, 1975, págs. 374-385).

LXXVI   S

LA MUERTE DEL NIÑO HERIDO

Otra vez es la noche... Es el martillo
de la fiebre en las sienes bien vendadas
del niño. —Madre, ¡el pájaro amarillo!
¡Las mariposas negras y moradas!
—Duerme, hijo mío. Y la manita oprime
la madre, junto al lecho. —¡Oh flor de fuego!
¿Quién ha de helarte, flor de sangre, dime?
Hay en la pobre alcoba olor de espliego;
fuera la oronda luna que blanquea
cúpula y torre a la ciudad sombría.
Invisible avión moscardonea.
—¿Duermes, oh dulce flor de sangre mía?
El cristal del balcón repiquetea.
—¡Oh, fría, fría, fría, fría, fría!

LXXVII   S

De mar a mar entre los dos la guerra,
más honda que la mar. En mi parterre,
miro a la mar que el horizonte cierra.
Tú, asomada, Guiomar, a un finisterre,
miras hacia otro mar, la mar de España
que Camoens cantara, tenebrosa.
Acaso a ti mi ausencia te acompaña.
A mí me duele tu recuerdo, diosa.
La guerra dio al amor el tajo fuerte.
Y es la total angustia de la muerte,
con la sombra infecunda de tu llama
y la soñada miel de amor tardío,
y la flor imposible de la rama
que ha sentido del hacha el corte frío.

LXXVIII   S

Otra vez el ayer. Tras la persiana,
música y sol; en el jardín cercano,

la fruta de oro, al levantar la mano,
el puro azul dormido en la fontana.
    Mi Sevilla infantil, ¡tan sevillana!
¡Cuál muerde el tiempo tu memoria en vano!
¡Tan nuestra! Avisa tu recuerdo, hermano.
No sabemos de quién va a ser mañana.
    Alguien vendió la piedra de los lares
al pesado teutón, al hambre mora,
y al ítalo las puertas de los mares.
    ¡Odio y miedo a la estirpe redentora
que muele el fruto de los olivares,
y ayuna y labra, y siembra y canta y llora!

LXXIX   S

    Trazó una odiosa mano, España mía,
—ancha lira, hacia el mar, entre dos mares—
zonas de guerra, crestas militares,
en llano, loma, alcor y serranía.
    Manes del odio y de la cobardía
cortan la leña de tus encinares,
pisan la baya de oro en tus lagares,
mueles el grano que tu suelo cría.
    —Otra vez —¡otra vez!— ¡oh triste España!,
cuanto se anega en viento y mar se baña
juguete de traición, cuanto se encierra
    en los templos de Dios mancha el olvido,
cuanto acrisola el seno de la tierra
se ofrece a la ambición, ¡todo vendido!

LXXX   S

A OTRO CONDE DON JULIÁN

    Mas tú, varona fuerte, madre santa,
sientes tuya la tierra en que se muere,
en ella afincas la desnuda planta,
y a tu Señor suplicas: ¡Miserere!

¿Adónde irá el felón con su falsía?
¿En qué rincón se esconderá sombrío?
Ten piedad del traidor. Paríle un día,
se engendró en el amor, es hijo mío.
    Hijo tuyo es también, Dios de bondades.
Cúrale con amargas soledades.
Haz que su infamia su castigo sea.
    Que trepe a un alto pino en la alta cima,
y en él ahorcado, que su crimen vea,
y el horror de su crimen le redima.

Rocafort, marzo de 1938.

LXXXI   S

A LÍSTER, JEFE EN LOS EJÉRCITOS DEL EBRO

    Tu carta —oh noble corazón en vela,
español indomable, puño fuerte—,
tu carta, heroico Líster, me consuela,
de esta, que pesa en mí, carne de muerte.
    Fragores en tu carta me han llegado
de lucha santa sobre el campo ibero;
también mi corazón ha despertado
entre olores de pólvora y romero.
    Donde anuncia marina caracola
que llega el Ebro, y en la peña fría
donde brota esa rúbrica española,
    de monte a mar, esta palabra mía:
"Si mi pluma valiera tu pistola
de capitán, contento moriría."

LXXXII   S

A FEDERICO DE ONÍS

    Para ti la roja flor
que antaño fue blanca lis,
con el aroma mejor
del huerto de fray Luis.

Barcelona, junio de 1938.

LXXXIII S

CANCIÓN

Ya va subiendo la luna
sobre el naranjal.
Luce Venus como una
pajarita de cristal.
Ámbar y berilo,
tras de la sierra lejana,
el cielo, y de porcelana
morada en el mar tranquilo.
Ya es de noche en el jardín
—¡el agua en sus atanores!—
y sólo huele a jazmín,
ruiseñor de los olores.
¡Cómo parece dormida
la guerra, de mar a mar,
mientras Valencia florida
se bebe el Guadalaviar!
Valencia de finas torres
y suaves noches, Valencia,
¿estaré contigo,
cuando mirarte no pueda,
donde crece la arena del campo
y se aleja la mar de violeta?

Rocafort, mayo de 1937.

LXXXIV S

EL CRIMEN FUE EN GRANADA: A FEDERICO GARCÍA LORCA

1. El crimen

Se le vio, caminando entre fusiles,
por una calle larga,
salir al campo frío,
aún con estrellas de la madrugada.
Mataron a Federico
cuando la luz asomaba.

El pelotón de verdugos
no osó mirarle la cara.
Todos cerraron los ojos;
rezaron: ¡ni Dios te salva!
Muerto cayó Federico
—sangre en la frente y plomo en las entrañas—
... Que fue en Granada el crimen
sabed —¡pobre Granada!—, en su Granada.

2.   *El poeta y la muerte*

Se le vio caminar solo con Ella,
sin miedo a su guadaña.
—Ya el sol en torre y torre, los martillos
en yunque— yunque y yunque de las fraguas.
Hablaba Federico,
requebrando a la muerte. Ella escuchaba.
"Porque ayer en mi verso, compañera,
sonaba el golpe de tus secas palmas,
y diste el hielo a mi cantar, y el filo
a mi tragedia de tu hoz de plata,
te cantaré la carne que no tienes,
los ojos que te faltan,
tus cabellos que el viento sacudía,
los rojos labios donde te besaban...
Hoy como ayer, gitana, muerte mía,
qué bien contigo a solas,
por estos aires de Granada, ¡mi Granada!"

3.

Se le vio caminar...
                    Labrad, amigos,
de piedra y sueño en el Alhambra,
un túmulo al poeta,
sobre una fuente donde llore el agua,
y eternamente diga:
el crimen fue en Granada, ¡en su Granada!

LXXXV S

MEDITACIÓN DEL DÍA

Frente a la palma de fuego
que deja el sol que se va,
en la tarde silenciosa
y en este jardín de paz,
mientras Valencia florida
se bebe al Guadalaviar
—Valencia de finas torres,
en el lírico cielo de Ausias March,
trocando su río en rosas
antes que llegue a la mar—,
pienso en la guerra. La guerra
viene como un huracán
por los páramos del alto Duero,
por las llanuras de pan llevar,
desde la fértil Extremadura
a estos jardines de limonar,
desde los grises cielos astures
a las marismas de luz y sal.
Pienso en España vendida toda
de río a río, de monte a monte,
de mar a mar.

Valencia, febrero de 1937.

LXXXVI S

COPLAS

I

Papagayo verde,
lorito real,
di tú lo que sabes
al sol que se va.

*

Tengo un olvido, Guiomar,
todo erizado de espinas,
hoja de nopal.

*

Cuando truena el cielo
(¡qué bonito está
para la blasfemia!)
y hay humo en el mar...

*

En los yermos altos
veo unos chopos de frío
y un camino blanco.

*

En aquella piedra
(¡tierras de la luna!)
¿nadie lo recuerda?

*

Azotan el limonar
las ráfagas de febrero.
No duermo por no soñar.

II

Sobre la maleza
las brujas de Macbeth
danzan en corro y gritan:
¡tú serás rey!
(thou shalt be king, all hail!)

*

Y en el ancho llano
"me quitarán la ventura
—dice el viejo hidalgo—,
me quitarán la ventura
no el corazón esforzado".

*

Con el sol que luce
más allá del tiempo
(¿quién ve la corona
de Macbeth sangriento?),
los encantadores
del buen caballero
bruñen los mohosos
harapos de hierro.

LXXXVII   S

ALERTA

HIMNO PARA LAS JUVENTUDES DEPORTIVAS Y MILITARES

Día es de alerta, día
de plena vigilancia en plena guerra
todo día del año. ¡Ay del dormido,
del que cierra los ojos, del que ciega!
No basta despertar cuando amanece:
Hay que mirar al horizonte. ¡Alerta!
Los que bañáis los cuerpos juveniles
en las aguas más frías de la alberca,
y el pecho dais desnudo al viento helado
de la montaña, ¡alerta!
Alerta, deportistas y guerreros,
hoy es el día de la España vuestra.
Fortaleced los brazos,
agilizad las piernas,

los músculos despierten al combate,
cuando la sangre roja grita: ¡Alerta!
Alerta, el cuerpo vigoroso es santo,
sagrado el juego cuando el arma vela
y aprende el golpe recto
al pecho de la infamia, ¡alerta, alerta!
Alerta, amigos, porque el tiempo es malo,
el cielo se ennegrece, el mar se encrespa;
alerta el gobernalle,
al remo y a la vela;
patrón y marineros,
todos de pie en la nave. ¡Alerta, alerta!
En las encrucijadas del camino
crueles enemigos nos acechan:
dentro de casa la traición se esconde,
fuera de casa la codicia espera.
Vendida fue la puerta de los mares,
y las sendas del viento entre las sierras,
y el suelo que se labra,
y la arena del campo en que se juega,
y la roca en que yace el hierro duro;
sólo la tierra en que se muere es nuestra.
Alerta al sol que nace,
y al rojo parto de la madre vieja.
Con el arco tendido hacia el mañana
hay que velar. ¡Alerta, alerta, alerta!

1937.

LXXXVIII   S

MIAJA

Tu nombre, capitán, es para escrito
en la hoja de una espada
que brille al sol, para rezarlo a solas,
en la oración de un alma,
sin más palabras, como
se escribe *César*, o se reza *España*.

LXXXIX   S

¡Madrid, Madrid!, ¡qué bien tu nombre suena,
rompeolas de todas las Españas!
La tierra se desgarra, el cielo truena,
tú sonríes con plomo en las entrañas.

Madrid, 7 de noviembre de 1936.

XC   S

VOZ DE ESPAÑA

(A LOS INTELECTUALES DE LA RUSIA SOVIÉTICA)

¡Oh Rusia, noble Rusia, santa Rusia,
cien veces noble y santa
desde que roto el báculo y el cetro,
empuñas el martillo y la guadaña!,
en este promontorio de Occidente,
por estas tierras altas
erizadas de sierras, vastas liras
de piedra y sol, por sus llanuras pardas
y por sus campos verdes,
sus ríos hondos, sus marinas claras,
bajo la negra encina y el áureo limonero,
junto al clavel y la retama,
de monte a monte y río a río
¿oyes la voz de España?
Mientras la guerra truena
de mar a mar, ella te grita: ¡Hermana!

XCI   S

A MÉJICO

Varón de nuestra raza,
équite egregio de las altas tierras
entre dos Sierras Madres,

noble por español y por azteca
tú has sentido solícito y piadoso
—sonrisa paternal, mano fraterna—
el rudo parto de la vieja España
y a la que va a nacer España nueva
acudes con amor, Méjico, libre
libertador que el estandarte llevas
de las Españas todas,
¡te colme Dios de luz y de riquezas!

XCII   S

Estos días azules y este sol de la infancia [151].

---

[151]   Es el último verso escrito por Machado poco antes de morir.

ÍNDICE DE PRIMEROS VERSOS

APÉNDICE

por M.ª Pilar Celma

DOCUMENTACIÓN COMPLEMENTARIA

Con el fin de profundizar en el conocimiento de la personalidad de Antonio Machado y de facilitar el acceso a su pensamiento y a la significación de su obra, se han seleccionado una serie de textos agrupados de la siguiente manera: primero, una semblanza del poeta; segundo, tres textos críticos coetáneos a cada una de sus obras poéticas principales (Soledades, Campos de Castilla *y* Nuevas Canciones); *y tercero, tres textos en prosa del propio Machado, que, pertenecientes a la misma etapa de publicación de cada una de sus principales obras, permiten conocer el pensamiento del poeta en materia literaria en cada uno de esos momentos.*

1. SEMBLANZA

Juan Ramón Jiménez, «Antonio Machado»

Antonio Machado se dejó desde niño la muerte, lo muerto, padre y *quemasdá* por todos los rincones de su alma y su cuerpo. Tuvo siempre tanto de muerto como de vivo, mitades fundidas en él por arte sencillo [...].

Poeta de la muerte, y pensado, sentido, preparado hora tras hora para lo muerto, no he conocido otro que como él haya equilibrado estos niveles iguales de altos o bajos, según y cómo; que haya salvado, viviendo muriendo, la distancia de las dos únicas existencias conocidas, paradójicamente opuestas; tan unidas aunque los otros hombres nos empeñemos en separarlas, oponerlas y pelearlas. Toda nuestra vida suele consistir en temer a la muerte y alejarla de nosotros, o mejor, alejarnos nosotros de ella.

Antonio Machado la comprendía en sí, se cedía a ella en gran
parte. Acaso él fue, más que un nacido, un resucitado. Lo
prueba quizá, entre otras cosas, su madura filosofía juvenil. Y
dueño del secreto de la resurrección, resucitaba cada día ante
los que lo vimos esta vez, por natural milagro poético, para mirar su otra vida, esta vida nuestra que él se reservaba en parte
también [...].

Visto desde nosotros, observado a nuestra luz medio falsa,
era corpulento, un corpachón naturalmente terroso, algo de
grueso tocón acabado de sacar; y vestía su tamaño con unos
ropones negros, ocres y pardos, que se correspondían a su manera estravagante de muerto vivo, *saqué* nuevo quizás com-
prado deprisa por los toledos, pantalón perdido y abrigo de dos
fríos, deshecho todo, equivocado en apariencia, y se cubría con
un chapeo de alas desflecadas y caídas, de una época cualquiera, que la muerte vida equilibra modas y épocas. En vez de
pasadores de bisutería llevaba en los puños del camisón unas
cuerdecitas como larvas, y a la cintura, por correa, una cuerda
de esparto, como un ermitaño de su clase. ¿Botones? ¿Para
qué? Costumbres todas lójicas de tronco afincado ya en cementerio.

Cuando murió en Soria de Arriba su amor único, que tan bien
comprendió su función trascendental de paloma de linde, tuvo su
idilio en su lado de la muerte. Desde entonces, dueño ya de todas
las razones y circunstancias, puso su casa de novio, viudo para
fuera, en la tumba, secreto palomar; y ya sólo venía a este mundo
de nuestras provincias a algo muy urjente, el editor, la imprenta, la
librería, una firma necesaria... La guerra, la terrible guerra española de tres siglos. «Entonces» abandonó toda su muerte y sus
muertos más íntimos y se quedó una temporada eterna en la vida
jeneral, por morir otra vez, como los mejores otros, por morir mejor que los otros, que nosotros los más apegados al lado de la existencia, que tenemos acotado como vida. Y no hubiera sido posible
una última muerte mejor para su estraña vida terrena española; tan
mejor, que ya Antonio Machado, vivo para siempre en presencia
invisible, no resucitará más en jenio y figura. Murió del todo en
figura, humilde, miserable, colectivamente, res mayor de un re-
baño humano perseguido, echado de España, donde tenía todo él,
como Antonio Machado, sus palomares, sus majadas de amor, por
la puerta falsa. Pasó así los montes altos de la frontera helada, porque sus mejores amigos, los más pobres y más dignos, los pasaron
así. Y si sigue bajo tierra con los enterrados allende su amor, es

por gusto de estar con ellos, porque yo estoy seguro de que él, conocedor de los vericuetos estrechos de la muerte, ha podido pasar a España por el cielo de debajo de la tierra.

[...]

En la eternidad de esta mala guerra de España, que tuvo comunicada a España de modo grande y terrible con la otra eternidad, Antonio Machado, con Miguel de Unamuno y Federico García Lorca, tan vivos de la muerte los tres, cada uno a su manera, se han ido, de diversa manera lamentable y hermosa también, a mirarle a Dios la cara. Grande de ver sería cómo da la cara de Dios, sol o luna principales, en las caras de los tres caídos, más afortunados quizás que los otros, y cómo ellos le están viendo la cara a Dios,

(Juan Ramón Jiménez, *Españoles de tres mundos*, Aguilar, Madrid, 1969, págs. 324-327.)

2. CRÍTICAS COETÁNEAS A SUS LIBROS DE POESÍA

2.1. *Sobre «Soledades»*

> Dije a la noche: Amada mentirosa
> tú sabes mi secreto,
> tú has visto la honda gruta
> donde fabrica su cristal mi sueño.

Y esto es todo el libro de Antonio Machado. Un sueño de cristal. Claro, fresco, lleno de sol, pero cuajado en lágrimas. Rebosante de un *dolor viejo,* viejo como el mundo, el dolor inefable del vivir, pero alentado por brisas de Abril,

—Abril florecía frente a mi ventana—

y ritmado en el verso diáfano que enseñó al poeta el rumor de una fuente.

Tiene este libro dos musas, una nueva y otra vieja, las dos amigas y consoladoras; y son ellas, la primavera y la fuente. El nombre fresco, siempre recién nacido del mes que dice florecimientos, campa en cada página, y ya los ojos sin buscarle le hallan —tal surge flameante de entre palabras neutras— como nombre propio o nombre querido.

—Canta Abril sobre el mar.
—Era una mañana y Abril sonreía.
—Fue otro Abril alegre y otra tarde plácida.
—Señaló a la tarde de Abril que lloraba
    el son dolorido de lentas campanas.
—Fue una clara tarde de melancolía,
    Abril sonreía.

Y así por siempre. Graciosa musa y fresca. Felices estos claros varones que, en sus ensoñamientos de poeta, van siempre acompañados de visiones primaverales. Su arte no ha de morir, porque a cada hora renace y a cada instante surge —evocador de eterna poesía— como agua saltarina de manantial que brota entre peñas.

(Gregorio Martínez Sierra, «*Soledades,* poesías por Antonio Machado. Madrid, 1903», *Helios,* 7 [1903], pág. 499.)

2.2. *Sobre «Campos de Castilla»*

En el zodíaco poético de nuestra España actual hay un signo Géminis: los Machado, hermanos y poetas. El uno, Manuel, vive en la ribera del Manzanares. Es su musa más bien escarolada, ardiente, jacarandosa; cuando camina, recoge con desenvoltura el vuelo flameante de su falda almidonada y sobre el pavimento ritma los versos con el aventajado tacón. El otro, Antonio, habita las altas márgenes del Duero y empuja meditabundo el volumen de su canto como si fuera una fatal dolencia.

Mas dentro del pecho llevamos una máquina de preferir y, menesteroso de resolverme por uno de ambos, me quedo con la poesía de Antonio, que me parece más casta, densa y simbólica.

Sólo conozco dos libros suyos: creo que no hay más; pero no lo sé de cierto. En 1907 publicó *Soledades,* y ahora en este año, en este ominoso, gravitante, enorme silencio español, da al canto unos *Campos de Castilla*.

En las páginas que inician esta última colección, compone el poeta su autorretrato, y, aparte detalles biográficos, donde con ademán que expresa una cierta fatalidad, nos dice:

ya conocéis mi torpe aliño indumentario,

hace en cuatro versos su acto de fe poética:

> ¿Soy clásico o romántico? No sé. Dejar quisiera
> mi verso como deja el capitán su espada,
> famosa por la mano viril que la blandiera,
> no por el docto oficio del forjador preciada.

Este verso postrero es admirable: en la concavidad de su giro se dan un beso la vieja poesía y una nueva que emerge y se anuncia. El verso, como una espada en ejercicio y no de panoplia o Museo; una espada que hiere y que mata, y en cuyo filo al aire libre, los rayos del sol se dejan cortar, riendo muchachilmente. El verso como una espada en uso, es decir, puesta al extremo de un brazo que lleva al otro extremo las congojas de un corazón.

Hubo un tiempo en que se llamaba poesía a esto:

> Era una tarde del ardiente Julio.
> Harta de Marco Tulio,
> Ovidio y Plauto, Anquises y Medea...

Cuando vinimos al mundo se nos dijo que esto era poesía. ¿Cómo puede pedírsenos que el mundo nos parezca cosa grata y de alborozo? Reinaba entonces una poesía de funcionario. Era bueno un verso cuando se parecía hasta confundirse a la prosa, y era la prosa buena cuando carecía de ritmo. Fue preciso empezar por la rehabilitación del material poético: fue preciso insistir hasta con exageración en que una estrofa es una isla encantada, donde no puede penetrar ninguna palabra del continente sin dar una voltereta en la fantasía y transfigurarse, cargándose de nuevos efluvios como las naves otro tiempo se colmaban en Ceilán de especies [sic]. De la conversación ordinaria a la poesía no hay pasarela. Todo tiene que morir antes para renacer luego convertido en metáfora y en reverberación sentimental.

Esto vino a enseñarnos Rubén Darío, el indio divino, domesticador de palabras, conductor de los corceles rítmicos. Sus versos han sido una escuela de forja poética. Ha llenado diez años de nuestra historia literaria.

Pero ahora es preciso más: recobrada la salud estética de las palabras, que es su capacidad ilimitada de expresión, salvado el cuerpo del verso, hace falta resucitar su alma lírica. Y el alma del verso es el alma del hombre que lo va componiendo. Y este alma no puede a su vez consistir en una estratificación de pala-

bras, de metáforas, de ritmos. Tiene que ser un lugar por donde
dé su aliento el universo, respiradero de la vida esencial, *spi-
raculum vitae,* como decían los místicos alemanes.

Yo encuentro en Machado un comienzo de esta novísima
poesía, cuyo más fuerte representante sería Unamuno si no des-
preciara los sentidos tanto. Ojos, oídos, tacto son la hacienda
del espíritu; el poeta muy especialmente tiene que empezar por
una amplia cultura de los sentidos. Platón, de quien gentes dis-
traídas aseguran que fue un fugitivo del mundo sensible, no
cesa de repetir que la educación hacia lo humano ha de iniciarse
forzosamente en esta lenta disciplina de los sentidos o como él
dice: *ta eroticá.* El poeta tendrá siempre sobre el filósofo esta
dimensión de la sensualidad.

[...]

Sin embargo, no se ha libertado aún el poeta en grado suficiente de la materia descriptiva. Hoy por hoy significa un estilo
de transición. El paisaje, las cosas en torno persisten, bien que
volatilizadas por el sentimiento, reducidas a claros símbolos
esenciales. Por otra parte, la cumplida sobriedad de los cantos y
letrillas populares le ha movido a simplificar cada vez más la
textura de sus evocaciones, dispuestas ya a la sencillez, al vigor
y a la transparencia por la condición del poeta que, según nos
confiesa, va incitado por «un corazón de ritmo lento».

De esta manera ha llegado al edificio de estrofas, donde el
cuerpo estético es todo músculo y nervio, todo sinceridad y jus-
teza, hasta el punto que pensamos si no será lo más fuerte que se
ha compuesto muchos años hace sobre los campos de Castilla.

Léase dos o tres veces, sopesando cada palabra, este trozo:

> Yo divisaba, lejos, un monte alto y agudo,
> y una redonda loma cual recamado escudo
> y cárdenos alcores sobre la parda tierra
> —harapos esparcidos de un viejo arnés de guerra—
> las serrezuelas calvas por donde tuerce el Duero
> para formar la corva ballesta de un arquero
> en torno a Soria —Soria es una barbacana
> hacia Aragón— que tiene la torre castellana.
> Veía el horizonte cerrado por colinas
> oscuras, coronadas de robles y encinas;
> desnudos peñascales, algún humilde prado
> donde el merino pace y el toro, arrodillado
> sobre la yerba, rumia; las márgenes del río
> lucir sus verdes álamos al claro sol de estío...

¿No es ésta nuestra tierra santa de la vieja Castilla bajo uno de sus aspectos, el noble y el digno de veneración honda, pero recatada? Mas nótese que no estriba el acierto en que los alcores se califiquen de cárdenos ni la tierra de parda. Estos adjetivos de colores se limitan a proporcionarnos como el mínimo aparato alucinatorio que nos es forzoso para que actualicemos, para que nos pongamos delante una realidad más profunda, poética, y sólo poética, a saber: la tierra de Soria humanizada bajo la especie de un guerrero con casco, escudo, arnés y ballesta, erguido en la barbacana. Esta fuerte imagen subyacente da humana reviviscencia a todo el paisaje y provee de nervios vivaces, de aliento y de personalidad a la pobre realidad inerte de la cárdena y parda gleba. En la materia sensible de colores y formas queda así inyectada la historia de Castilla, sus gestas bravías de fronteriza raza, su angustia económica pasada y actual; y todo ello sin ninguna referencia erudita, que nada puede decir a nuestros sentidos.

En otra composición, «Por tierras de España», se habla, en fin, del hombre de estos campos, que

> hoy ve sus pobres hijos huyendo de sus lares;
> la tempestad llevarse los limos de la tierra
> por los sagrados ríos hacia los anchos mares;
> y en páramos malditos trabaja, sufre y yerra.

Es el natural producto de estas provincias, donde

> veréis llanuras bélicas y páramos de asceta
> —no fue por estos campos el bíblico jardín—;
> son tierras para el águila, un trozo de planeta
> por donde cruza errante la sombra de Caín.

Como antes el paisaje se alza transfigurado en guerrero, aquí el labriego es disuelto en su agreste derredor y queda sometido trágicamente a los ásperos destinos de la tierra que trabaja.

(José Ortega y Gasset, «Los versos de Antonio Machado». [Julio, 1912]. Recogido en *OC*, I, Rev. de Occidente, Madrid, 1946, págs. 563-567.)

2.3. *Sobre «Nuevas Canciones»*

Durante varios años ha guardado el autor de *Soledades* un silencio, lleno de decoro, que no convenía sino muy bien al tono de su musa, meditativa y grave, y al alto prestigio que blasona su nombre. Una gran lira tiene algo de una gran espada y no está bien que suene a cada hora [...].

Pero, en fin, años hacía que el autor de *Soledades* absteníase de lanzar el gran grito del libro, hasta ahora que salen a la luz —más bien al aire— estas *Nuevas Canciones,* cuyo título parece aludir a renovaciones líricas y espirituales [...]. Sin embargo, en el título del libro de Machado, el adjetivo tiene únicamente un sentido cronológico, no tratándose de ningún nuevo evangelio de arte, sino de las últimas canciones que han brotado de sus labios, aunque no deje de ser notable, como un indicio de los tiempos, que un poeta que suele complacerse en la evolución de lo pasado —de dónde el número lento y moroso de su ritmo— haya cedido también a la atracción de lo nuevo, tan poderosa hoy.

Pero no; Antonio Machado continúa siendo fiel en este nuevo libro a sus inspiraciones antiguas y no ha hecho más que enriquecer con nuevas obras maestras las direcciones cardinales de su genio. El poeta de *Nuevas Canciones* es el mismo de *Soledades* y de *Galerías y otros poemas,* salvo que mucho más cansado y grave, si es posible, y más cargado de experiencia a lo largo del camino; el poeta que en esta España de 1924 parece vivir la vida, toda sueño, de un retrato de la época isabelina, y encarnar esa figura de español antiguo, triste, apático, romántico y pobre, que él ha cantado en verso [...].

En casi todo el libro se observa esa amalgama de la inspiración erudita con la expresión popular, o, como si dijéramos, del latín sapiente con el *román paladino* [...]. Salvo algunos poemas enteramente clásicos como el que inicia el libro y en el que el poeta glosa un episodio del homérico *Rapto de Proserpina,* conservado el íntegro empaque de la oda antigua, por lo general se abandona a ese decir más llano, que unas veces resulta de un humorismo zumbón [...] y otras, ataviado dignamente con galas folklóricas que el poeta puede hallar en su casa en los arcones heredados de su preclaro padre, sírvele de maravilla para entonar paisajes y figuras de un rancio españolismo adormecido y quieto; pues el campo de su musa es precisamente el corazón de Castilla, las tierras de Soria y de Segovia, con sus valles y serrijones, y su yerba pobre y oscura, y sus posadas como antaño y sus pueblos de viñeta antigua, con la plazoleta en medio y el muro blanco y el ciprés erguido encima: las tierras cantadas por Enrique de Mesa y elegidas por

Azorín para escenario de su Don Juan caduco. Rara vez, como en vacaciones, asoma el paisaje andaluz, más rico y voluptuoso. El poeta, que es sevillano, prefiere Castilla, la tierra en que nació al amor, y que mejor se aviene con su espíritu cansado y triste y el frío y noble decoro de su inspiración (frialdad muy sevillana si se recuerda a Herrera). A fuerza de cantar al caballero de la España antigua, se ha convertido el poeta en ese caballero, si no es que lo fue siempre y por eso lo cantó. Ese caballero noble, soñador, ensimismado, que desfila por tantas obras contemporáneas —de Azorín a Miró—; el caballero que tuvo juventud y fue siempre igual de triste y taciturno. Para no lastimar los oídos de ese caballero, los novelistas tienden su prosa más mullida sobre los aposentos que ha de atravesar y los poetas rebajan el tono de su lira. Ese caballero es, a veces, poeta como Antonio Machado y odia lo hueco y lo pomposo; porque está fatigado y algo enfermo. Un día, sin embargo, el caballero *nace al amor,* se casa y vive unos años contemplando en silencio la pulcra belleza, el hossanna hecho carne de una esposa honesta y joven. Pero otro día el caballero amanece viudo: figuraos entonces, si es poeta, cómo será de cansado y desdeñoso el gesto con que vuelva a requerir la lira para cantar su dolor, y cómo serán de tristes, reticentes y truncadas; cómo serán de antiguas sus nuevas canciones y de cuánta amarga experiencia no estarán henchidas.

Tal es el caso de Antonio Machado. El poeta que siempre tuvo horror a la retórica, acentúa ahora más su tendencia a la forma epigráfica, se hace sentencioso a expensas de la morbidez del arte y, si en ocasiones, por una tendencia natural a lo marmóreo y frío en los espíritus que sienten ya el anhelo de lo eterno, esculpe bustos, talla camafeos o acuña medallas, otras veces va a parar al aforismo, al concepto, al apotegma y al escolio. Así en esa parte que dedica a Ortega y Gasset («Proverbios y cantares») y que parece influida por la sombra del pensador. (Aquí la evolución de Machado corre pareja con la de Juan R. Jiménez —*Eternidades,* 1917—.) En este punto, el poeta termina para dejar el puesto al hombre de experiencia, al moralista; y nos parece oír al Salomón de los *Masjilin* y el *Kohelet,* adoctrinando a la mocedad inexperta con acentos que a veces recuerdan todavía al cantor de *Schir ha Schirim.* Entonces el poeta, el caballero antiguo, asume un aire de abuelo que nos enternece a lo humano, aunque artísticamente no nos emocione. Pero entonces nos abstenemos de silbar a quien de otro cantor ha dicho:

Ahora le tiembla la voz;
ya no le silban sus coplas,
¡que silban su corazón!

(R. Cansinos Assens, *«Nuevas Canciones* (Madrid, 1924), por Antonio
Machado», *Los Lunes de El Imparcial,* 10 de agosto de 1924.)

3. MANIFESTACIONES DE ANTONIO MACHADO, PARALELAS A LA APARICIÓN DE SUS LIBROS

3.1. *Sobre «Arias tristes», de Juan Ramón Jiménez*

Leyendo el hermoso libro de Juan R. Jiménez, que él titula *Arias tristes,* pienso que su mayor encanto acaso estriba en que no es triste; figuraos, lectores, una serie de paisajes otoñales, donde abunda la indecisión crepuscular aun en las horas de pleno sol, un jardín nocturno poblado de quimeras blancas y algunas vagas impresiones puestas en perspectiva de recuerdo. Una tenue bruma de soñolencia envuelve muchas cosas soñadas, y un soplo de primavera latente y constante las anima. ¡Bello libro de juventud en sueños! ¿Tristeza?... Afortunadamente, Juan Ramón Jiménez no sabe lo que es tristeza.

Algo de atormentado y doloroso hay, sin embargo, en este libro. Una sensibilidad fina y vibrante, acaso llega a lastimar el alma, antes de despertarla. Tal vez las sensaciones que en nosotros son fugaces porque se transforman en juicios, acaso en actos, en Juan Ramón Jiménez, se continúan produciendo una trepidación más honda, algo así como una invasión de formas, colores, aromas... reforzada por una fantasía poderosa, que llega a embriagar el alma, a anestesiarla, a acoquinarla, a impedirle que reaccione contra el mundo externo en la expresión de su sentimiento. Tristeza o alegría, ¿qué son al fin sino esas mismas sensaciones fundidas y acrisoladas al contraste de nuestra luz interna, más o menos turbia, y expresadas con una voz propia que dice: vivimos hacia la vida o hacia la muerte?

Juan R. Jiménez se ha dedicado a soñar, apenas ha vivido vida activa, vida real. Bien claro se puede advertir en estos versos encantadores, llenos de una suavidad, de una fluidez y de una tersura que no pudieron tener las estrofas de otros poetas a quienes la vida (?) sacudió fuertemente, con triunfos o con desastres, con obstáculos que la voluntad superó, con caídas que no pudo evitar la conciencia. Espronceda vivió; su poesía se nutre del recuerdo de su vida, y está impregnada de una amargura que es un arrepentimiento de lo vivido, agravado por un deseo de vivirlo otra vez. Pero la poesía de Juan R. Jiménez, de este hombre en sueños, se alimenta de vaguísimas nostalgias, y tiene acaso un fondo placentero, y que es así como una nebulosa esperanza de algo que ha de vivirse un día. Su libro es un preludio admirable, cuyos motivos no pueden recordar una historia de actos buenos o malos, alegres o tristes, de triunfos o de desastres, pero fatales porque fueron irremediables. No. Ese libro es la vida que el poeta no ha vivido, expresado en las normas y gestos que el poeta ama. Así, tal vez, quisiera vivir el poeta.

Y ahora vacilo yo antes de continuar este artículo, pensando si deberé atreverme a dar un consejo a este admirable poeta, a este hombre en sueños. Y después de pensar un poco, me digo: siempre se debe decir lo que se siente, con autoridad o sin ella.

De todos los cargos que se han hecho a la juventud soñadora, en cuyas filas aunque indigno milito, yo no recojo más que dos. Se nos ha llamado egoístas y soñolientos. Sobre esto he meditado mucho y siempre me he dicho: si tuvieran razón los que tal afirman, debiéramos confesarlo y corregirnos. Porque yo no puedo aceptar que el poeta sea un hombre estéril que huya de la vida pura a forjarse quiméricamente una vida mejor en que gozar de la contemplación de sí mismo. Y he añadido: ¿no seríamos capaces de soñar con los ojos abiertos en la vida activa, en la vida militante? Acaso, entonces, echáramos de menos en nuestros sueños muchas imágenes, y tal vez entonces comprendiéramos que éstas eran los fantasmas de nuestro egoísmo, quizá de nuestros remordimientos. Lejos de mi ánimo el señalar en los demás lo que veo en mí, pero me atrevo a aconsejar a Juan R. Jiménez esta labor de autoinspección.

Creo, sin embargo, que una poesía que aspire a conmover a todos ha de ser muy íntima. Lo más hondo es lo más universal. Pero mientras nuestra alma no se despierte para elevarse, será en vano que ahondemos en nosotros mismos. No lograremos hacer nada que nos satisfaga. Seremos confeccionadores de sensaciones narcóticas, con las cuales muchos gustarán de embriagarse; tallaremos, tal vez, figurillas de exquisita labor que puedan adornar algo más sustantivo y allí donde no haya nada, no estarán mal esas figurillas, o si somos valientes señalaremos en nosotros mismos el morbo que roe a nuestro vecino. Pero ¿no incurriremos en la vanidad de erigir en virtud nuestra propia miseria?

Y dicho esto, en descargo de mi conciencia, sigo afirmando que las *Arias tristes,* de Juan R. Jiménez, son admirables como obra de verdad y como expresión de nuestra alma, que indudablemente no se ha despertado a soñar.

Juan R. Jiménez ha forjado un paisaje y en él gusta de proyectar su sombra de paseante contemplativo. A veces se pregunta si esa sombra será su alma. Yo creo que no. Pero ésta es la pregunta de un poeta... Y todas las poesías de este libro son en el fondo la misma interrogación.

> Y yo me digo: esa sombra,
> ¿será esa sombra mi alma?...

Es un hombre que echa de menos su alma... Nostalgia, remembranzas, quimeras... algo que se fue, algo que ha venido; he aquí la verdad, la pobre verdad de nuestra vida... ¿Virtud? Laborar y esperar.

> Y yo me digo: esa sombra,
> ¿será esa sombra mi alma?...

Pero esta inquietud, que es en el fondo toda la tristeza del poeta, encuentra siempre un aura que la envuelve en aromas, y esas *Arias tristes* tienen ante todo la virtud de la sinceridad, y el encanto de la verdad que se ignora a sí misma, y la sublime poesía de algo convaleciente que mira ya hacia la luz, que ha de elevarse a Dios. ¡Hermoso libro de juventud en sueños!

Que el poeta sea o no sea castizo, cosa es que importa poco, a mi juicio; que sus ascendientes literarios estén en la poesía española o en la francesa, es cuestión baladí. Si el casticismo no es ingénito ¿a qué adoptarlo? Sería una *fase* también, la más inútil de todas.

Juan Ramón Jiménez sigue el camino de sí mismo, que es el bueno.

Y yo le digo: ¡Bravo... y adelante!

(Antonio Machado, *«Arias tristes,* por Juan Ramón Jiménez»* [14-3-1904]. Recogido en *Poesía y prosa. Vol. III: Prosas completas,* ed. de Oreste Macrì, Espasa-Calpe, Madrid, 1989, págs. 1469-1472.)

3.2. «Biografía»

Nací en Sevilla el año 1875 en el Palacio de las Dueñas [...].
Desde los ocho a los treinta y dos años he vivido en Madrid
con excepción del año 1899 y del 1902 que los pasé en París. Me
eduqué en la Institución Libre de Enseñanza y conservo gran
amor a mis maestros [...] Pasé por el Instituto y la Universidad,
pero de estos centros no conservo más huella que una gran aversión a todo lo académico. He asistido durante veinte años, casi
diariamente, a la Biblioteca Nacional. En 1906 hice oposiciones
a cátedras de francés y obtuve la de Soria donde he residido hasta
agosto de 1912, con excepción del año 10 que estuve en París,
pensionado para estudiar filología francesa. Estudié en el Colegio de Francia dos cursos (Bédier y Meillet). En 1909 me casé en
Soria (Iglesia de Santa María la Mayor) y enviudé en 1912. En
1.º de noviembre del mismo año fui trasladado a Baeza donde
actualmente resido. No tengo vocación de maestro y mucho menos de catedrático. Procuro, no obstante, cumplir con mi deber.
Mis lecturas han sido especialmente de filosofía y de literatura,
pero he tenido afición a todas las ciencias. Creo conocer algo de
literatura española. Tengo una gran aversión a todo lo francés,
con excepción de algunos deformadores del ideal francés (según
Brunetière). Recibí alguna influencia de los simbolistas france-
ses, pero ya hace tiempo que reacciono contra ella.

Tengo un gran amor a España y una idea de España completamente negativa. Todo lo español me encanta y me indigna
al mismo tiempo. Mi vida está hecha más de resignación que de
rebeldía; pero de cuando en cuando siento impulsos batallado-
res que coinciden con optimismos momentáneos de los cuales
me arrepiento y sonrojo a poco indefectiblemente. Soy más au-
toinspectivo que observador y comprendo la injusticia de señalar en el vecino lo que noto en mí mismo. Mi pensamiento está
generalmente ocupado por lo que llama Kant conflictos de las
ideas trascendentales y busco en la poesía un alivio a esta ingrata faena. En el fondo soy un creyente en una realidad espiritual opuesta al mundo sensible. Siento una gran aversión a todo
lo que escribo, después de escrito y mi mayor tortura es corre-
gir mis composiciones en pruebas de imprenta. Esto explica
que todos mis libros estén plagados de erratas.

Mi gran pasión son los viajes. Creo conocer algo algunas re-
giones de la Alta Castilla, Aragón y Andalucía. No soy muy so-
ciable, pero conservo afecto a las personas. He hecho vida de-

sordenada en mi juventud y he sido algo bebedor, sin llegar al alcoholismo. Hace cuatro años que rompí radicalmente con todo vicio. No he sido nunca mujeriego y me repugna toda pornografía. Tuve adoración a mi mujer y no quiero volver a casarme. Creo que la mujer española alcanza una virtud insuperable y que la decadencia de España depende del predominio de la mujer y de su enorme superioridad sobre el varón. Me repugna la política donde veo el encanallamiento del campo por el influjo de la ciudad. Detesto al clero mundano que me parece otra degradación campesina. En general me agrada más lo popular que lo aristocrático social y más el campo que la ciudad. El problema nacional me parece irresoluble por falta de virilidad espiritual; pero creo que se debe luchar por el porvenir y creer una fe que no tenemos. Creo más útil la verdad que condena el presente, que la prudencia que salva lo actual a costa siempre de lo venidero. La fe en la vida y el dogma de la utilidad me parecen peligrosos y absurdos. Estimo oportuno combatir a la Iglesia católica y proclamar el derecho del pueblo a la conciencia y estoy convencido de que España morirá por asfixia espiritual si no rompe ese lazo de hierro. Para ello no hay más obstáculos que la hipocresía y la timidez. Ésta no es una cuestión de cultura —se puede ser muy culto y respetar lo ficticio y lo inmoral— sino de conciencia. La conciencia es anterior al alfabeto y al pan. Admiro a Costa, pero mi maestro es Unamuno [...].

(Antonio Machado, «Biografía» [primeros de 1913]. Recogido en *Poesía y prosa, Vol. III: Prosas completas, op. cit.,* págs. 1523-1526.)

3.3. *Sobre «Imagen», de Gerardo Diego*

El libro *Imagen* de Gerardo Diego es el primer fruto logrado de la novísima lírica española. Acaso Gerardo Diego no nos da en esa obra la medida de su talento. Más vale así. El libro es bello; y, además, nos deja con la esperanza de otro mejor. Por mi parte sólo quiero anotar esto: un joven poeta se ha escapado de la obscura mazmorra simbolista. Hay en este libro una marcada tendencia hacia la objetividad lírica. ¿Contradicción? Sólo aparente. La lírica estaba enferma de subjetividad. Había pretendido expresar lo inmediato psíquico, el fluir de la conciencia individual, lo anterior al lenguaje, al pensamiento conceptual y a la construcción imaginativa. «De la musique avant toute chose.» El célebre verso de Verlaine llegó a alcanzar esta significación. Caricaturizando un poco, podría decirse que el poeta, por medio de narcóticos, creaba en sí mismo un estado comatoso cerebral, con el solo propósito de remediar el caos anterior a la conciencia clara, informada por la representación y el concepto. Fue aquello, en una parte, una labor negativa, como una aspiración a lo obscuro para profanar las cenizas de Goethe. Gerardo Diego intenta crear imágenes; en verdad, reacciona contra el lirismo simbolista que pretendía disolverlas, anublarlas, esfumarlas. No olvidemos que el simbolismo fue, a su vez, una reacción contra la pura objetividad de la orfebrería parnasiana.

Entre la fría impasibilidad del Parnaso francés, de aquellos hijos de Teófilo Gautier, para quienes el mundo exterior parecía existir por sí mismo, y la no menos errónea posición de los simbolistas que se encerraban en el caos afectivo de su mundo interior, cabía, en efecto, concebir una lírica de imágenes vivas, con luz propia, como conscientes de sí mismas, «múltiples y variables»: la imagen sugestiva o sujeto-imagen, la «imagen creada y creadora» de que nos habla el poeta.

Saludemos esta aspiración al milagro, esta valiente tentativa de Gerardo Diego. Mas reparemos en que la lírica «creacionista» surge en el camino de vuelta hacia la poesía integral, totalmente humana, expresable en román paladino y que fue, en todo tiempo, la poesía de los poetas. Para llegar a ella, forzoso es abandonar también cuanto hay de supersticioso en este culto a las imágenes líricas. No olvidemos los fines por los medios. Imágenes, conceptos, sonidos, nada son por sí mismos; de nada valen en poesía cuando no expresan hondos estados de conciencia.

Mas en el libro *Imagen* de Gerardo Diego, donde acaso sobran imágenes, no falta emoción, alma, energía poética. Hay además, verdaderos prodigios de técnica y en algunas composiciones, una sana nostalgia de elementalidad lírica, de retorno a la inspiración popular. Esas dos notas, aparentemente contradictorias, son señales inequívocas del trabajo de tanteo y exploración del joven poeta.

¿Qué será el próximo libro de Gerardo Diego? No lo sabemos. Los libros tienen una cierta dialéctica, independiente, en parte, del alma del poeta. Guiados por ella, hacemos a veces cálculos erróneos. Además, los libros de juventud, contra lo que generalmente se cree, son mucho más ricos en contenido que las obras de madurez. Ningún poeta logró actualizar cuanto con-

tiene en potencia su primer libro. Muchos propósitos quedan en
el camino; otros se logran. Deseamos a Gerardo Diego el pleno
triunfo de los mejores.

(Antonio Machado, «De mi cartera. Gerardo Diego, poeta creacionista» [Segovia, 29-9-1922]. Recogido en *Poesía y prosa. Vol. III: Prosas completas, op. cit.*, págs. 1640-1641.)

CRONOLOGÍA

de Antonio Machado

1875: Nace Antonio Machado en Sevilla, el 26 de julio, en el seno de una familia liberal, muy interesada en la cultura y, especialmente, en el folclore. Su abuelo fue Rector de la Universidad de Sevilla y uno de los introductores del darwinismo en España; su padre, abogado e ilustre folclorista.

1883: Siguiendo al abuelo, que es nombrado decano en la Universidad Central, la familia se traslada a Madrid. Aquí estudia en la Institución Libre de Enseñanza.

1889-1900: Cursa estudios de Bachillerato.

1893: Muerte del padre. Manuel y Antonio comienzan a publicar breves artículos humorísticos en la revista *La Caricatura,* con los seudónimos de «Polilla», «Cabellera» y «Tablante de Ricamonte».

1895: Muere el abuelo, con lo que aumentan las dificultades económicas.

1899: Primer viaje a París. Trabaja de traductor en la editorial Garnier y participa en tertulias literarias, donde conoce a Rubén Darío y a importantes escritores europeos.

1902: Publica *Soledades* (aunque aparece con pie de imprenta de 1903).

1903-1904: Colabora con poemas sueltos en la importante revista del Modernismo *Helios*.

1906: Prepara oposiciones a cátedra de Francés para Bachillerato.

1907: Publica *Soledades, Galerías y otros poemas*. Gana la cátedra y es destinado a Soria. Allí conoce a Leonor.

1909: Contraen matrimonio. Antonio tiene treinta y cuatro años y Leonor, dieciséis.

1910:   Es becado para ampliar estudios en París, donde sigue un curso del filósofo Bergson.

1911:   Enferma Leonor y el matrimonio regresa a Soria.

1912:   En junio se publica *Campos de Castilla*. En agosto muere Leonor. Antonio marcha a Baeza (Jaén), en donde permanece hasta 1919.

1915-1918:   Realiza estudios de Filosofía y Letras.

1917:   La editorial Calleja publica unas *Páginas Escogidas* y la Residencia de Estudiantes, sus *Poesías completas*.

1919:   Se traslada a Segovia, en donde permanecerá hasta 1931. El nuevo destino le permite viajar a Madrid los fines de semana y restablecer el contacto con el ambiente intelectual madrileño. Participa en la Universidad Popular. Colabora en las revistas *Índice, La Pluma, El Imparcial, Revista de Occidente*...

1924:   Aparecen *Nuevas Canciones*. Comienza a escribir los apuntes, luego publicados como *Los Complementarios*.

1926:   Escribe teatro en colaboración con Manuel: estrenan *Desdichas de la fortuna o Julianillo Valcárcel*. Se adhiere a la Alianza Republicana.

1927:   Es nombrado miembro de la Real Academia de la Lengua.

1928:   Conoce a Pilar de Valderrama, la *Guiomar* de sus versos.

1931:   Se traslada al Instituto Calderón de Madrid. Participa en una tertulia literaria con su hermano Manuel, Ricardo Baroja y otros intelectuales.

1934:   Inicia la redacción de *Juan de Mairena*.

1936:   Se publica la primera edición de *Juan de Mairena*. Al estallar la guerra, Antonio se adhiere a la causa republicana, a cuya propaganda colaborará con artículos en diversos periódicos, hasta casi su muerte. En noviembre se traslada a Valencia, con su madre y su hermano José.

1937:   Participa en el Congreso Internacional de Escritores para la Defensa de la Cultura, en Valencia.

1938:   Ante el avance de las tropas de Franco, son evacuados a Barcelona.

1939:   Con su madre, anciana y enferma, emprende el camino del exilio y se establece en Collioure. Aquí, el 22 de febrero, muere, a los sesenta y cuatro años. Tres días después muere su madre.

TALLER DE LECTURA

Vamos a emprender la aventura de leer las *Poesías* de Antonio Machado de manera reflexiva. Quizá pienses que esta especie de disección, tan intelectual, perjudica el placer de la lectura. En absoluto es así: desentrañar los sentidos más profundos y descubrir los entresijos de los logros expresivos nos llevará a admirar más esta obra. Precisamente los poetas más «popularizados» —Bécquer, Antonio Machado, García Lorca— son los que pueden ofrecer mayores riesgos de reduccionismo, al aislar y repetir siempre unos mismos poemas, sin contextualizarlos adecuadamente en el momento histórico y en la obra a la que pertenecen. Cuando, tras el esfuerzo que este taller de lectura va a suponerte, releas estos poemas, la lectura ya no será la misma: comprenderás los sentidos últimos y sentirás con el poeta, porque Machado supo expresar los *universales del sentimiento*.

PRIMERA ETAPA
«SOLEDADES, GALERÍAS Y OTROS POEMAS»

1. TEMAS, MOTIVOS Y SENTIDO

El libro que Antonio Machado nos legó como *Soledades, Galerías y otros poemas* consta de un núcleo original, que había sido publicado en 1902 con el título de *Soledades*. Aunque con supresiones, adiciones y variantes, este núcleo original lo constituyen las cuatro primeras partes de la versión definitiva («Soledades», «Del camino», «Canciones» y «Humorismos, Fantasías, Apuntes»). La quinta parte, «Galerías», fue añadida en la edición de 1907; y los poemas finales, «Varia», en la edición de las *Obras Completas*.

En *Soledades, Galerías y otros poemas* predomina una línea intimista, de reconcentración en sí mismo; es lo que se ha denominado *solipsismo*. Pero en algunos poemas hace su aparición una línea objetivista, de atención a la realidad exterior *(cosismo)* y a los otros hombres *(otredad),* línea que hallará su configuración definitiva en *Campos de Castilla*.

Los títulos parciales de *Soledades, Galerías y otros poemas* nos dan ya algunas pistas sobre su contenido general; sobre sus temas y su orientación. Además, el poema LXXVII nos puede servir de punto de partida y de síntesis de la poética machadiana en esta primera etapa.

1.1. *La línea intimista*

1.1.1. *La soledad*

Es éste el tema que da unidad a todo el libro, presente en la mayor parte de los poemas.

— En principio, se trata de una soledad real y física. Compruébalo en el poema VII y explica cuáles son los sentimientos que produce en el poeta y qué recursos emplea para llenar esa soledad.

— Machado dota de sentido trascendente la soledad física. A partir del poema LXXVII, reflexiona sobre el origen profundo de la soledad machadiana. Comenta la adecuación de los dos símiles utilizados y de los sintagmas definidores del *yo* machadiano en ese poema.

— Compara ahora los poemas VII y LXXVII. Hay algunos motivos que se repiten en ambos —la tarde, el sueño, el recuerdo, la infancia—: analízalos y comenta las coincidencias y las diferencias en su utilización. Otros motivos machadianos —la fuente, el camino— están sólo presentes en uno de los poemas: ¿crees que puede tener relación con el distinto tono y enfoque de cada uno de ellos?

— La soledad es un tema de filiación romántica y simbolista. En el poema LXXVII, Machado da la clave de la lectura simbólica de su «paisaje» gracias al símil inicial:

«Es una tarde cenicienta y mustia, / destartalada, como el alma mía.» Explícalo y reflexiona sobre el sentido y la función de los símbolos: ¿en qué se diferencian de la simple metáfora o de la alegoría?

— El título del libro enlaza con un género poético popular, característico de Andalucía, la *soleá*. Infórmate sobre su forma, el contenido más frecuente y sus cualidades esenciales: ¿Qué puntos de contacto hallas con las *Soledades* machadianas?

1.1.2. *El tiempo*

Antonio Machado define la poesía como «palabra en el tiempo». Una poesía intimista y profunda como la machadiana no podía estar ajena al planteamiento más universal y eterno del hombre: el tema del tiempo. Leamos el breve poema XXXV:

> Al borde del sendero un día nos sentamos.
> Ya nuestra vida es tiempo, y nuestra sola cuita
> son las desesperantes posturas que tomamos
> para aguardar... Mas Ella no faltará a la cita.

Aquí Machado es sumamente explícito: «nuestra vida es tiempo», un *sendero* al final del cual espera, inexorable, la muerte. Sin embargo, en muy pocas ocasiones se va a mostrar tan explícito el poeta. En *Soledades* este tema está normalmente implícito, evocado mediante los recursos propios del simbolismo: el poder de la sugerencia y los símbolos.

a) *El camino*

Como en el caso del tema de la soledad, el *camino* tiene un sentido primero real y un sentido simbólico.

— Comenta ambos sentidos en el poema LXXIX: ¿qué representa el camino; por qué es «amargo» y por qué «pesa en el corazón»? ¿En qué momento del día está ambientado el poema y qué relación tiene respecto al símbolo del camino? Analiza el sentido de los tres sintagmas con los que sugiere la tristeza del momento en que se encuentra su vida: «¡el viento helado, y la noche que llega y la amargura de la distancia!». Reflexiona sobre la pregunta final del poema.

— En el poema LXXVII hemos visto el símil del perro que vaga «por los caminos, sin camino». Explica esta especie de paradoja. ¿Qué nuevo sentido cobra aquí la palabra *camino?*

— Lee otros poemas en que se hace referencia al camino (II, XI, XXII, XXXIV, LII, LXXII, LXXXVII...) y comenta los sentidos con que aparece. En muchas ocasiones, el camino se asocia al sueño («Yo voy soñando caminos de la tarde», XI): ¿tiene entonces algún matiz especial este símbolo?

— La segunda parte de *Soledades* se subtitula «Del camino»: ¿encuentras alguna peculiaridad respecto a este símbolo —en cantidad o en enfoque— en los poemas de esta serie?

b) *La niñez*

La primera etapa del *camino* está presente en varios poemas de *Soledades*. La infancia es un tema recurrente en la literatura del siglo XX; la orientación más frecuente es la nostalgia por esa especie de paraíso perdido: la inocencia, la alegría, la madre... Sin embargo, en Machado el planteamiento es más complejo y se carga de nuevos matices.

 — Algunos poemas inciden en la línea del «paraíso perdido», pero ya con una orientación muy personal. Lee el poema LXXXVII: ¿cuáles son los elementos positivos con que se contempla la niñez? Ahora observa algunas aportaciones de Machado: comenta el sintagma «el alma niña». Explica el sentido de «andar camino, ya recobrada la perdida senda». ¿Qué función cumple la madre en esa recuperación del norte? ¿Por qué sitúa Machado la evocación de la niñez en las «galerías del alma»? Reflexiona sobre el título del poema: «Renacimiento».

— En otros poemas la visión de la niñez no es tan idílica. El poema V, «Recuerdo infantil», evoca el ambiente de monotonía que rodea la vida cotidiana de los colegiales. Aquí el recurso utilizado por Machado no es el símbolo sino el poder de sugerencia: la repetición de la estrofa inicial al final del poema; la repetición monocorde de la lección..., producen una sensación de monotonía y, por tanto, de lento transcurso de tiempo. El hastío hace también su aparición en el poema XCIII, contradiciendo la imagen dichosa de la infancia. En ambos poemas reaparece el tema del tiempo como telón de fondo: analiza esta aportación de Machado y ponlo en relación con su preocupación general por este tema.

— Lee otros poemas en que también se evoca la niñez (III, VIII, LXV, XCII). Explica en cuál de las dos líneas anteriores situarías cada uno de ellos y con qué otros temas machadianos enlazan.

c) *La tarde*

Como constata Manuel Alvar, 36 de los 96 poemas de que consta *Soledades* hacen alguna referencia a la tarde (ver nota 18 de la «Introducción»). El carácter simbólico de la tarde en Antonio Machado es evidente; su sentido debe ponerse, además, en relación con una simbolización general de este motivo en la poesía modernista coetánea (por ejemplo, es un símbolo muy utilizado también por Juan Ramón Jiménez).

 — ¿Qué sentido crees que le está dando Machado a la tarde (recuerda el poema LXXVII)? ¿Por qué crees que la poesía modernista encuentra mayor valor simbólico a la tarde frente a la noche, preferida por el Romanticismo?

— A menudo la tarde aparece asociada a una estación del año. Observa un ejemplo de cada una de ellas y explica qué diferente enfoque imprime a la tarde: primavera: (XLIII); verano: (VI); otoño: (I), e invierno: (V).

d) *La muerte*

Vimos en el poema XXXV que «nuestra vida es tiempo» y que, al final, «Ella no faltará a la cita». La muerte es nuestro destino final y Antonio Machado lo sabe y lo asume. Sin embargo, este tema no resulta recurrente y obsesivo (como pueda serlo en Unamuno), quizá porque, como sugiere en el poema XXI, la muerte llegará sin apenas dejarse notar: tras el sueño, «encontrarás una mañana pura / amarrada tu barca a otra ribera». Es el paso del tiempo, «la tarde», lo que obsesiona a Machado, porque entonces sí tiene consciencia plena del estado «destartalado» de su alma.

Son pocos los poemas en los que aparece la muerte de manera explícita. Fundamentalmente, se observan dos orientaciones en el tratamiento de este tema: la visión de la muerte de otros seres y el consecuente efecto que produce en el poeta; y la pérdida de sentimientos y de recuerdos que conlleva la muerte.

— Los poemas IV y XXXVIII reproducen escenas de muerte. Observa que hay en ellos una cierta narratividad; es decir, aquí no está totalmente proscrito lo anecdótico (frente al carácter general de *Soledades,* como el propio Machado afirma). ¿Por qué crees que, precisamente en un tema tan hondo, opta Machado por el recurso a lo anecdótico? ¿Cuál de estos dos poemas te parece más cercano a la sensibilidad romántica y cuál a la simbolista? ¿Por qué? Explica cuál de ellos produce un mayor efecto en ti.

— Lee el poema LXXVIII. ¿Qué es lo que realmente lamenta el poeta? ¿Quién es el *tú* a quien se dirige? Explica el sentido del sintagma «el mundo tuyo, la vieja vida en orden tuyo y nuevo». ¿Qué diferencia hay en el hecho de que el poema esté planteado en forma interrogativa y no enunciativa?

— En unos pocos casos, la muerte no es vista de manera negativa, sino como liberación (LVI) o simplemente como el destino final del camino (LVIII). ¿A dónde se orienta en estos casos la visión negativa?

1.1.3. *Las galerías del alma*

Las «soledades» que vive Antonio Machado le llevan a convertir su poesía en introspección, en vía de conocimiento de sí mismo y de acceso a los misterios que encierra su propia alma. Frente al racionalismo que proponía el método objetivo, positivista, como único medio de conocimiento, el idealismo propone otras vías alternativas. A Machado no le interesan las propuestas de la antropología criminal —muy de moda en la época— y, aunque se reconoce hipocondríaco, quiere desvelar los misterios de esta tendencia suya casi innata a través de la poesía, a través de la memoria y a través de los sueños:

> La causa de esta angustia no consigo
> ni vagamente comprender siquiera;
> pero recuerdo y, recordando, digo:

—Sí, yo era niño, y tú, mi compañera.
  Y no es verdad, dolor, yo te conozco,
tú eres nostalgia de la vida buena
y soledad de corazón sombrío,
de barco sin naufragio y sin estrella
[...]
  así voy yo, borracho melancólico,
guitarrista lunático, poeta,
y pobre hombre en sueños,
siempre buscando a Dios entre la niebla (LXXVII).

Toda la poesía de *Soledades* se convierte en vía de autoconocimiento. Machado quiere recorrer y desvelar las «galerías del alma». Esta poesía de interiorización acoge, muy especialmente, dos recursos de introspección: la memoria y el sueño: «Y podrás conocerte recordando / del pasado soñar los turbios lienzos» (LXXXIX).

 — Lee el poema LXI, que abre, como «Introducción», la sección titulada «Galerías». Machado afirma que «El alma del poeta / se orienta hacia el misterio. / Sólo el poeta puede / mirar lo que está lejos / dentro del alma...» Explica en qué consiste la misión del poeta y qué recursos propone para realizarla. ¿La misión del poeta va orientada sólo hacia sí mismo?

— A menudo memoria y sueño se funden, porque se recuerdan sueños pasados. Explica esta fusión a partir del poema VI. ¿Qué función cumplen los motivos de la fuente y la tarde? Explica el sentido de la antítesis «Yo no sé leyendas de antigua alegría, / sino historias viejas de melancolía». Busca otros poemas de la sección «Galerías» en que se dé esta fusión sueño-memoria.

a) *La memoria*

Las «galerías» del alma están ocupadas, en gran parte, por recuerdos, que el poeta reelabora y pone en relación (de similitud o de contraste) con su estado anímico presente. *Soledades* está lleno de recuerdos:

 — Algunos son recuerdos infantiles. Lee los poemas V y LXV y contrasta la visión que en cada uno de ellos se ofrece. ¿Qué es lo que hace que sea más positiva en el segundo? ¿Hay alguna referencia al estado actual del poeta?

— En otros poemas se rememora un amor pasado. A veces el recuerdo está potenciado por un objeto que sirve de puente entre pasado y presente. En el poema LXXII, ¿cómo se presenta la casa que sirve de acicate a la memoria? ¿Cómo se presenta el propio poeta?

— Machado pocas veces salva la realidad del pasado; lo que salva es la capacidad de ilusión de ese pasado, de la juventud perdida. Lee el poema LXXXIX y reflexiona sobre su afirmación final: «De toda la memoria, sólo vale / el don preclaro de evocar los sueños.»

b) *El sueño*

La afirmación de que Machado convierte los sueños en medio de autoconocimiento no debe llevarnos a pensar que ve en ellos la vía de liberación del subconsciente, como hace el psicoanálisis. El sueño de Machado es un soñar casi siempre despierto; es la ensoñación, la ilusión, la quimera. Aun en los sueños del dormir, lo que predomina no es su carácter cifrado, sino que la verbalización de tales sueños resulta lógica y siempre relacionada con sus más íntimas preocupaciones.

— Analiza el poema XXII para comprender los sentidos del sueño en Machado. Observa las antítesis. Como ves, los sueños pueden orientarse hacia el pasado y hacia el futuro; hacia el interior de uno mismo y hacia el exterior... Todos ellos «hacen camino»: ¿por qué?

— En el poema LIX, el poeta afirma que estaba dormido cuando se produjo el sueño que relata. Éste tiene cuatro partes, en progresión, que confluyen en el sentido final más profundo: la presencia de Dios en sí mismo. En las tres primeras estrofas, el sueño, aunque parece cifrado, no lo es tal, pues se trata de motivos repetidos en Machado —la fuente (VI, VII, VIII...), el sol (L), la colmena (LXXXVI)— y procedentes de la tradición bíblica: analiza el valor simbólico de cada motivo. ¿Qué sentido le das a que el poeta afirme, desde el principio hasta el final —en que se desvela el sentido real—, que todo ha sido un sueño?

— Lee la sección de «Galerías» y elabora una lista de los «sueños» machadianos. En realidad, Machado podría afirmar, como Calderón, que «la vida es sueño»,

pero la explicación que uno y otro darían a esta frase sería muy distinta. ¿Qué sentido y función tienen para Machado los sueños en la vida?

1.1.4. *La melancolía*

Más que de un tema propiamente, hay que hablar de un tono
general que impregna todo el libro de *Soledades, Galerías y
otros poemas*.

— Como tema, la melancolía se asocia a la tendencia hi-
pocondríaca del poeta, como vimos en el poema LXXVII
(«Sí, yo era niño, y tú, mi compañera.»). Lee también el
poema LXXXVI y explica su sentido general y las imágenes utilizadas.
— Busca tres poemas en que domine el tono melancólico, uno centrado en el pasado, otro en el presente y
otro que se oriente hacia el futuro. Recuerda algunos de
los símbolos utilizados (la tarde, la fuente...) y ponlos
en relación con la concepción vital machadiana.

1.2. *La línea objetivista*

En 1907, Machado entra en contacto con la tierra castellana y
con sus gentes, de forma que, al ampliar *Soledades* para su segunda edición, el poeta introduce una línea objetivista, que va a
convivir con la línea intimista antes predominante. No obstante,
debes tener en cuenta que pocas veces prescinde Machado totalmente del subjetivismo; lo más habitual es que, aun en los
poemas objetivistas, meramente descriptivos, haya alguna alusión que permita asociar el paisaje exterior con el estado anímico del poeta.

1.2.1. *El campo castellano*

— El poema IX, «Orillas del Duero», se considera el
primer y más claro ejemplo de esta nueva atención y va-
loración del paisaje en sí mismo. Entresaca los elementos
característicos de ese paisaje (que van a repetirse) y su caracterización. Observa y explica, en este poema, el recurso
al cromatismo y a la personificación, fundamentales en la
poesía descriptiva.

— En otros poemas, la descripción del paisaje sirve de base para sugerir el paisaje interior del poeta. Explícalo con referencia a los poemas XI y L. Lee el poema XIII; en él hay una referencia directa a la subjetivización del paisaje observado —«Bajo los ojos del puente pasaba el agua sombría. / Yo pensaba: ¡el alma mía!»— y, también, a la meditación personal como consecuencia de la contemplación del paisaje: explícalo y comenta las conclusiones que saca Machado.

1.2.2. *La ciudad*

El tributo poético que Antonio Machado rinde a la ciudad hay que ponerlo en relación directa con el aprecio del Modernismo por las viejas ciudades españolas, en oposición a la ciudad moderna, industrial y despersonalizada; esto es una muestra más de la actitud idealista de estos poetas, frente al racionalismo y a la exaltación incondicional del progreso. En esta preferencia por las «ciudades muertas» hay dos focos: la ciudad castellana (Toledo, Segovia, Soria...) y la ciudad de pasado musulmán (Granada, principalmente).

 — En el poema III, Machado habla explícitamente de las «ciudades muertas» y en el poema X, de «la plaza muerta». Lee estos poemas y reconstruye la visión descriptiva que ofrece de estas ciudades. Analiza cómo este marco sirve de base para subrayar un fuerte contraste entre los elementos que mueren y los que nacen, en una especie de eterna renovación.

— Elemento frecuente dentro de la ciudad es el parque. Lee los poemas I y LV; en ambos aparece un sintagma muy semejante: «parque mustio y viejo» y «parque mustio y dorado» y, en ambos, el momento del día en que se ambienta el poema es la tarde: ¿qué explicación das? Observa la idea anterior de eterna renovación en el poema XCVI, también ambientado en un parque, y pon en relación el símbolo de la fuente con esta idea.

— Al primitivismo de las ciudades muertas castellanas se une el exotismo que encierra la ciudad musulmana. Granada o Sevilla sirve de marco para un requiebro amoroso, en un poema, el LII, en que predomina la narratividad. Observa, sin embargo, que la *historia* está enmarcada por el título y por la estrofa final, que anclan la aventura amorosa en la «realidad» de un sueño. Resume dicha fantasía, resaltando su carácter anacrónico, y trata de explicar por qué Machado recurre a ella.

1.2.3. Las gentes

Antonio Machado aprende a salir de sí mismo y comienza a fijarse en otros hombres, quizá porque comprende que ciertos sentimientos son universales y eternos.

— Como Unamuno, Machado descubre y valora la callada aportación de las gentes anónimas. Aunque sin utilizar la palabra *intrahistoria*, el concepto está implícito en un poema como el II. Comenta esta idea y el contraste que establece entre los dos tipos de gente.

— Algunos poemas (XXVI, XXXI) se centran en figuras de mendigos, lo que nos recuerda la preferencia romántica por los personajes marginales. Sin embargo, la visión que Machado ofrece es muy distinta: ¿qué es lo que realmente le interesa resaltar? ¿Cómo enlaza este tema con sus preocupaciones generales?

— El poema que abre *Soledades* se titula «El viajero» y retrata una figura muy habitual en la época. Comenta el lirismo con que Machado trata al indiano, tan distante de la imagen ofrecida en la novela decimonónica. ¿Qué preocupaciones machadianas reaparecen aquí?

— Otro personaje habitual en *Soledades* es el «Poeta» (casi siempre referido en tercera persona). Lee los poemas XVIII, XLIX, LXI, LXXIX y XCV: reconstruye la imagen que Machado da del poeta, sus obsesiones, sus ilusiones, sus recursos, su función en la sociedad... ¿En cuáles de estos poemas se ve clara la identificación del «Poeta» con el propio Machado?

2. «SOLEDADES» Y LA TRADICIÓN LITERARIA

La originalidad de *Soledades, Galerías y otros poemas* es incuestionable. Pero esta evidencia no debe evitar contextualizar adecuadamente esta obra en su momento, comprobando las distintas tendencias que confluyen en ella, para, así, apreciar mejor la aportación machadiana. A partir de ciertos elementos —la mayoría de los cuales ya hemos analizado—, vamos a intentar contextualizar ciertos motivos, resaltando las líneas más operantes en *Soledades*.

2.1. *La huella romántica y los ecos becquerianos*

— El tratamiento del tema de la muerte en algunos poemas remite claramente a la poesía romántica. Comenta los poemas IV y XII y resalta los motivos que proceden de esta tradición. ¿Observas algún elemento que sea aportación machadiana?
— La imagen femenina, misteriosa y etérea, configurada por Bécquer, está presente en *Soledades*. Reconstruye esta imagen a partir de los poemas XV, XVI y XXIX.
— Los ecos becquerianos llegan a veces sumamente nítidos, en un consciente ejercicio de intertextualidad. Comenta el paralelismo de los siguientes versos machadianos «—¿Eres tú? Ya te esperaba... / —No eras tú a quien yo buscaba» (LIV), con los de Bécquer: «¿A mí me buscas? / —No es a ti, no» (Rima XI).

2.2. *El Decadentismo y el Simbolismo*

Antes has reconstruido el paisaje urbano de *Soledades:* las ciudades muertas, el parque viejo y mustio, la fuente musgosa... Todos estos motivos remiten al Decadentismo, movimiento finisecular que recrea artísticamente la decadencia y se complace en la degeneración de paisajes, estirpes o individuos.

— Comenta el marco decadentista en el poema XC. ¿En qué momento del día se sitúa esta descripción? ¿Tiene, pues, la tarde alguna relación con la sensibilidad decadentista? Explícalo.
— Lee el poema LXVIII y observa cómo se da el paso de la descripción física a la interiorización del poeta. ¿Crees que en otros poemas también hay que hacer una lectura simbólica de los motivos decadentistas?

Al estudiar los temas y motivos de la poesía machadiana en esta primera etapa hemos visto cómo se sirve de dos recursos fundamentales para expresar su estado anímico: el símbolo y la sugerencia. Ambos recursos están aprendidos en el Simbolismo francés.

 — Haz una síntesis de los principales símbolos presentes en *Soledades*.

2.3. *El Folclore*

El interés por la tradición popular lo hereda Antonio Machado de su padre, ilustre folclorista. El folclore, principalmente andaluz, está presente en *Soledades* en temas y formas.

 — El poema XIV es un homenaje al «Cante hondo». ¿Cuáles son los temas del cante andaluz que Machado resalta en este poema? ¿Tiene, pues, este cante relación temática con las *Soledades* machadianas?
— Algunos poemas de *Soledades* imitan en tema y expresión cancioncillas populares. Lee el poema XIX y resalta los sencillos recursos expresivos de que se vale Machado.
— Analiza especialmente la sección titulada «Canciones». Observa y comenta la métrica, la tendencia narrativa, el dialogismo, el simbolismo de las flores, el fondo de profunda meditación, la proliferación de figuras de repetición...

3. LA EXPRESIÓN MACHADIANA EN «SOLEDADES»

3.1. *La proscripción de lo anecdótico y la condensación emocional*

El propio Machado declaró con cierto orgullo que *Soledades* había sido el primer libro español en que había estado proscrito lo anecdótico. En efecto, apenas hay anécdota ni nada que pueda considerarse accesorio; Machado tiende a lo esencial, a la condensación temática y emocional.

 —Machado expresa su preferencia por el sentimiento y, por tanto, su tendencia a prescindir de la anécdota en los

siguientes versos del poema VIII: «Seguía su cuento / la
fuente serena; / borrada la historia, / contaba la pena.»
¿Crees que es posible expresar el sentimiento sin aludir
a cómo se ha llegado a él? ¿Qué función cumplen los
símbolos en esta proscripción de lo anecdótico?

3.2. *Narratividad y dialogismo*

A pesar de que Machado prescinde habitualmente de lo anecdótico, hay poemas en los que domina el discurso narrativo y
otros en los que se establece un vivo diálogo.

 — Repasa los poemas IV, XXXVIII y LII. Resume la
anécdota y abstrae el tema de cada uno de ellos. ¿Por
qué crees que recurre Machado a la narración de unos
hechos en vez de expresar sus sentimientos directamente o mediante símbolos? Analiza los tiempos verbales y otros recursos estilísticos propios del discurso narrativo.
— Son muchos los poemas en los que el poeta establece
un diálogo consigo mismo o con elementos externos.
Así lo vemos hablar con la tarde (XLI, XLIII), con el alba
(XXXIV), con la fuente (VI) o con la noche (XXXVII).
¿Qué efecto producen estos diálogos frente al discurso
enunciativo? ¿Crees que esta tendencia de Machado al
diálogo dramático tiene alguna relación con la tradición
popular?

3.3. *La métrica*

La métrica de *Soledades* es muy rica y variada. Machado utiliza versos desde cuatro a diecisiete sílabas (incluso en un
mismo poema, como el XVIII); rima asonante, consonante y versos blancos; versolibrismo, estrofas tradicionales o creadas por
él... En suma, una gran libertad preside sus preferencias métri-
cas. Machado se guía por sus gustos personales; a veces, también por las modas del momento —uso del alejandrino, por
ejemplo—; y, casi siempre, parece haber una adecuación entre
el contenido y la métrica utilizada.

— Analiza la medida y la rima de los poemas I, VIII, XI, XIV y XVIII. Observa el diferente efecto que produce el arte menor y el mayor. ¿Cuál de ellos procede de la tradición folklórica? Selecciona dos poemas que utilicen estribillos.

— ¿Muestra Machado mayor tendencia a la regularidad métrica o al versolibrismo? Selecciona algunos poemas que utilicen estrofas tradicionales (romance, romancillo, silva...). Analiza el poema XVIII como muestra de versolibrismo.

3.4. *Los recursos expresivos*

A lo largo de esta parte del taller ya hemos ido viendo múltiples recursos expresivos, puestos en relación directa con el contenido. Ahora, sin pretensión de exhaustividad, haremos una rápida síntesis de las figuras estilísticas más utilizadas por Machado en *Soledades*.

En el *nivel fónico,* Machado se vale muy frecuentemente de figuras de repetición, como anáforas, paralelismos, paronomasias, repetición de versos a modo de estribillo... Otro recurso que emplea a menudo es la variedad entonativa para dar mayor viveza al poema.

 — Analiza los distintos recursos fónicos en el poema VI.
— Observa varios poemas y verás que hay una gran tendencia a usar frases exclamativas (III, XII, XXV, XXXIX...), pero aún más a frases interrogativas (I, XXXIII, XLIII, LXII...): ¿Qué explicación darías a esta preferencia machadiana?

En el *nivel morfosintáctico* los recursos más utilizados por Machado son las enumeraciones, las estructuras paralelísticas, las oraciones nominales sin verbo, los diminutivos afectivos y, sobre todo, la abundante adjetivación. En los textos descriptivos de paisajes, la adjetivación es muy precisa (poema IX); pero en otros casos, el carácter simbólico de determinados motivos (la tarde, la fuente...) hace que los adjetivos utilizados resulten reiterativos y tópicos. Por otra parte, destaca la atención que Machado presta a los distintos sentidos: oído, olfato, vista e, incluso, tacto.

— Analiza la descripción del paisaje en el poema IX. ¿Predominan los epítetos o los adjetivos especificativos? Aísla los sintagmas nominales cuyo núcleo se complementa con más de un adjetivo. Observa el matiz del diminutivo utilizado. Analiza sintácticamente los últimos cinco versos: observa la enumeración, la ausencia de verbo, los signos de admiración..., ¿a qué función del lenguaje responden estos recursos?

— Revisa el uso y función de los adjetivos en el poema VI.

— En el poema IV, busca las refencias a cada uno de los sentidos y reflexiona sobre los procedimientos que utiliza el poeta para lograr ese sincretismo sensorial.

En el *nivel léxico-semántico* los recursos más utilizados por Machado son la metáfora, el símbolo y la personificación, ésta especialmente operante en las descripciones de paisajes. Respecto a los símbolos, en el apartado 2.2. ya has hecho una síntesis de los más utilizados en *Soledades* y su sentido.

 — Observa y comenta las metáforas utilizadas en el poema XVII y di de qué tipo son por su estructura (A es B, B de A, metáfora pura...)

— Analiza las personificaciones del poema LXVI.

A pesar de los múltiples recursos estilísticos de que el poeta se vale, *Soledades* mantiene la sensación de naturalidad. Machado nunca fuerza la expresión, no recarga y las figuras que utiliza no contienen la naturalidad expresiva.

SEGUNDA ETAPA
«CAMPOS DE CASTILLA»

En 1912, dos meses antes de la muerte de Leonor, ve la luz *Campos de Castilla*. Poco después, Antonio abandona Soria y, en el mismo tren, reanuda su creación, abriendo una nueva vía con poemas llenos de dolor y de nostalgia, acuciados por el recuerdo de Leonor. En Baeza, el poeta reelabora el tema de Castilla, desde la memoria, a la vez que fija su mirada en el campo andaluz. Inicia, igualmente, una línea de poemas muy breves, de gran concentración intelectual o emocional. Todos estos poemas serán incluidos en la nueva versión de *Campos de Castilla,* dentro de la edición de las *Poesías Completas* de 1917.

1. TEMAS, MOTIVOS Y SENTIDO

En *Campos de Castilla* los intereses de Antonio Machado parecen haberse invertido. Su mirada, antes prioritariamente reconcentrada en sí mismo, se abre al mundo exterior. Pero esto no significa que el poeta renuncie a la expresión de su *yo*. Además del subjetivismo que implica la selección de materiales y la opción por la técnica impresionista, las preocupaciones de Machado afloran frecuentemente, entreveradas con los *campos castellanos*. Aunque a menudo es difícil deslindar lo objetivo y lo subjetivo en la poesía machadiana, se impone una división en el análisis, para facilitar la comprensión, así como una referencia constante a las fases de composición del libro.

1.1. *La línea objetivista*

1.1.1. *El paisaje castellano*

Antonio Machado descubre el paisaje castellano, en sí mismo, ya no como simple contrapunto a su estado anímico. La primera impresión que tiene el lector al leer estos poemas es que se trata de descripciones objetivas del paisaje. Pero los matices con que Machado afronta este nuevo tema son muy variados.

 — Hay poemas en los que domina el mero descriptivismo, ausente toda alusión al *yo* del poeta. En el poema CV es evidente que el paisaje descrito requiere la contemplación de un espectador: busca todas las alusiones a esa necesaria presencia personal, ¿qué forma gramatical adopta Machado para evitar concretar la mirada a la suya personal?
— Y hay otros poemas, en los que el paisaje implica emocional e intelectualmente al poeta. Lee el poema CII, «Orillas del Duero»: sintetiza los componentes del paisaje castellano (la geografía, la flora y la fauna). Busca

las referencias en las que Machado deja aflorar sus sentimientos por esas tierras: ¿Qué recursos gramaticales emplea? En las últimas estrofas se ve claramente que el paisaje aporta a Machado un motivo para la reflexión personal: comenta estas reflexiones y las distintas formas empleadas en su formulación.

En paralelo al descriptivismo, se abre también una vía de narratividad. Entonces, el *yo* del poeta adopta la forma de narrador y la descripción se inserta en un relato de acontecimientos. Conocemos lo que éste hace y ve, pero no lo que siente. Sigue siendo, pues, un narrador objetivo, mero retratista de lo que se ofrece a sus ojos. Ni sus acciones afectan al paisaje, ni éste parece afectar a su ánimo. Pero esa aparente objetividad de retratista es ilusoria, porque Machado selecciona elementos del paisaje, los describe de manera impresionista y da el salto hacia una interpretación personal.

 — Lee el poema XCVIII. Abstrae las acciones que realiza el narrador. Ahora, analiza lo que ve y lo que ofrece al lector: *a)* sintetiza la descripción del paisaje (geografía, clima, flora y fauna); *b)* piensa qué otros elementos pueden faltar, compara con los que a él le llaman la atención y busca las razones que pueden llevar a Machado a seleccionar precisamente esos elementos y no otros; *c)* pon algunos ejemplos de la técnica impresionista (fíjate por ejemplo en las aposiciones entre guiones, en las metáforas, en las frases nominales sin verbo...) y del recurso a los distintos sentidos (vista, olfato, oído); *d)* analiza ahora la interpretación, que se deriva de la contemplación del paisaje, sobre el presente y el pasado de Castilla; *e)* ¿Crees ahora que puede hablarse de enfoque objetivo en este poema? ¿Por qué?
— Síntesis de estos distintos enfoques es el poema CXIII, «Campos de Soria». Lee el poema completo, ¿en qué estrofas crees que domina el descriptivismo objetivista? ¿En cuáles se implica emocionalmente el poeta?
— En la estrofa III hay cierta narratividad, ¿a quién va asociada? ¿Es frecuente el uso de esa persona verbal en este libro? En otras estrofas, la narratividad va asociada a las gentes que pueblan esas tierras: comenta esos casos.

Desde el recuerdo, la visión de la tierra castellana se matiza. Antonio Machado escribe el primer poema sobre la lejana Soria ya en el tren, camino de Baeza. En la serie de poemas en que se rememora la tierra soriana, siempre está presente y explícito el *yo* del poeta, y esto, no sólo por la necesaria personalización que requiere el recurso a la memoria, sino por la gran carga emocional que estos poemas conllevan.

 — Lee los poemas CXVI, CXXI, CXXV y CXXVI: comenta en cuáles de ellos se marca el contraste entre las tierras de Castilla y de Andalucía y por qué medios se resalta dicho contraste. Explica todos los matices y las razones de la nostalgia que embarga a Machado.

1.1.2. *El campo andaluz*

En la segunda edición de *Campos de Castilla,* Machado incluye los poemas escritos en su nuevo destino, Baeza. El encuentro con el campo andaluz le impresiona igualmente; primero por el contraste con la tierra soriana, pero también por la riqueza poco explotada de su tierra. Andalucía —aun en mayor medida que Castilla, porque la riqueza natural es mayor— padece los efectos de una mala administración y de un régimen caciquil que depaupera progresivamente la tierra.

 — Como hiciste antes con la descripción de la tierra castellana, abstrae ahora, a partir del poema CXXXII, los elementos que caracterizan el paisaje andaluz (geografía, clima, flora, fauna). ¿Qué tipo de enfoque predomina y a qué puede deberse que Machado opte por él ahora, en mayor medida que para la descripción del paisaje soriano? Pon algunos ejemplos de la técnica impresionista y del recurso a los distintos sentidos.

1.1.3. *España*

A partir de la concreción a las dos tierras que mejor conoce, Castilla y Andalucía, Machado da el salto hacia una concepción más global de nuestro país. Después del descubrimiento de Castilla, en el primer *Campos de Castilla,* y del reencuentro con su tierra natal, en Baeza, Machado está preparado para encarar el problema de España en toda su amplitud y profundidad.

— A partir de los poemas CXXXV, CXLIV y CXLV, analiza los males que, según Machado, padece España. Para describir dichos males, el poeta utiliza a menudo la ironía; se vale igualmente de un léxico muy directo y fuerte —a veces con cacofonismos— y de la alegoría: selecciona algunos ejemplos significativos de cada uno de estos recursos. ¿Cuántos tiempos distingue Machado en la historia y el destino de España? Explica en qué se concreta la esperanza del poeta en la nueva España.

1.1.4. *Las gentes*

La visión de las gentes castellanas es, en principio, bastante negativa. Curiosamente, esta visión se suaviza cuando el poeta rememora la tierra soriana y sus gentes, desde Baeza.

— En varias ocasiones se alude al fuerte contraste entre la nobleza de los antepasados y la ruindad de los habitantes actuales. Explícalo a partir del poema XCVIII.
— En el poema XCIX se ofrece la descripción de un tipo humano predominante en España. Abstrae el retrato físico y moral. ¿Hay, según Machado, relación entre el medio físico y la manera de ser de los hombres? ¿Qué quiere decir «la sombra de Caín»?

Al reencontrarse con su tierra, Machado, que la había abandonado siendo un niño, redescubre modos de vida que creía enterrados en el pasado. La visión de las gentes de Andalucía es, en general, positiva; pero su miseria se debe a que siguen padeciendo la lacra del señoritismo y del caciquismo.

— Abstrae los rasgos con que se caracteriza al pueblo andaluz, en el poema CXXXII.
— Resume la vida del señorito andaluz retratado en el poema CXXXIII, poniendo de relieve los caracteres más negativos. ¿Cuál es el pensamiento machadiano que se deriva de la observación de esa vida vana? Resalta algunos ejemplos de la ironía con que Machado retrata a Don Guido.

La esperanza en el futuro de España no se concreta en la riqueza de la tierra ni en el progreso material, sino en la decisión y el trabajo de sus gentes. Machado adopta un tono profético al confiar en el renacimiento de su patria: la nueva España está en sus gentes.

 — A partir de los poemas CXXXV y CXLIV, abstrae los rasgos que Machado atribuye a los españoles del futuro, llamados a salvar su patria.

1.1.5. *La perfecta fusión tierra-hombre: «La tierra de Alvargonzález»*

En enero de 1912 publicó Antonio Machado el cuento-leyenda titulado «La tierra de Alvargonzález», en la revista *Mundial Magazine,* editada por Rubén Darío en París. En abril de ese mismo año, publicó en la revista madrileña *La Lectura* la versión en romance. Ambas versiones fueron incluidas en *Campos de Castilla.* Aunque hay opiniones favorables a la anterioridad de la versión poética, es bastante seguro el proceso contrario: en una excursión de Soria a la Laguna Negra, Antonio Machado concibe una leyenda inspirada por la dureza de esas tierras. Primero, la estructura se adapta a un relato de viajes, en prosa, en que un paisano «cuenta» una historia que justifica la configuración de un paisaje determinado. Después, Machado recrea esta leyenda poéticamente, eligiendo para ello la forma estrófica que mejor se adapta a su contenido: el romance tradicional. Por otra parte, otros rasgos avalan también la idea de que éste es la versión más trabajada, desarrollo del núcleo original en prosa: la liberación del marco en que se inserta la leyenda —relato de viajes—, la mayor duración del romance junto a una mayor «esencialidad», la modificación de la historia al final más acorde con el ideal regeneracionista de Machado...

«La tierra de Alvargonzález» desarrolla la idea de interdependencia paisaje-hombre: una tierra dura provoca la dureza y ruindad de sus pobladores. Pero el efecto es recíproco, porque la mezquindad humana también influye en el paisaje, empobreciéndolo. Parece un círculo vicioso, abierto, eso sí, a la esperanza del hombre capaz de romper esa dependencia.

— Lee la versión en prosa y sintetiza los siguientes datos de contenido, poniéndolos en relación con la mentalidad de esa época y con el carácter legendario del relato: el marco del viaje, la historia del padre y la costumbre de destinar a los hijos para distintas funciones, rasgos de profetismo en el relato, la oración del padre, los sueños premonitorios (simbolismo dentro de ellos), la naturaleza activa, los hechos milagrosos, la caracterización de los personajes.

— La versión en romance prescinde de toda introducción, concentrada en la leyenda misma. A pesar de que se detiene más en algunos detalles, da sensación de esencialidad: todos esos detalles son imprescindibles para la historia. Haz un resumen del romance respetando su estructura. Comenta las principales diferencias de contenido y la orientación que esas variaciones imprimen al romance. Explica el sentido del distinto final y ponlo en relación con la ideología de Machado.

— Como «romance», la leyenda se inserta en la más pura tradición española y se enriquece con nuevos elementos: busca ejemplos de frases con tono épico, de coplas populares nacidas de hechos truculentos o de carácter premonitorio y de alusiones a creencias populares con tono sentencioso.

1.1.6. *Los elogios*

En la versión de *Campos de Castilla,* de la edición de las *Poesías Completas,* incluye Machado la sección titulada «Elogios», formada por unos pocos poemas de la primera década del siglo, más otros escritos después de abandonar Soria.

— Un grupo de poemas está dedicado a escritores coetáneos. Haz una lista de ellos y, si no conoces alguno, infórmate sobre su obra. ¿Cuáles son los rasgos que destaca como característicos en cada escritor? ¿Crees que acierta Machado en la recreación poemática del mundo del escritor elogiado? Lee con detenimiento estos poemas y trata de sintetizar los gustos literarios de Machado. Intenta aproximarte a su poética (temas que le interesan, enfoques, estética...) a partir de sus preferencias literarias.

— Dos poemas están dedicados a pensadores, ambos comprometidos con la vida pública, uno ya muerto y otro recién nacido a la vida intelectual: Giner de los Ríos y Ortega y Gasset. Explica los rasgos con que caracteriza sus respectivas personalidades. ¿Puede abstraerse alguna idea ética de Machado? ¿Se adivina esperanza en el futuro de España? ¿Por dónde ha de venir ese resurgimiento?

1.2. *La línea intimista*

A pesar del predominio del enfoque objetivista, *Campos de Castilla* es también una especie de diario íntimo, que permite reconstruir la biografía física y espiritual de Machado. Comienza con un autorretrato, nos cuenta después hechos y sentimientos y nos brinda sus pensamientos más íntimos.

1.2.1. *El «Retrato» de Machado*

El célebre «Retrato» que abre *Campos de Castilla* nos ofrece una rápida síntesis biográfica, una caracterización física y moral y una aproximación a la poética machadiana.

 — Abstrae las cualidades de la personalidad de Machado, así como su ideología. Sintetiza los rasgos de la poética machadiana a partir de las alusiones que aparecen en su «Retrato».

Pero Machado, además de brindarnos su autorretrato y su concepción estética, reconstruye en *Campos de Castilla* su biografía física y moral, biografía dividida en un «antes» y un «después» de la muerte de Leonor.

 — Entresaca algunos datos biográficos que puedan derivarse de la lectura de *Campos de Castilla*. Compara el poema CXXVIII, escrito en 1913, con el «Retrato», de 1906, y trata de reconstruir la evolución del poeta en esos años. ¿Cuáles son los temas que preocupan a Machado? ¿Están muy alejados de los de *Soledades?* Comenta el frecuente recurso a la ironía y su razón de ser en este poema.

1.2.2. *Los sentimientos*

En *Campos de Castilla* reaparecen algunas de las preocupaciones que habíamos visto en *Soledades*. Junto a éstas, irrumpen con fuerza nuevos sentimientos, especialmente el dolor por la muerte de Leonor, que vuelve a sumir al poeta en la más terrible soledad.

— El sentimiento de soledad sigue embargando al poeta, pero ahora la soledad no es sólo una sensación personal: Machado se siente tan identificado con Castilla porque ésta es ejemplo y símbolo de la eterna soledad: busca las referencias concretas a esta creencia en los poemas CII, CXVIII, CXIX, CXXI y CXXVII. En algunos de estos poemas hay alusiones a la tarde ¿crees que mantiene el carácter simbólico que tenía en *Soledades?* Comenta el contraste entre el tiempo pasado y el presente en el poema CXXVII.

— El dolor por la amada muerta inunda muchos poemas de *Campos de Castilla,* en su segunda edición. Unas veces son poemas enteros centrados en la compañera perdida y otras, meras alusiones que tiñen de melancolía poemas de temas diversos. Pon un ejemplo de cada una de estas posibilidades.

— Los sueños y los recuerdos siguen llenando las *galerías del alma* machadiana. El sueño sigue siendo una quimera, una ilusión, unido a menudo al recuerdo de Leonor: explícalo con referencia a los poemas CXXI y CXXII. Por la memoria se recupera la ilusión de lo vivido y, a la vez, resurge la melancolía por la conciencia de lo que se ha perdido: comenta esta doble perspectiva a partir del poema CXVI.

1.3. *La línea reflexiva*

Ya hemos visto cómo la observación del paisaje y de las gentes de España llevan al poeta a reflexionar sobre el presente y el futuro de nuestra nación. A parte de este planteamiento, Machado dirige su poesía hacia la reflexión en otros temas que le preocupan, como el tema de Dios. Esta línea de poesía reflexiva hallará una forma propia, en la segunda edición de *Cam-*

pos de Castilla, la de los «Proverbios y cantares», breves poemas de gran contención emocional e intelectual.

El tema de Dios está presente en *Campos de Castilla* desde
distintas perspectivas: el Dios tradicional, la *soñada* existencia
de Dios, la esperanza...

— Ya en el poema CI, «El Dios ibero», Machado ofrece
una concepción de Dios primitiva, que aún pervive, con-
sistente en un Dios cuya acción sirve para explicar fenómenos naturales y al que se orientan los temores de los
hombres. Haz una síntesis de los atributos del Dios ibero
y explica cuál es la actitud de Machado hacia esa concepción. Analiza el sentido de las dos últimas estrofas. En
«La saeta» (CXXX) el poeta contrasta la fe popular en el
Cristo de la pasión con la suya propia: ¿cuál es la imagen
que prefiere Machado y cuál es el sentido de esa imagen?
— La idea de que Dios es una ilusión de los hombres,
presente en *Soledades,* se repite en varios de los «Proverbios y cantares» de *Campos de Castilla.* ¿Encuentras
alguna diferencia o progresión entre el poema LIX de
Soledades y los proverbios CXXXVI-XXI, CXXXVI-XXXIII
y CXXXVI-XLVI?
— Analiza el sentido del poema CXXXVII-V, «Profesión
de fe»: ¿le basta a Machado con la fe? ¿Cuál es su pro-
puesta personal?

Los «Proverbios y cantares» y las «Parábolas» se convierten
ahora en nuevas «galerías del alma»; es decir, en vía poética de
autoanálisis y de reflexión personal sobre cuestiones esenciales
en torno al hombre. Ahora Machado ya no se interesa sólo por
su esencia y *su* existencia, sino que, aun cuando adopta la forma
en primera persona, tiende a planteamientos generales que cualquier lector puede asumir. La ligereza de la forma contrasta con
la profundidad del pensamiento que estos poemillas encierran;
es precisamente esa concentración la que invita al lector a parti-
cipar en esa meditación y, a menudo, a hacerla propia. Por otra
parte, el tono sentencioso que adoptan a veces estas reflexiones
enlaza con el saber popular.

— Selecciona un «proverbio» centrado en el autoanálisis personal; y otro, de tipo general, próximo al saber
paremiológico. ¿Cuál te resulta más directo? Explica el

sentido de los cinco «proverbios» que más te hayan hecho pensar.
— Pon ejemplos de «proverbios» en los que reaparecen
símbolos y motivos repetidos en la poesía de Machado
y explica su sentido (el camino, el sueño, el mar...)
— Respecto a la forma, selecciona un «proverbio» en
primera persona (singular); otro, en primera del plural;
otro, en segunda del singular; y otro, en tercera. Observa
y comenta el distinto efecto que producen. Antonio Machado recurre a menudo a frases interrogativas y exclamativas, ¿por qué? A pesar del tema profundo, estos
poemillas adoptan a veces un tono ligero y desenfadado:
pon algunos ejemplos. ¿Ves diferencia entre los «proverbios» y los «cantares»?

2. La expresión machadiana en «Campos de Castilla»

2.1. *Predominio descriptivo*

Al salir Machado de su solipsismo y encontrarse con el paisaje,
siente la necesidad de comunicar su admiración y de hacer llegar
al lector la grandeza de ese paisaje. Para ello, el poeta tiene que
poner ante los ojos del lector lo que él ve, hacerle oír los sonidos
que llenan el campo y hacerle percibir sus aromas. Este predominio de lo descriptivo se vale fundamentalmente de recursos del
nivel morfosintáctico (el uso de frases nominales, la abundante
adjetivación y el sincretismo sensorial) y del nivel léxico (metáforas, sinestesias...), que luego analizaremos con mayor detalle.

— Sintetiza las descripciones del poema CXIII, «Campos de Soria», y haz una lista de los recursos más utilizados, agrupándolos por niveles.
— También las personas son objeto de descripción en
Campos de Castilla. Analiza el retrato del poema CVII.

2.2. *Narratividad y dialogismo*

Junto a los poemas meramente descriptivos, hay muchos
otros en los que la descripción se inserta en un marco narrativo,

más amplio. Además de «La tierra de Alvargonzález», ya estudiada, otros poemas relatan viajes del poeta o acciones ajenas. También es muy frecuente el recurso al diálogo: unas veces en apelaciones del poeta a elementos de la naturaleza; otras, al reproducir una conversación entre paisanos; y otras en vivo diálogo con el lector (frecuente en los «Proverbios»).

— Comenta la perfecta interrelación de narración y descripción en el poema XCVIII. Sintetiza lo que pasa y lo que ve el poeta. Los viajes dan motivo a Machado de contemplar paisajes y de observar las gentes: resume el contenido del poema CXXVII y analiza los recursos utilizados.

— El retrato de «tipos» lo realiza Machado más que por descripción directa de sus rasgos físicos o morales, a través de sus acciones y las propias del ambiente que les rodea. Explícalo con referencia a los poemas CVIII y CXXXIII.

— Analiza los distintos tipos de diálogo en el poema CXXVIII.

2.3. *Métrica*

Como en *Soledades,* la métrica de *Campos de Castilla* es muy rica, con versos desde tres (CXXVIII) a diecisiete sílabas (CXLV), rima variada, versolibrismo y estrofas diversas. La medida más frecuente es la octosilábica y la de versos alejandrinos. Machado tiende a formar series de estrofas de cuatro versos, en arte mayor o menor, con rima abrazada o alterna.

— Analiza la métrica de los poemas XCVII, CIII, CVIII, CX y CXXXIII. Pon en relación las estrofas de arte mayor o menor con el tema y la orientación de los poemas respectivos.

— Estudia la métrica de «La tierra de Alvargonzález»: ¿cuántas series de romances hay? ¿Qué pretende Antonio Machado al optar por la forma del romance?

2.4. *Recursos expresivos*

En el *nivel fónico,* Machado se vale —ahora igual que en *Soledades*— de figuras de repetición, como anáforas, derivacio-

nes, paralelismos, paronomasias, repetición de versos a modo
de estribillo... Sigue, igualmente, con una gran variedad entonativa: los «Proverbios y cantares», por ejemplo, suelen tener
una parte enunciativa y otra exclamativa o interrogativa.

— Analiza los distintos recursos fónicos en los «Proverbios» XVIII, XXI, XXVII, XXIX y XXX.
— Selecciona cinco «Proverbios» con predominio de
frases interrogativas: ¿por qué prefiere Machado la pregunta a la enunciación categórica? Analiza las distintas
estructuras posibles (pregunta-respuesta; afirmación-
duda; sólo pregunta) y pon el resultado en relación con
los distintos temas.
— En los poemas descriptivos, Machado opta también
por la riqueza entonativa, con abundantes exclamaciones que expresan su admiración o con preguntas retóri-
cas dirigidas a elementos de la naturaleza. Analiza esta
tendencia en el poema CIII.

En el *nivel morfosintáctico* los recursos más utilizados por
Machado son las oraciones nominales sin verbo, las apelaciones a elementos de la naturaleza o al lector, los diminutivos
afectivos —sobre todo, para elementos del paisaje—, la abundante adjetivación y el sincretismo sensorial.

— Analiza todos estos recursos en el poema XCVIII.

En el *nivel léxico-semántico* destaca, en primer lugar, la utilización de léxico tradicional y castizo, con algunos regionalis-
mos y arcaísmos. Los recursos estilísticos más utilizados por
Machado son la metáfora, el símbolo, la personificación, la alegoría y la ironía.

— Anota todas las palabras del poema CXIII que no en-
tiendas. Busca su significado en el diccionario y deduce
si se trata de cultismos, voces tradicionales, regionalis-
mos o arcaísmos.
— Algunas metáforas se repiten en la descripción del
paisaje soriano; por ejemplo, «curva de ballesta» o «barbacana hacia Aragón». Explica su significado y la razón
de la preferencia de Antonio Machado por ellas.

— Resume el simbolismo concedido a los árboles, según el poema CIII.
— Explica la ironía en el poema CXXVIII.
— Analiza las alegorías del poema CXLIV. ¿Por qué crees que recurre Machado a esta figura para afrontar mejor el tema de España?

TERCERA ETAPA
«NUEVAS CANCIONES»

1. TEMAS, MOTIVOS Y SENTIDO

Nuevas Canciones acoge poemas escritos después de 1917. La primera edición se hizo en 1924, pero el libro se enriqueció posteriormente con nuevos poemas en la edición de las *Poesías Completas* de 1930. Ya en la fecha inicial de esos primeros poemas, Machado había manifestado explícitamente su preferencia por la prosa. *Nuevas Canciones* no es un libro concebido como un poemario unitario, sino una reunión de poemas muy diversos y algunos muy distantes en el tiempo y en los intereses del poeta. El resultado es que el libro adolece de la unidad que tenían los libros anteriores y se nutre de materiales muy diversos. Después de *Nuevas Canciones,* Antonio Machado ya no editará ningún poemario, aunque publicará algunas poesías sueltas en revistas e incluirá diversos poemas en su obra en prosa.

1.1. *La línea objetivista*

El tiempo parece hacer efectiva la amenaza que ha gravitado sobre toda la obra de Machado. En *Soledades* el poeta había sugerido que lo que realmente le asustaba del paso del tiempo y de la muerte era la pérdida de la memoria. El primer dato de esta evidencia es la disminución de referencias a la tierra soriana. La lejanía espacial, pero, sobre todo, temporal, de Soria hace que los ecos de su impacto sobre el poeta se vayan apagando. Las alusiones no desaparecen por completo, pero se reducen considerablemente, centrado el poeta en el redescubrimiento de su Andalucía natal. En *Nuevas Canciones* las referencias al propio poeta disminuyen: se trata, sobre todo, de un observador, que admira y, acaso, medita. Las alusiones a su intimidad escasean y son siempre muy rápidas.

 — El poema «Olivo del camino» abre las *Nuevas Canciones* (1917-1930) machadianas y da algunas pistas sobre la nueva orientación de su poesía: ¿Cuál es la imagen del propio poeta que se ofrece? Comenta las referencias a Castilla. El olivo es un árbol cargado de simbolismo: desvela su significado y ponlo en relación con la concepción de Andalucía. ¿Qué sentido tiene la recreación mitológica en este poema?

— Sintetiza la imagen que se ofrece de Andalucía en el poema CLIV. Explica el sentido de las referencias religiosas. ¿Está presente el *yo* del poeta? Analiza la técnica impresionista y comenta sus recursos.

— Resume el contenido del poema CLV. ¿Crees que las referencias en primera persona son reales o que el poeta está asumiendo la voz del pueblo? Observa la cancioncilla popular inserta en la última estrofa: ¿crees que se trata de una mera repetición o de una recreación? ¿Da mayor sensación de cantar popular esa cancioncilla que el resto del poema?

— En el poema CLVIII, «Canciones de tierras altas», reaparece el recuerdo de Soria. En la estrofa tercera, Machado alude a que de nuevo se abre la puerta de las galerías de su historia, con lo que ha de suponerse que en ocasiones esa puerta estaba ya cerrada. Además Machado recupera el tema de Soria y todo lo perdido, pero con aires nuevos (estrofa y tono de canción popular). Explica este diferente enfoque respecto a los poemas de *Campos de Castilla,* mucho más graves (puedes verlo aún más claro en el poema CLX). En la última estrofa hay una referencia a Dios: ¿crees que ha habido alguna variación en su consideración?

Como en *Campos de Castilla,* Antonio Machado dedica una serie de poemas a distintos personajes, la mayoría de ellos escritores de su misma generación.

 — Sintetiza la imagen que Machado ofrece de Baroja, Azorín y Valle-Inclán. Separa los rasgos físicos, los morales y las alusiones a su obra. ¿Qué recursos utiliza preferentemente el poeta en estos retratos literarios? Frente a éstos, escritos en una estrofa tan severa como el soneto, el poema dedicado a Francisco de Icaza adopta una forma ligera, de corte popular: ¿Qué distinta impresión te producen? ¿Qué forma consideras más adecuada al contenido?

1.2. *La línea reflexiva*

La línea de poemas reflexivos iniciada con los «Proverbios y cantares» en *Campos de Castilla* se continúa, en *Nuevas Canciones,* con una serie de aforismos aún más concentrados, con forma acorde con la orientación popularista de todo el libro (predominan los de dos o tres versos de arte menor y los hay, incluso, de un solo verso).

— Lee estos nuevos «Proverbios y cantares» y comenta el sentido de los cinco que más te hayan hecho pensar.
— Como hiciste con los de *Campos de Castilla,* selecciona un «proverbio» en primera persona del singular; otro, en primera del plural; otro, en segunda del singular; y otro, en tercera. Observa y comenta el distinto efecto que producen.
— Aísla los poemillas que tienen como tema general la *sed* y todo lo relacionado con ella y sintetiza las ideas subyacentes. ¿Ha habido variación respecto al mismo tema en *Campos de Castilla* (CXXXVI)?
— Selecciona tres «cantares» que te sugieran la poesía popular y explica por qué.

Además de los «Proverbios y cantares», Machado encuentra en el soneto —de tradición áurea— otra forma también propicia para la reflexión más profunda; esta estrofa, limitada y cerrada, impone también una contención intelectual.

—Explica el contenido del poema «Esto soñé», en CLXIV. En este soneto se repiten motivos presentes en la poesía de Antonio Machado desde su primer libro (el camino, el jardín, el mar, el sueño, el tiempo...) ¿Ha evolucionado la concepción de estos elementos?

1.3. *La línea intimista*

Si pensamos en el intimismo propio de *Soledades*, habría que
negar este enfoque en las *Nuevas Canciones*. Sin embargo, Machado se permite también aquí mostrarnos levemente su sentir,
especialmente en relación al recuerdo de Leonor. En «Los sueños dialogados» y en CLXV, «Sonetos», reaparece el tema del
amor, el de la soledad, la emoción por Castilla, el recuerdo
del padre... La emoción se confunde a menudo con la reflexión,
pero no deja de latir.

    — Lee las dos series antedichas y haz una lista de los
temas que más emocionan a Machado y explica la orientación que les da. ¿Qué variaciones encuentras en el tratamiento de estos temas respecto a los libros anteriores?
¿Te parece ahora más frío Machado?
    — El soneto CLXV-V tiene como tema central el amor.
Sintetiza su contenido. Aunque el tema es el amor y éste
es un sentimiento íntimo, ¿juzgarías este poema intimista? ¿Cuál es el enfoque por el que opta Machado?

2. LA EXPRESIÓN MACHADIANA
EN «NUEVAS CANCIONES»

2.1. *Métrica*

La influencia clásica y la popular se dejan notar también a la
hora de optar por ciertas estrofas. Junto a las estrofas formadas
por versos de arte menor (preferentemente hexasílabos u octo-
sílabos), Antonio Machado utiliza con profusión el soneto. Opta
a veces por las silvas y no abandona por completo el uso de las
estrofas de cuatro versos de alejandrinos.

    — Analiza la métrica de los poemas CLIII y CLIV. Pon
en relación la estrofa elegida con el tema y el tono de la
composición: ¿pegaría «Olivo del camino» en versos hexasílabos o el poema CLIV, en endecasílabos? ¿Por qué?
    — En la última parte de *Nuevas Canciones* la estrofa
predominante es el soneto: analiza la métrica del dedicado a Azorín: ¿Tiene la estructura clásica?

2.2. *Recursos expresivos*

La influencia de la poesía popular se manifiesta en las frecuentes figuras de repetición —aquí más abundantes que en cualquiera de sus libros anteriores—: geminaciones, derivaciones, anadiplosis...

 — Analiza las figuras del *nivel fónico* en el poema CLIV.

En el *nivel morfosintáctico,* el rasgo más sobresaliente es la tendencia a las oraciones nominales sin verbo, tendencia ya presente en sus obras anteriores, pero ahora llevada a extremo. Unas veces se trata de frases nominales, en función de vocativo; y otras, de frases nominales exclamativas, cargadas de emoción. En los pasajes descriptivos, hay acumulación de adjetivos.

 — Analiza la estrofa inicial de «Olivo del camino» (CLIII) y del poema CLIV: ¿Qué sentido tienen las frases nominales? ¿Ves diferencia entre la función que cumplen en uno y otro poema?
— Lee el poema CLIV y señala los adjetivos explicativos y los especificativos.

En el *nivel léxico-semántico* llama la atención la recuperación de palabras y de juegos verbales procedentes de la tradición clásica, especialmente en los sonetos. En las «canciones», puede aparecer léxico popular. Las figuras estilísticas más utilizadas son las metáforas y las personificaciones.

 — Analiza estilísticamente el soneto CLXV-V. ¿Te sugieren sus imágenes algún soneto de nuestro Siglo de Oro?
— En las descripciones del paisaje, Machado sigue recurriendo a la personificación de elementos de la naturaleza. Compruébalo en el poema CLIV. Señala las metáforas utilizadas en el poema CLV.

CONCLUSIÓN

SUGERENCIAS PARA UN COMENTARIO COMPARATIVO DE TEXTOS

Tras este detallado recorrido por la poesía machadiana —desarrollada a lo largo de más de treinta años—, has podido comprobar que, a pesar de las múltiples variaciones y enfoques, existen también unas constantes temáticas. En *Soledades, Galerías y otros poemas* predomina una línea intimista, pero el poeta comienza a abrirse a la realidad exterior (el paisaje y los otros hombres). En *Campos de Castilla* se invierten los términos: predominan el enfoque y los temas objetivos, aunque sin desaparecer por completo el subjetivismo del poeta, que se manifiesta en algunos temas, en la selección de materiales y en la técnica impresionista; por otra parte, irrumpe con fuerza un tipo de poesía meditativa, en forma muy breve e ingeniosa. En *Nuevas Canciones* son la línea objetivista y la reflexiva las que se imponen. Pero siempre están presentes algunos temas, como la soledad y el tiempo, y algunos motivos, como la tarde.

 — Como síntesis de todo tu esfuerzo, te propongo todavía una última actividad, que te permitirá apreciar por ti mismo las constantes y las variaciones (o sea, la evolución) en las *Poesías completas* de Antonio Machado: un comentario comparativo de varios poemas de los momentos más significativos en la producción poética machadiana. De *Soledades,* el poema XXVI; de *Campos de Castilla,* el CXXI; de *Nuevas Canciones,* el soneto «Esto soñé» (CLXIV). Si quieres también tener en cuenta los últimos tanteos poéticos machadianos, puedes analizar igualmente el poema CLXXIII, «Canciones a Guiomar», I y II; y el LVII, «Coplas españolas».

Todos estos poemas tienen unas notas comunes, si no el análisis comparativo no tendría sentido. En todos aparecen, como telón de fondo, la soledad y el tiempo, así como los motivos de la mano y la ilusión o el sueño. Pero el distinto tratamiento que se da a estos temas y motivos —que marcan unas constantes en la poesía machadiana— permite apreciar igualmente la evolución no sólo poética, sino incluso ideológica, de Antonio Machado. La mano es un motivo que marca primero la extrema soledad de esos personajes marginales (y el poeta, que ha salido de sí mismo, pero traslada al mundo exterior sus propias preocupaciones, se pregunta si también en ese mundo degradado cabe la ilusión). Después, la mano tendida por el poeta a Leonor es sólo un sueño que se esfuma con rapidez, imponiéndose de nuevo la extrema soledad y el sentido del tiempo (al saberse ya «viejo»). El tercer texto es un claro exponente de poesía de

fuerte contenido filosófico, en tono meditativo y severo: el
sueño es ahora un medio de discurrir filosófico, camino de conocimiento metafísico. Y el sueño sirve para ofrecer una concepción de la vida: la sola y desnuda mano contiene el fuego
heraclitiano, símbolo de la constante destrucción y renovación.
Pero el sueño machadiano sería que ese fuego fuera sin cenizas;
es decir, sin la necesaria muerte. En las «Canciones a Guiomar»
la amenaza del tiempo y la soledad aparecen superadas por la
ilusión del nuevo amor, mientras que en las «Coplas españolas», es el sentirse «pueblo», uno y elemental, lo que puede salvar al poeta de la constante soledad.

   También la distinta forma de estos poemas sirve para marcar
la trayectoria poética de Machado: el sincretismo sensorial o la
utilización de léxico religioso para la descripción de un mundo
casi infrahumano remiten al contexto modernista. El descriptivismo objetivista del segundo texto (pese al intimismo de fondo),
nos sitúa en *Campos de Castilla*. El tono severo, las imágenes
conceptuales, la forma contenida del soneto... remiten al Machado reflexivo de la tercera etapa. Los dos últimos textos
muestran al Machado que se ha reencontrado con el pueblo, y
que redescubre una poesía ágil, de ritmo ligero, y de la imaginería tradicional (simbolismo de los elementos de la naturaleza) que a éste le es propia.

   En suma, creo que, tras este taller de lectura, puede con-
cluirse que la poesía de Machado, a pesar de las variaciones
que marca su trayectoria literaria, está caracterizada por una
cierta unidad y, sobre todo, por una gran coherencia, sin duda
nacida de la sinceridad del poeta.

COLECCIÓN AUSTRAL

EDICIONES DIDÁCTICAS